#시험대비
#핵심정복

# 7일 끝
# 중간고사
# 기말고사

Chunjae
Makes
Chunjae


개발총괄 김은숙
편집개발 김은송, 김용하, 박준우, 박유미
제작 황성진, 조규영

발행일 2021년 3월 15일 초판 2021년 3월 15일 1쇄
발행인 (주)천재교육
주소 서울시 금천구 가산로9길 54
신고번호 제2001-000018호
고객센터 1577-0902
교재 내용문의 (02)3282-8739



※ 정답 분실 시에는 천재교육 홈페이지에서 내려받으세요.

7일 끝으로 끝내자!

# 7 고등 생명과학 I

## BOOK 1

1학기 중간·기말 대비

# 이 책의 구성과 활용

## 일차별 시험 공부

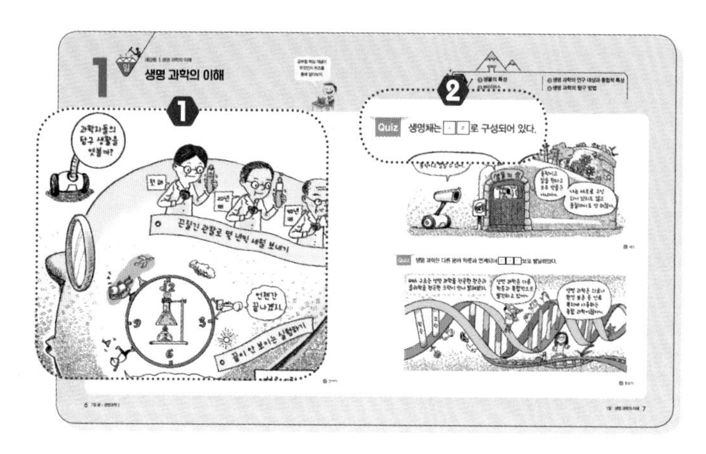

### 생각 열기

공부할 내용을 그림과 퀴즈로 가볍게 살펴보며 학습을 준비해 보세요.

❶ **그림으로 개념 잡기** | 학습할 개념을 그림과 만화로 재미있게 알아보세요.

❷ **Quiz** | 공부할 기초 내용을 그림과 관련된 퀴즈 문제로 확인해 보세요.

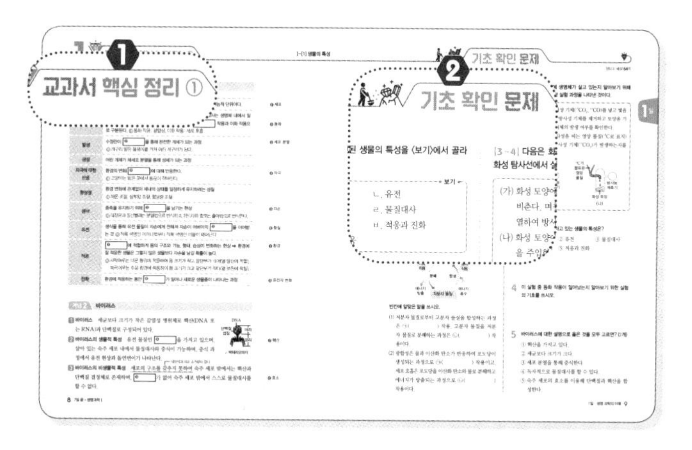

### 교과서 핵심 정리 + 기초 확인 문제

꼭 알아야 할 교과서 핵심 내용을 익히고 기초 확인 문제를 풀며 제대로 이해했는지 확인해 보세요.

❶ **교과서 핵심 정리** | 빈칸을 채워 보며 교과서 핵심 개념을 다시 한번 체크해 보세요.

❷ **기초 확인 문제** | 교과서 핵심 정리와 관련된 문제를 풀며 공부한 내용을 확인해 보세요.

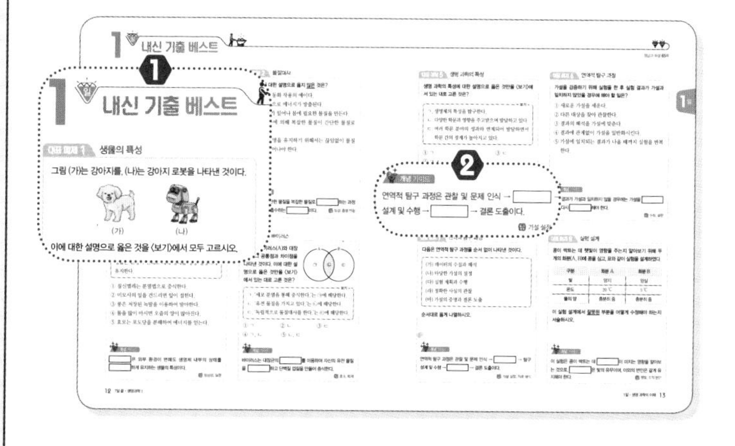

### 내신 기출 베스트

다양한 유형의 문제를 풀어 보며 공부한 내용을 점검해 보세요.

❶ **대표 예제** | 시험에 자주 나오는 빈출 유형 필수 문제를 풀어 보세요.

❷ **개념 가이드** | 대표 예제와 관련된 핵심 개념을 익혀 보세요.

## 시험 공부 마무리 테스트

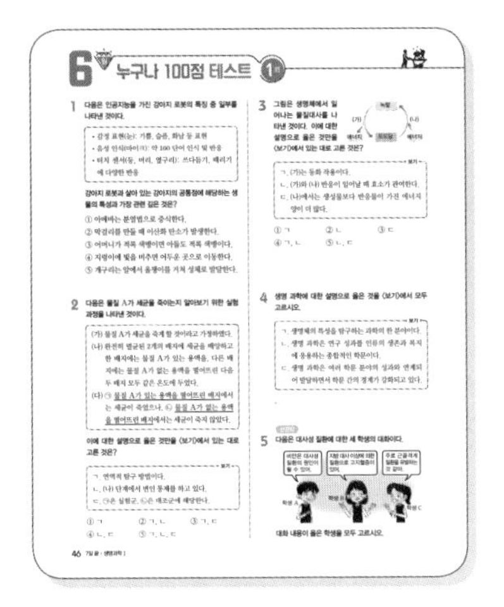

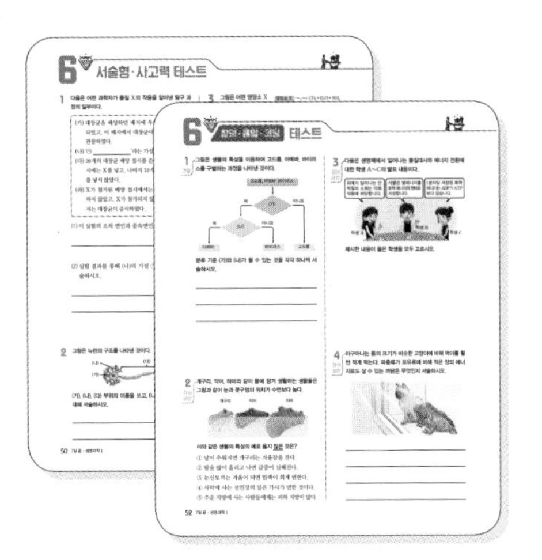

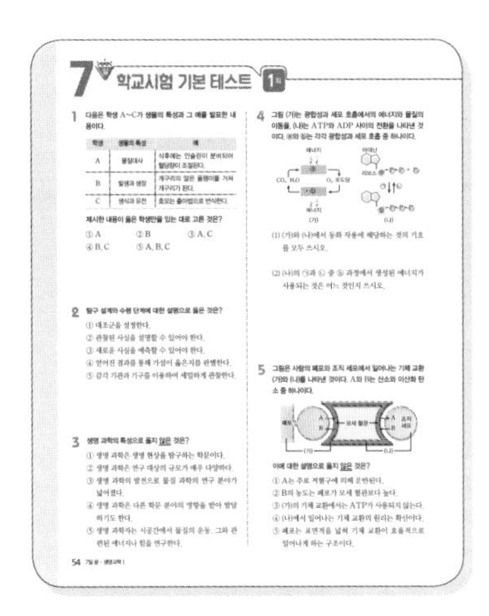

### 누구나 100점 테스트

5일 동안 공부한 내용을 바탕으로 기초 이해력을 점검해 보세요.

### 서술형·사고력 테스트

### 창의·융합·코딩 테스트

서술형·사고력 문제와 창의·융합·코딩 문제를 풀어 보면서 창의력과 문제 해결력을 높여 보세요.

### 학교시험 기본 테스트

중간·기말고사 예상 문제를 최종으로 풀며 실전에 대비해 보세요.

## 시험 직전까지 챙겨야 할 부록

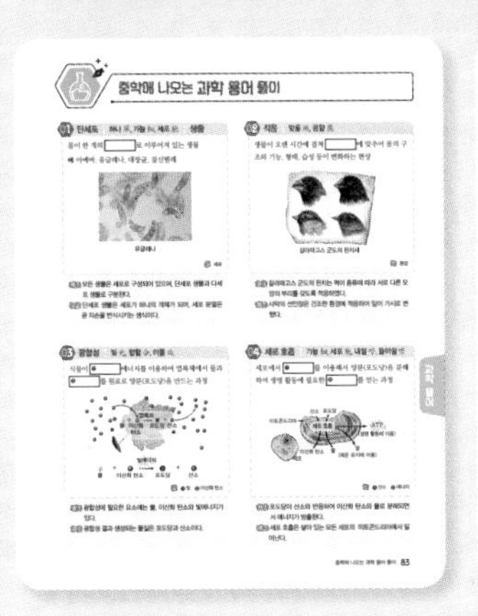

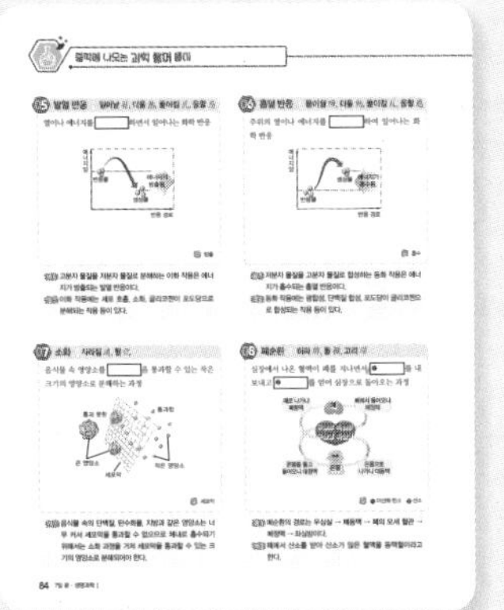

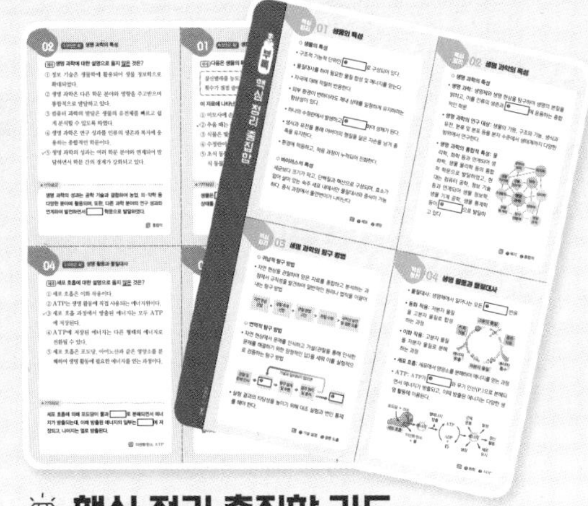

### 중학에 나오는 과학 용어 풀이

중학교에서 배운 과학 용어로 선수 학습을 확인할 수 있어요.

### 핵심 정리 총집합 카드

시험 직전이나 틈틈이 암기 카드를 휴대하여 활용해 보세요.

# 이 책의 차례

BOOK 1

BOOK
2

1 일

대단원 Ⅰ. 생명 과학의 이해

# 생명 과학의 이해

**Quiz** 가설을 세우고 이를 검증하는 탐구 과정은 ㅇㅇㅈ 탐구 과정이다.

답 연역적

배울 내용

❶ 생물의 특성
❷ 바이러스
❸ 생명 과학의 연구 대상과 통합적 특성
❹ 생명 과학의 탐구 방법

Quiz 생명체는 ㅅ ㅍ로 구성되어 있다.

답 세포

Quiz 생명 과학은 다른 분야 학문과 연계되어 ㅌ ㅎ ㅈ으로 발달하였다.

답 통합적

## 개념 1 생물의 특성

| 구분 | 내용 |
|---|---|
| 세포로 구성 | 모든 생물은 ❶ [    ] 로 구성된다. 세포는 생물의 구조적, 기능적 단위이다. |
| 물질대사 | 모든 생물은 물질대사를 통해 생명 활동을 유지한다. 물질대사는 생명체 내에서 일어나는 모든 화학 반응으로, 에너지 출입이 따르며 ❷ [    ] 작용과 이화 작용으로 구분된다. 예 동화 작용: 광합성, 이화 작용: 세포 호흡 |
| 발생 | 수정란이 ❸ [    ] 을 통해 완전한 개체가 되는 과정<br>예 개구리 알은 올챙이를 거쳐 어린 개구리가 된다. |
| 생장 | 어린 개체가 체세포 분열을 통해 성체가 되는 과정 |
| 자극에 대한 반응 | 환경의 변화( ❹ [    ] )에 대해 반응한다.<br>예 고양이는 밝은 곳에서 동공이 작아진다. |
| 항상성 | 환경 변화에 관계없이 체내의 상태를 일정하게 유지하려는 성질<br>예 체온 조절, 삼투압 조절, 혈당량 조절 |
| 생식 | 종족을 유지하기 위해 ❺ [    ] 을 남기는 현상<br>예 대장균과 짚신벌레는 분열법으로 번식하고, 히드라와 효모는 출아법으로 번식한다. |
| 유전 | 생식을 통해 유전 물질이 자손에게 전해져 자손이 어버이의 ❻ [    ] 을 이어받는 것 예 적록 색맹인 어머니로부터 적록 색맹인 아들이 태어난다. |
| 적응 | ❼ [    ] 에 적합하게 몸의 구조와 기능, 형태, 습성이 변화하는 현상 ➡ 환경에 잘 적응한 생물은 그렇지 않은 생물보다 자손을 남길 확률이 높다.<br>예 사막여우는 더운 환경에 적응하여 몸 크기가 작고 말단부가 크며(열 발산에 적합), 북극여우는 추운 환경에 적응하여 몸 크기가 크고 말단부가 작다(열 보존에 적합). |
| 진화 | 환경에 적응하는 동안 ❽ [    ] 가 일어나 새로운 생물종이 나타나는 과정 |

❶ 세포
❷ 동화
❸ 세포 분열
❹ 자극
❺ 자손
❻ 형질
❼ 환경
❽ 유전자 변화

## 개념 2 바이러스

**1 바이러스** 세균보다 크기가 작은 감염성 병원체로 핵산(DNA 또는 RNA)과 단백질로 구성되어 있다.

**2 바이러스의 생물적 특성** 유전 물질인 ❾ [    ] 을 가지고 있으며, 살아 있는 숙주 세포 내에서 물질대사와 증식이 가능하며, 증식 과정에서 유전 현상과 돌연변이가 나타난다.

DNA
단백질 껍질
머리
꼬리

▲ 박테리오파지

**3 바이러스의 비생물적 특성** 세포의 구조를 갖추지 못하여(세포막과 세포 소기관이 없다.) 숙주 세포 밖에서는 핵산과 단백질 결정체로 존재하며, ❿ [    ] 가 없어 숙주 세포 밖에서 스스로 물질대사를 할 수 없다.

❾ 핵산
❿ 효소

# 기초 확인 문제

정답과 해설 64쪽

**1** 다음 각 설명과 관련된 생물의 특성을 〈보기〉에서 골라 기호로 쓰시오.

보기

ㄱ. 생식　　ㄴ. 유전
ㄷ. 발생　　ㄹ. 물질대사
ㅁ. 항상성　　ㅂ. 적응과 진화
ㅅ. 자극에 대한 반응

(1) 효모는 출아법으로 번식한다.
(2) 적록 색맹인 어머니로부터 적록 색맹인 아들이 태어난다.
(3) 지렁이에 빛을 비추면 어두운 곳으로 이동한다.
(4) 식물은 광합성을 통해 양분을 합성한다.
(5) 장구벌레는 번데기 시기를 거쳐 모기가 된다.
(6) 선인장은 사막에 적응하여 잎이 변한 가시를 가진다.
(7) 토끼의 체온은 항상 일정하게 유지된다.

**2** 그림은 물질대사를 나타낸 것이다.

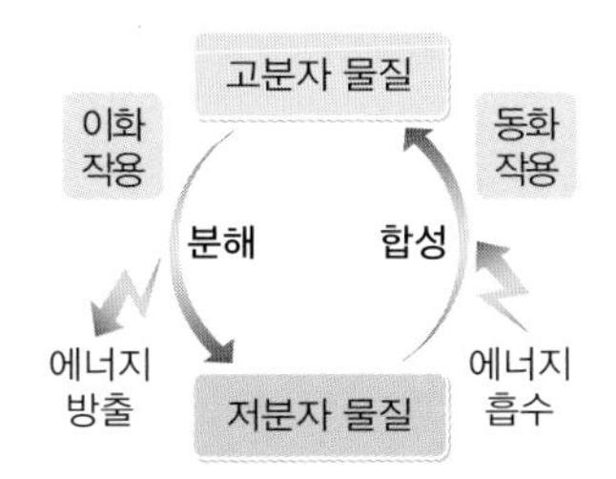


빈칸에 알맞은 말을 쓰시오.

(1) 저분자 물질로부터 고분자 물질을 합성하는 과정은 ㉠(　　　　) 작용, 고분자 물질을 저분자 물질로 분해하는 과정은 ㉡(　　　　) 작용이다.
(2) 광합성은 물과 이산화 탄소가 반응하여 포도당이 생성되는 과정으로 ㉠(　　　　) 작용이고, 세포 호흡은 포도당을 이산화 탄소와 물로 분해하고 에너지가 방출되는 과정으로 ㉡(　　　　) 작용이다.

**[3~4]** 다음은 화성에 생명체가 살고 있는지 알아보기 위해 화성 탐사선에서 실시한 실험 과정을 나타낸 것이다.

(가) 화성 토양에 방사성 기체($^{14}CO_2$, $^{14}CO$)를 넣고 빛을 비춘다. 며칠 후 방사성 기체를 제거하고 토양을 가열하여 방사성 기체의 발생 여부를 확인한다.
(나) 화성 토양에 방사성을 띠는 영양 물질($^{14}C$로 표지)을 주입한 후 방사성 기체($^{14}CO_2$)가 발생하는지를 조사한다.

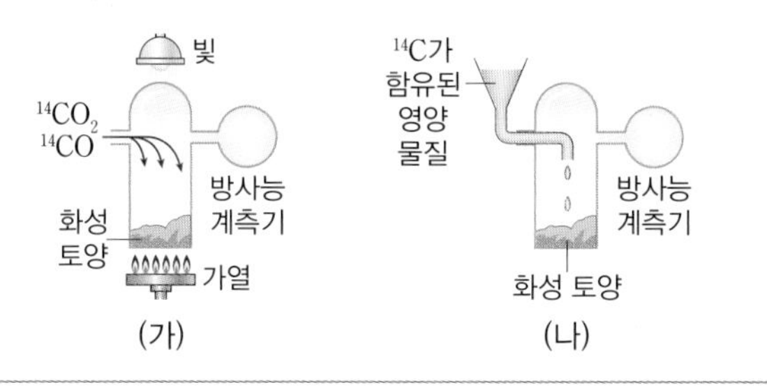


(가)　　(나)

**3** 이 실험에서 전제하고 있는 생물의 특성은?

① 생장　② 유전　③ 물질대사
④ 항상성 유지　⑤ 적응과 진화

**4** 이 실험 중 동화 작용이 일어났는지 알아보기 위한 실험의 기호를 쓰시오.

**5** 바이러스에 대한 설명으로 옳은 것을 모두 고르면? (2개)

① 핵산을 가지고 있다.
② 세균보다 크기가 크다.
③ 세포 분열을 통해 증식한다.
④ 독자적으로 물질대사를 할 수 있다.
⑤ 숙주 세포의 효소를 이용해 단백질과 핵산을 합성한다.

# 1일 교과서 핵심 정리 ②



## 개념 3 생명 과학의 연구 대상과 통합적 특성

**1 생명 과학** 생명체와 ❶ ______ 을 탐구하여 생명의 본질을 밝히고, 이를 질병 치료나 환경 문제 해결 등 인류의 생존과 복지에 응용하는 종합적인 학문

❶ 생명 현상

**2 생명 과학의 연구 대상** 생물학적 체계를 구성하는 모든 대상(생물의 기원, 구조와 기능, 생식과 유전, 분류 및 분포 등을 분자 수준에서 생태계까지)을 연구한다.

**3 생명 과학의 통합적 특성** 생명 과학은 화학, 물리학의 원리와 이론을 받아들여 생화학, 분자 생물학, 생물 물리학과 같은 통합적 학문으로 발달하였고, 현대에는 컴퓨터 공학, 정보 처리 기술 등 첨단 과학 기술과 함께 ❷ ______ 으로 발전하고 있다.

❷ 통합적

예 생물 정보학, 생물 기계 공학, 유전 공학, 생물 지리학

## 개념 4 생명 과학의 탐구 방법

**1 귀납적 탐구 방법** 자연 현상을 관찰하여 얻은 자료를 종합하고 분석하는 과정에서 규칙성을 발견하여 일반적인 원리나 법칙을 이끌어 내는 탐구 방법

예 세포설, 구달의 침팬지 연구, 다윈의 진화설, DNA 구조의 발견

**2 연역적 탐구 방법** 자연 현상에서 문제를 인식하고 문제를 해결하기 위한 잠정적인 답인 ❸ ______ 을 세워 이를 실험적으로 검증하는 탐구 방법

❸ 가설

예 파스퇴르의 탄저병 백신 실험, 플레밍의 페니실린 발견, 에이크만의 각기병 연구, 멘델의 유전 연구

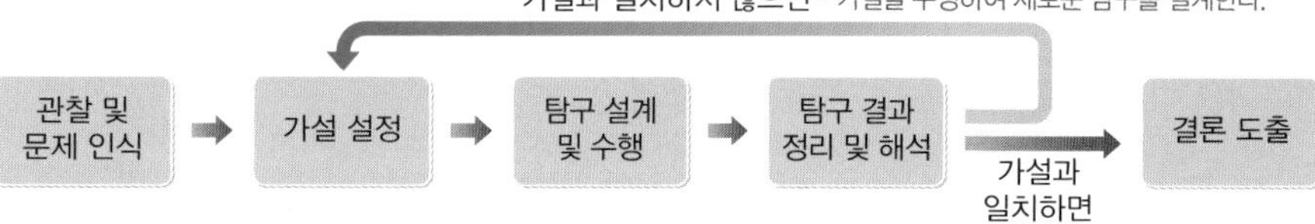


| | |
|---|---|
| 대조 실험 | ❹ ______ 을 설정하고 실험군과 비교하는 대조 실험을 통해 결과의 타당성이 높아진다.<br>• 대조군: 검증하려는 요인(변인)을 변화시키지 않은 집단<br>• 실험군: 가설에서 검증하려는 요인(변인)을 변화시킨 집단 |
| 변인 | • 독립변인: 결과에 영향을 미치는 요인으로 실험에서 의도적으로 변화시키는 조작 변인과 실험하는 동안 일정하게 유지시키는 ❺ ______ 이 있다.<br>• 종속변인: 조작 변인의 영향을 받아 변하는 요인(실험 결과에 해당) |
| 변인 통제 | 조작 변인 이외에 실험 결과에 영향을 줄 수 있는 다른 모든 조건(통제 변인)을 일정하게 유지하는 것 |

❹ 대조군

❺ 통제 변인

**6** **다음은 생명 과학의 특성에 대한 학생 A~C의 설명이다. 옳게 설명한 학생을 모두 고르시오.**

**7** **다음은 생명 과학의 탐구 방법에 대한 내용이다. 빈칸에 알맞은 말을 쓰시오.**

(1) 생명 과학의 탐구 방법 중 자연 현상에서 문제를 인식하여 가설을 세우고 이를 검증하는 탐구 방법을 (　　　　　) 탐구 방법이라고 한다.

(2) 관찰하여 얻은 여러 가지 자료를 종합하고 분석하여 일반적인 원리나 법칙을 도출하는 탐구 방법을 (　　　　　) 탐구 방법이라고 한다.

(3) 생명 과학의 탐구 과정에서 관찰을 통해 갖게 된 의문에 대한 잠정적인 답을 (　　　　　)이라고 한다.

(4) 조작 변인 외에 종속 변인에 영향을 미칠 수 있는 독립변인들을 모두 일정하게 유지하는 것을 (　　　　　)라고 한다.

**8** **다음은 귀납적 탐구 방법의 과정을 나타낸 것이다.**

> 자연 관찰 → (　A　) → (　B　) → 자료 수집 → (　C　) → 규칙성 발견 및 결론 도출

**이에 대한 설명으로 옳은 것은 ○, 옳지 않은 것은 ×표 하시오.**

(1) A 과정에서는 관찰한 자연 현상에 대한 관찰 주제를 선정한다. (　　)

(2) B 과정에서는 자료를 수집하기 위한 방법을 고안한다. (　　)

(3) C 과정에서는 자료를 해석하여 가설의 수용 여부를 검증한다. (　　)

**9** **다음은 여러 과학자의 탐구 내용이다. 연역적 탐구 방법에 해당하는 것을 모두 고르시오.**

> (가) 구달은 10여 년간 침팬지의 성장 과정, 행동, 침팬지들 사이의 관계 등을 관찰하여 침팬지의 다양한 행동 특성을 알아냈다.
> (나) 다윈은 비글호를 타고 세계 곳곳을 다니며 관찰한 다양한 생물의 특성에 대해 연구한 것을 토대로 자연 선택설을 발표하였다.
> (다) 멘델은 완두 교배 실험 결과를 토대로 유전 법칙을 발표하였다.

**10** **파스퇴르는 탄저병 백신의 예방 효과를 검증하기 위해 탄저병 백신을 주사한 25마리의 양과 탄저병 백신을 주사하지 않은 25마리의 양에게 동시에 탄저균을 주사하였다.**

(1) 파스퇴르의 실험에서 실험군과 대조군을 각각 쓰시오.

(2) 파스퇴르의 실험에서 조작 변인을 쓰시오.

# 1일 내신 기출 베스트

## 대표 예제 1 생물의 특성

그림 (가)는 강아지를, (나)는 강아지 로봇을 나타낸 것이다.

(가) (나)

이에 대한 설명으로 옳은 것을 〈보기〉에서 모두 고르시오.

보기

ㄱ. (가)는 자극에 대해 반응한다.
ㄴ. (나)는 세포 분열을 한다.
ㄷ. (가)와 (나)는 모두 물질대사를 한다.

개념 가이드

강아지와 로봇의 공통점은 [ ]을 감지하여 [ ]하는 것이다. 답 자극, 반응

## 대표 예제 2 물질대사

물질대사에 대한 설명으로 옳지 않은 것은?

① 광합성은 동화 작용의 예이다.
② 동화 작용으로 에너지가 방출된다.
③ 물질대사가 일어나 몸에 필요한 물질을 만든다.
④ 이화 작용에 의해 복잡한 물질이 간단한 물질로 분해된다.
⑤ 생물이 생명을 유지하기 위해서는 끊임없이 물질대사가 일어나야 한다.

개념 가이드

동화 작용은 간단한 물질을 복잡한 물질로 [ ]하는 과정으로, 에너지를 흡수하는 [ ]이다. 답 합성, 흡열 반응

## 대표 예제 3 생물의 특성

다음 설명과 가장 관계있는 생물의 특성은?

> 생물은 환경이 변해도 체내 상태를 항상 일정하게 유지한다.

① 짚신벌레는 분열법으로 증식한다.
② 미모사의 잎을 건드리면 잎이 접힌다.
③ 콩은 저장된 녹말을 이용하여 발아한다.
④ 물을 많이 마시면 오줌의 양이 많아진다.
⑤ 효모는 포도당을 분해하여 에너지를 얻는다.

개념 가이드

[ ]은 외부 환경이 변해도 생명체 내부의 상태를 [ ]하게 유지하는 생물의 특성이다. 답 항상성, 일정

## 대표 예제 4 바이러스

그림은 바이러스(A)와 대장균(B)의 공통점과 차이점을 나타낸 것이다. 이에 대한 설명으로 옳은 것만을 〈보기〉에서 있는 대로 고른 것은?

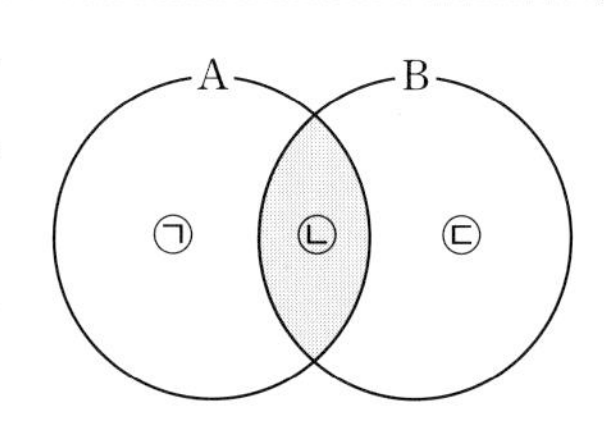


보기

ㄱ. '세포 분열을 통해 증식한다.'는 ㉠에 해당한다.
ㄴ. '유전 물질을 가지고 있다.'는 ㉡에 해당한다.
ㄷ. '독립적으로 물질대사를 한다.'는 ㉢에 해당한다.

① ㄱ ② ㄴ ③ ㄷ
④ ㄱ, ㄴ ⑤ ㄴ, ㄷ

개념 가이드

바이러스는 대장균의 [ ]를 이용하여 자신의 유전 물질을 [ ]하고 단백질 껍질을 만들어 증식한다. 답 효소, 복제

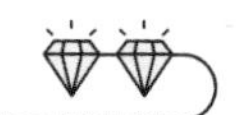





## 대표 예제 5 생명 과학의 특성

**생명 과학의 특성에 대한 설명으로 옳은 것만을 〈보기〉에서 있는 대로 고른 것은?**

보기

ㄱ. 생명체의 특성을 탐구한다.
ㄴ. 다양한 학문과 영향을 주고받으며 발달하고 있다.
ㄷ. 여러 학문 분야의 성과와 연계되어 발달하면서 학문 간의 경계가 높아지고 있다.

① ㄱ ② ㄴ ③ ㄷ
④ ㄱ, ㄴ ⑤ ㄴ, ㄷ

개념 가이드

생명 과학은 다른 학문 분야와 연계되어 서로 [    ]을 주고받으며 [    ] 학문으로 발달하고 있다.

답 영향, 통합적

## 대표 예제 6 연역적 탐구 과정

**가설을 검증하기 위해 실험을 한 후 실험 결과가 가설과 일치하지 않았을 경우에 해야 할 일은?**

① 새로운 가설을 세운다.
② 다른 대상을 찾아 관찰한다.
③ 결과의 해석을 가설에 맞춘다.
④ 결과에 관계없이 가설을 일반화시킨다.
⑤ 가설에 일치되는 결과가 나올 때까지 실험을 반복한다.

개념 가이드

탐구 결과가 가설과 일치하지 않을 경우에는 가설을 [    ]하여 다시 [    ]해야 한다.

답 수정, 설정

## 대표 예제 7 연역적 탐구 과정

**다음은 연역적 탐구 과정을 순서 없이 나타낸 것이다.**

(가) 데이터의 수집과 해석
(나) 타당한 가설의 설정
(다) 실험 계획과 수행
(라) 정확한 사실의 관찰
(마) 가설의 증명과 결론 도출

**순서대로 옳게 나열하시오.**

개념 가이드

연역적 탐구 과정은 관찰 및 문제 인식 → [    ] → 탐구 설계 및 수행 → [    ] → 결론 도출이다.

답 가설 설정, 자료 해석

## 대표 예제 8 실험 설계

**콩이 싹트는 데 햇빛이 영향을 주는지 알아보기 위해 두 개의 화분(A, B)에 콩을 심고, 표와 같이 실험을 설계하였다.**

| 구분 | 화분 A | 화분 B |
|---|---|---|
| 빛 | 양지 | 암실 |
| 온도 | 20 ℃ | 5 ℃ |
| 물의 양 | 충분히 줌 | 충분히 줌 |

**이 실험 설계에서 잘못된 부분을 어떻게 수정해야 하는지 서술하시오.**

개념 가이드

이 실험은 콩이 싹트는 데 [    ]이 미치는 영향을 알아보는 것으로, [    ]은 빛의 유무이며, 이외의 변인은 같게 유지해야 한다.

답 햇빛, 조작 변인

2 일

대단원 Ⅱ. 사람의 물질대사

# 사람의 물질대사

공부할 핵심 개념이 무엇인지 퀴즈를 통해 알아보자.

**Quiz** 세포 호흡은 살아가는 데 필요한 ㅇㄴㅈ를 얻기 위한 과정이다.

답 에너지

배울 내용

❶ 물질대사
❷ ATP의 생성과 이용
❸ 세포 호흡에 필요한 영양소와 산소의 이동
❹ 노폐물의 생성과 배설, 기관계의 통합적 작용
❺ 물질대사와 건강

**Quiz** 세포 호흡에 필요한 영양소와 산소는 ㅅ ㅎ ㄱ 를 통해 운반된다.

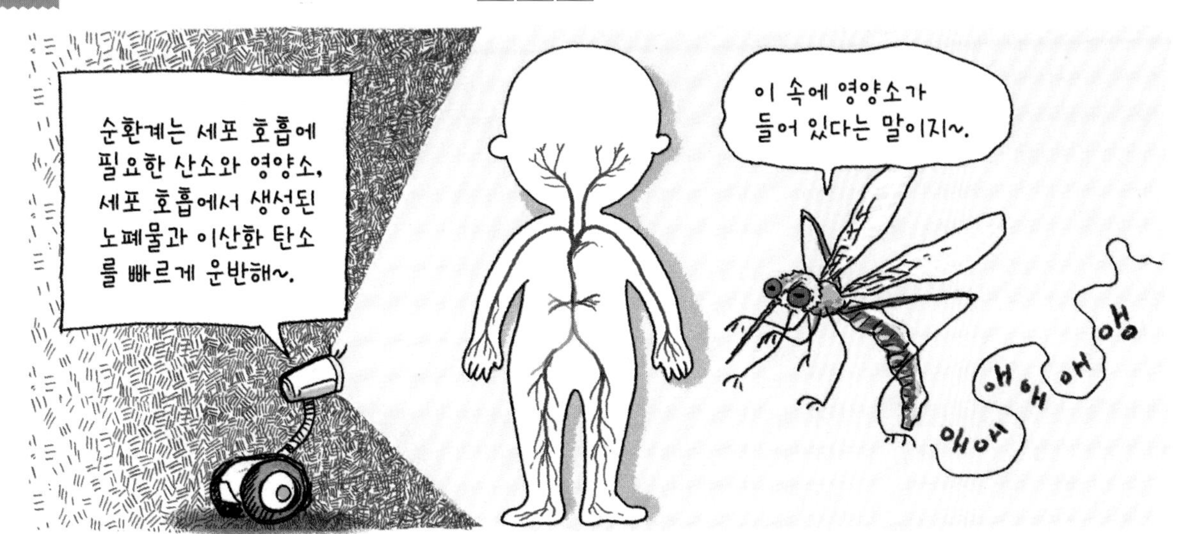


답 순환계

**Quiz** 물질대사에 이상이 생겨 발생하는 질병을 ㄷ ㅅ ㅅ 질환이라고 한다.

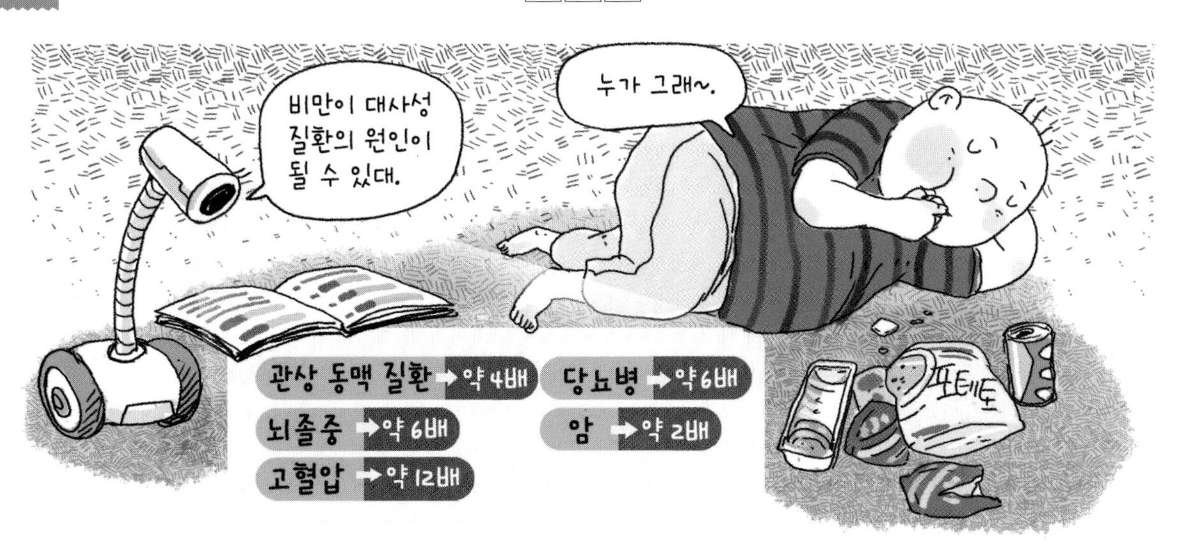


답 대사성

# 2일 교과서 핵심 정리 ①



## 개념 1 물질대사

**1 물질대사** 생명체에서 일어나는 모든 화학 반응 ➡ 반드시 에너지 출입이 함께 일어나고, ❶ [ ](생체 촉매)가 관여하며, 반응이 단계적으로 일어난다. – 체온 정도의 낮은 온도에서 반응이 일어난다.

**2 동화 작용** 에너지를 ❷ [ ]하여 저분자 물질을 고분자 물질로 합성한다. ➡ 흡열 반응

예 광합성, 단백질 합성, DNA 합성

**3 이화 작용** 고분자 물질을 저분자 물질로 분해하면서 에너지가 ❸ [ ]된다. ➡ 발열 반응

예 세포 호흡, 소화 작용

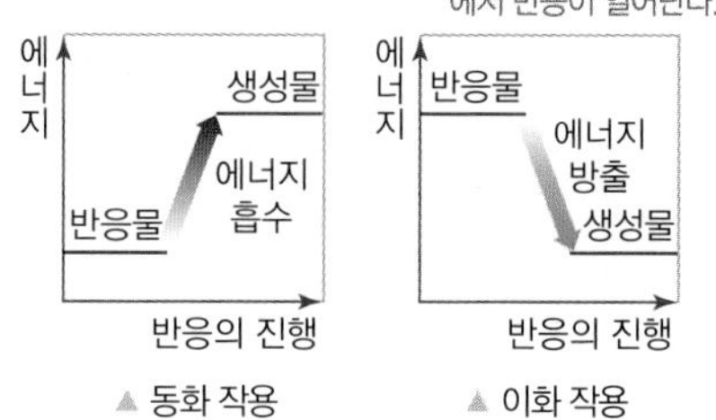


▲ 동화 작용 ▲ 이화 작용

❶ 효소
❷ 흡수
❸ 방출

## 개념 2 ATP의 생성과 이용

**1 세포 호흡** 포도당이 산소와 반응하여 분해되면서 에너지를 방출하는 과정으로, 방출된 에너지의 일부는 ❹ [ ]의 화학 에너지로 저장되고 나머지는 ❺ [ ]로 방출된다.

**2 ATP** 생명 활동에 직접 이용되는 에너지 저장 물질로, ❻ [ ]와 무기 인산으로 분해되면서 에너지를 방출한다. 이때 방출되는 에너지는 물질 합성, 근육 운동, 체온 유지 등 다양한 생명 활동에 이용된다.



❹ ATP
❺ 열
❻ ADP

## 개념 3 세포 호흡에 필요한 영양소와 산소의 이동

**1 영양소의 흡수** 녹말, 단백질, 지방 등 크기가 큰 영양소가 소화계에서 세포막을 통과하여 흡수되는 수 있는 작은 크기의 영양소로 분해된 후 ❼ [ ]의 융털에서 흡수되어 심장으로 이동한다.

**2 산소의 흡수** ❽ [ ]를 통해 흡수되는 산소는 폐에서 ❾ [ ]에 의해 폐포에서 모세 혈관으로 이동한 후 다시 조직 세포로 이동한다.

**3 영양소와 산소의 이동** 소화계와 호흡계를 통해 몸 속으로 들어온 영양소와 산소는 ❿ [ ]를 통해 온몸의 조직 세포로 공급된다. 영양소는 혈액의 혈장에 의해, 산소는 주로 적혈구(헤모글로빈)에 의해 운반된다.

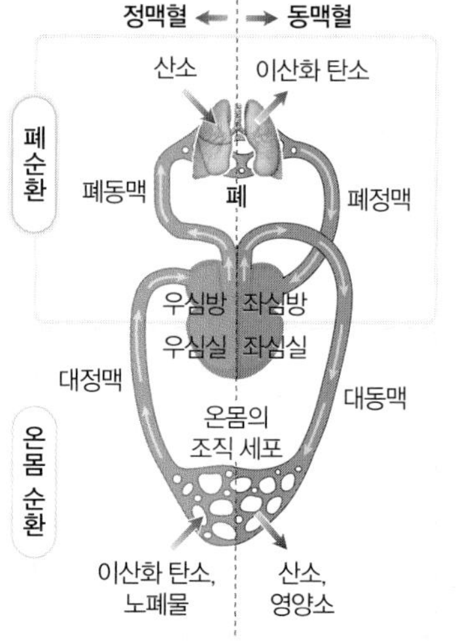


▲ 혈액 순환 경로

❼ 소장
❽ 호흡계
❾ 기체 교환
❿ 순환계

# 기초 확인 문제

정답과 해설 66쪽

**1** 그림은 생명체 내에서 화학 반응이 일어날 때 반응 경로에 따른 에너지 변화를 나타낸 것이다.

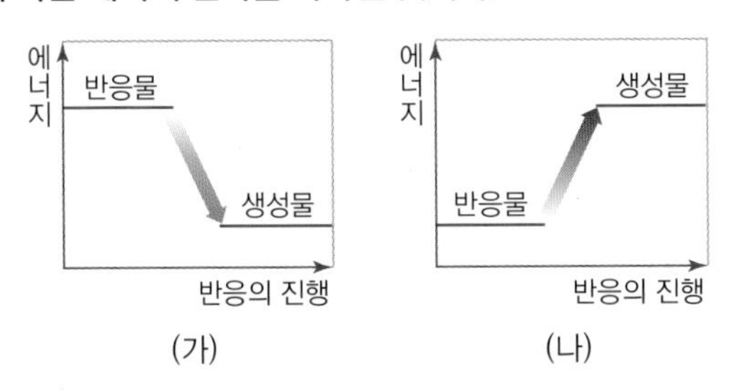


이에 대한 설명으로 옳은 것을 〈보기〉에서 모두 고르시오.

보기
ㄱ. (가)와 (나) 반응에는 효소가 관여한다.
ㄴ. (나)는 흡열 반응이다.
ㄷ. 녹말이 엿당으로 되는 과정은 (나)에 해당한다.

**2** 그림은 사람의 미토콘드리아에서 일어나는 세포 호흡 과정을 나타낸 것이다.

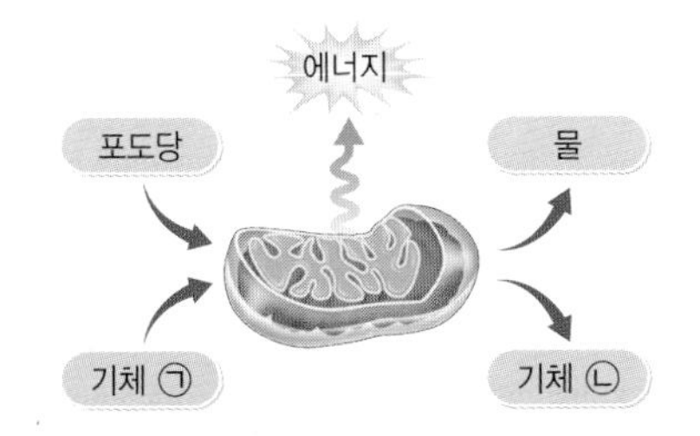


㉠, ㉡은 각각 무엇인지 쓰시오.

**3** ATP에 저장된 에너지를 이용하는 생명 활동으로 옳은 것을 〈보기〉에서 모두 고르시오.

보기
ㄱ. 키가 자란다.
ㄴ. 체온을 일정하게 유지한다.
ㄷ. 폐포에서 모세 혈관으로 산소가 이동한다.

**4** 그림은 생명 활동에 이용되는 물질의 전환 과정을 나타낸 것이다. 물질 (가)와 (나)는 각각 ADP와 ATP 중 하나이다.

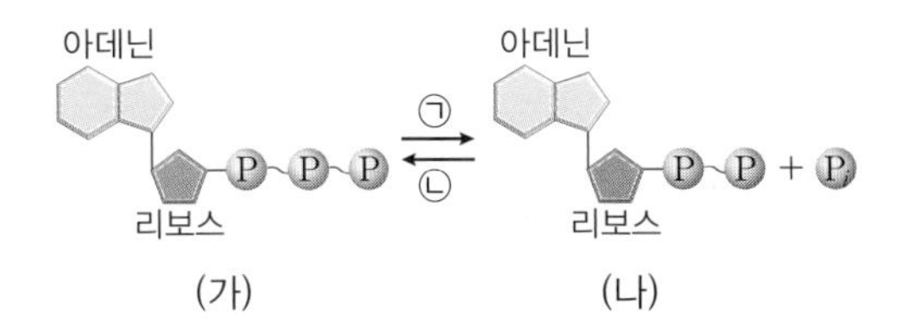


(1) (가)와 (나)의 이름을 쓰시오.
(2) ㉠과 ㉡ 중 에너지를 방출하는 반응을 쓰시오.
(3) ㉠과 ㉡ 중 주로 미토콘드리아에서 일어나는 반응을 쓰시오.

**5** 세포 호흡에 필요한 영양소와 산소의 흡수와 이동에 대한 설명이다. 빈칸에 알맞은 말을 쓰시오.

(1) 음식물이 소화 기관을 거치는 동안 탄수화물(녹말)은 ㉠(        )으로, 단백질은 ㉡(        )으로, 지방은 ㉢(        )과 모노글리세리드로 최종 분해되어 소장 융털로 흡수된다.
(2) 산소는 분압 차에 의한 ㉠(        )을 통해 산소가 많은 곳에서 적은 곳으로 이동한다. 산소의 이동 방향은 '대기 → ㉡(        ) → 혈액 → ㉢(        )'이다.
(3) 소화계를 통해 소화, 흡수된 ㉠(        )와 호흡계를 통해 흡수된 ㉡(        )는 순환계를 통해 온몸의 조직 세포로 운반된다.

# 교과서 핵심 정리 ②



## 개념 4 노폐물의 생성과 배설, 기관계의 통합적 작용

**1 노폐물의 생성과 배설** 세포 호흡 과정에서 생성된 물, 이산화 탄소, 암모니아는 ❶ ______ 를 통해 ❷ ______ 이나 폐로 이동하여 몸 밖으로 나간다.

❶ 순환계
❷ 콩팥

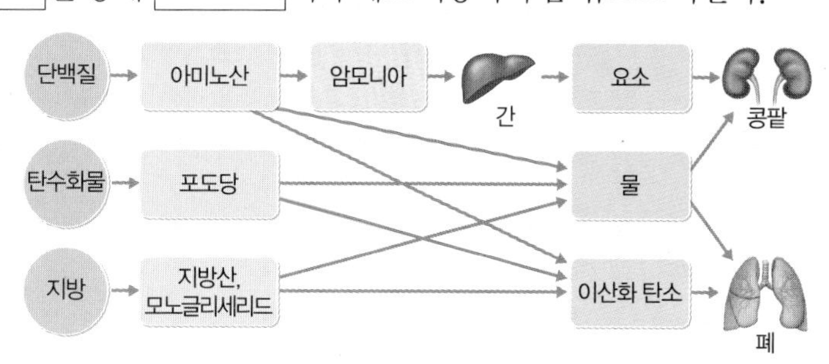


**2 기관계의 통합적 작용** 소화계, 순환계, 호흡계, 배설계는 생명 활동에 필요한 ❸ ______ 생성에 필요한 영양소와 산소를 조직 세포에 공급하고 노폐물을 몸 밖으로 배출하는 등 고유의 기능을 수행하면서 서로 협력하여 통합적으로 작용한다.

❸ 에너지

## 개념 5 물질대사와 건강

**1 대사성 질환** 우리 몸의 ❹ ______ 에 이상이 생겨 발생하는 질병

❹ 물질대사

| | |
|---|---|
| 당뇨병 | 혈당량 조절에 필요한 인슐린의 분비가 부족하거나 기능을 하지 못해 발생하며, 오줌 속에 포도당이 섞여 나온다. |
| 고혈압 | 혈압이 정상보다 높은 만성 질환으로, 심혈관계 질환 및 뇌혈관계 질환의 원인이 된다. |
| 고지혈증 | 혈액에 콜레스테롤이나 중성 지방이 과다하게 존재하여 혈관 내벽에 쌓인 상태로 동맥 경화 등 심혈관계 질환의 원인이 된다. |

**2 대사성 질환의 예방** 균형 잡힌 식사와 규칙적인 운동 등 건강한 생활 습관으로 예방하는 것이 필요하다. - 대사성 질환은 주로 비만이나 운동 부족, 영양 과다 등 생활 습관이 원인이 되어 나타난다.

**3 에너지 대사의 균형** 생명 활동을 정상적으로 유지하고 건강한 생활을 하기 위해서는 에너지 ❺ ______ 과 에너지 ❻ ______ 이 균형을 이루어야 한다.

❺ 섭취량
❻ 소비량

| | |
|---|---|
| 기초 대사량 | 생명을 유지하는 데 필요한 최소한의 에너지양 |
| 활동 대사량 | 기초 대사량 외에 다양한 생명 활동을 하는 데 소모되는 에너지양 |
| 1일 대사량 | • 하루 동안 소비하는 에너지 총량<br>• 기초 대사량+활동 대사량+음식물의 소화와 흡수에 필요한 에너지양 |

정답과 해설 66쪽

[6~7] 그림은 사람의 체내에서 영양소가 세포 호흡으로 분해되어 생성된 노폐물의 배설 과정을 나타낸 것이다. (가)와 (나)는 각각 지방과 단백질 중 하나이다.

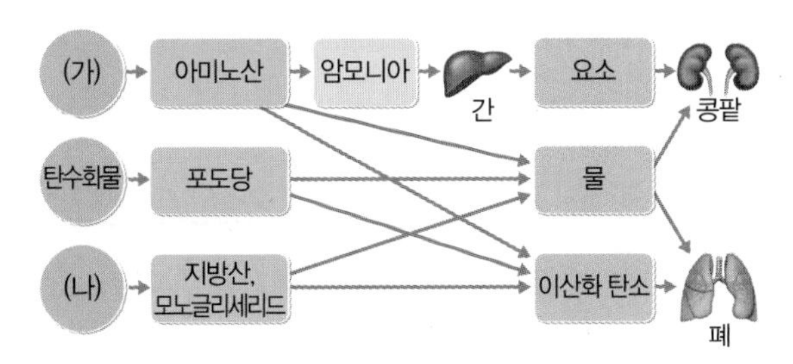


**6** 빈칸에 알맞은 말을 쓰시오.

> (가)는 ㉠ (                    )로, 세포 호흡에 이용되면 이산화 탄소, 물, 암모니아가 생성된다. 암모니아는 ㉡ (                    )에서 요소로 합성되어 ㉢(                    )을 통해 오줌으로 나간다.

**7** 탄수화물, 단백질, 지방이 세포 호흡에 의해 분해될 경우 공통적으로 생성되는 물질을 모두 쓰시오.

**8** 그림은 기관계의 통합적 작용을 나타낸 것이다.

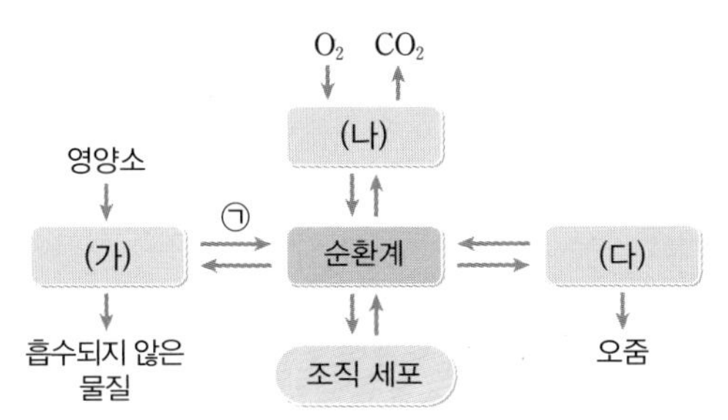


(1) (가)~(다)에 알맞은 기관계를 쓰시오.

(2) ㉠에 해당하는 물질은 ( 영양소, 산소 )이다.

**9** 대사성 질환에 대한 설명으로 옳은 것만을 〈보기〉에서 있는 대로 고른 것은?

> 보기
>
> ㄱ. 물질대사 이상에 의해 발생하는 질환이다.
>
> ㄴ. 당뇨병은 오줌에 당이 섞여 나오는 대사성 질환이다.
>
> ㄷ. 생활 습관과 관련이 없으며, 에너지 불균형이 지속되면 나타날 수 있다.

① ㄱ ② ㄴ ③ ㄷ
④ ㄱ, ㄴ ⑤ ㄴ, ㄷ

**10** 에너지 대사에 대한 설명으로 옳은 것만을 〈보기〉에서 있는 대로 고른 것은?

> 보기
>
> ㄱ. 심장 박동에 쓰이는 에너지는 기초 대사량에 포함된다.
>
> ㄴ. 음식물의 소화·흡수에 필요한 에너지양은 기초 대사량에 포함된다.
>
> ㄷ. 1일 대사량의 크기는 활동 대사량의 크기와 같다.

① ㄱ ② ㄴ ③ ㄷ
④ ㄱ, ㄴ ⑤ ㄴ, ㄷ

# 2일 내신 기출 베스트

## 대표 예제 1 물질대사

그림은 사람의 체내에서 일어나는 물질 변화를 나타낸 것이다. 이에 대한 설명으로 옳은 것만을 〈보기〉에서 있는 대로 고른 것은?

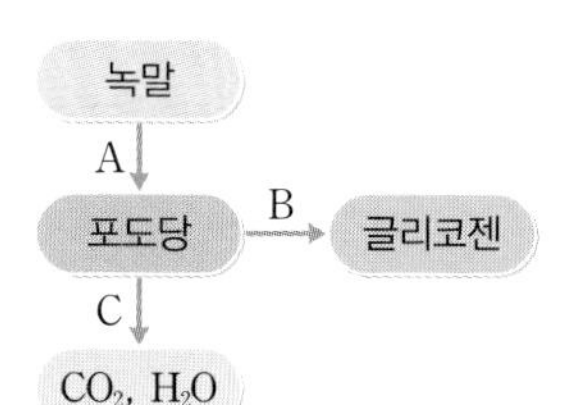


보기

ㄱ. A는 동화 작용이다.

ㄴ. B 반응 시 에너지가 흡수된다.

ㄷ. C는 미토콘드리아에서 일어난다.

① ㄱ ② ㄴ ③ ㄱ, ㄷ
④ ㄴ, ㄷ ⑤ ㄱ, ㄴ, ㄷ

**개념 가이드**

저분자 물질(포도당)이 고분자 물질(글리코젠)로 합성되는 것은 [　　] 작용으로 [　　] 반응이다. 답 동화, 흡열

## 대표 예제 2 ATP의 생성과 이용

그림은 물질대사 과정의 일부를 나타낸 것이다. ㉠~㉢은 각각 ATP, $O_2$, $CO_2$ 중 하나이다.

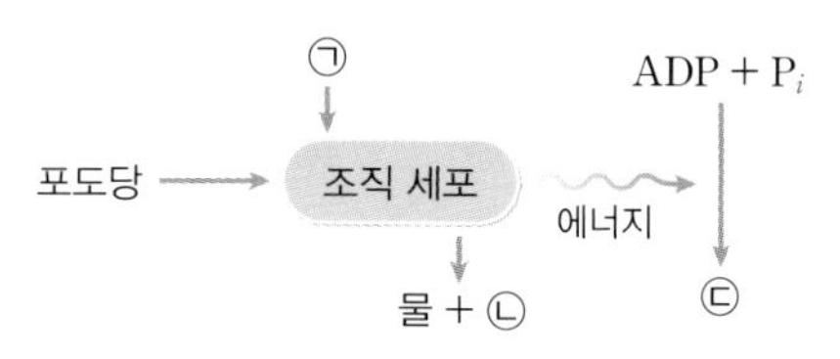


이에 대한 설명으로 옳은 것을 〈보기〉에서 모두 고르시오.

보기

ㄱ. ㉠은 폐를 통해 몸속으로 흡수된다.

ㄴ. ㉡은 호흡계를 통해 배출된다.

ㄷ. ㉢은 물질 합성, 근육 운동 등 여러 생명 활동에 이용된다.

**개념 가이드**

세포 호흡은 세포에서 [　　]를 분해하여 [　　]를 얻는 과정이다. 답 영양소, 에너지

## 대표 예제 3 영양소와 산소의 이동

그림은 세포 호흡에 필요한 물질이 조직 세포에 공급되는 과정을 나타낸 것이다.

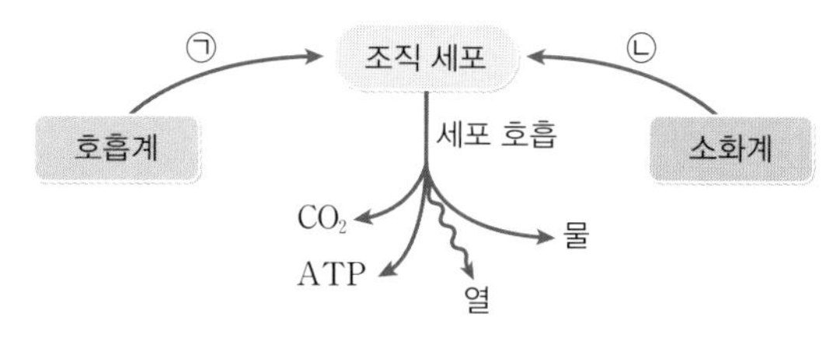


(1) ㉠과 ㉡은 각각 무엇인지 쓰시오.

(2) ㉠과 ㉡이 조직 세포까지 운반되는 데 관여하는 기관계를 쓰시오.

**개념 가이드**

소화계를 통해 흡수된 [　　]와 호흡계를 통해 흡수된 [　　]는 순환계를 통해 조직 세포로 운반된다. 답 영양소, 산소

## 대표 예제 4 영양소와 산소의 이동

그림은 폐의 일부를 나타낸 것이다. A와 B는 각각 산소와 이산화 탄소 중 하나이다. 이에 대한 설명으로 옳은 것을 〈보기〉에서 모두 고르시오.

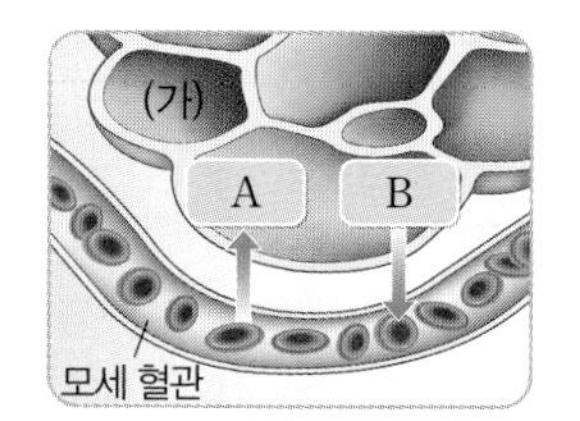


보기

ㄱ. (가)는 폐의 표면적을 넓힌다.

ㄴ. A는 세포 호흡에 이용된다.

ㄷ. A와 B는 확산에 의해 이동한다.

**개념 가이드**

폐로 들어온 [　　]는 폐포에서 모세 혈관으로 확산하고, 혈액 속 [　　]는 폐포로 확산하여 몸 밖으로 나간다. 답 산소, 이산화 탄소

정답과 해설 67쪽

2일

## 대표 예제 5 노폐물의 생성

**암모니아를 생성하는 영양소만을 〈보기〉에서 있는 대로 고른 것은?**

보기

ㄱ. 지방
ㄴ. 단백질
ㄷ. 탄수화물

① ㄱ ② ㄴ ③ ㄱ, ㄷ
④ ㄴ, ㄷ ⑤ ㄱ, ㄴ, ㄷ

개념 가이드

[ ]이 분해되면 이산화 탄소, 물, 암모니아가 생성되며, 암모니아는 간에서 [ ]로 전환된다.

답 단백질, 요소

## 대표 예제 6 기관계의 통합적 작용

**그림은 사람 몸에 있는 각 기관계의 통합적 작용을 나타낸 것이다. (가)~(라)는 각각 배설계, 소화계, 호흡계, 순환계 중 하나이다.**

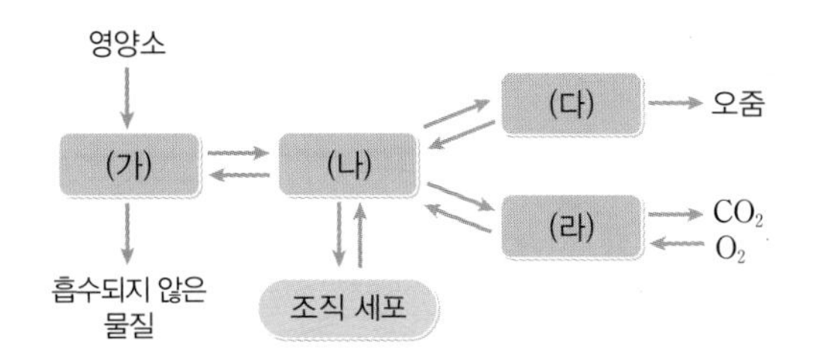


**(가)~(라)에 해당하는 기관계를 각각 쓰시오.**

개념 가이드

우리 몸의 기관계는 [ ]를 중심으로 유기적으로 연결되어 [ ]으로 작용한다.

답 순환계, 통합적

## 대표 예제 7 에너지 대사

**그림은 어떤 사람의 에너지 섭취량과 에너지 소비량을 비교하여 나타낸 것이다. 이 상태가 오래 지속되었을 때 나타나는 상태에 대한 설명으로 옳은 것을 〈보기〉에서 모두 고르시오.**

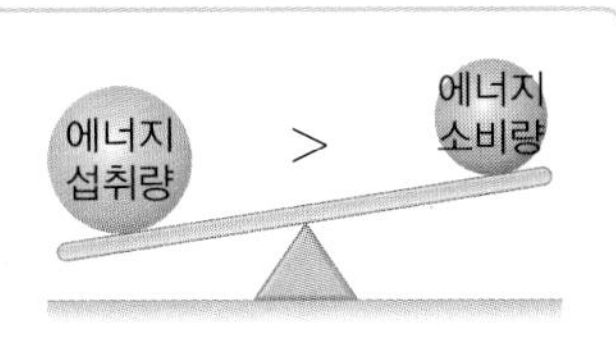


보기

ㄱ. 체중이 감소한다.
ㄴ. 비만이 될 수 있다.
ㄷ. 면역력이 높아져 각종 질병에 걸릴 확률이 낮아진다.

개념 가이드

섭취한 에너지양이 소비한 에너지양보다 [ ], 남는 에너지를 [ ]의 형태로 저장한다.

답 많으면, 지방

## 대표 예제 8 대사성 질환

**다음은 대사성 질환에 대한 설명이다.**

(가) 고혈압은 대사성 질환의 예이다.
(나) 대사성 질환은 운동 부족과 식습관에 따른 비만과 밀접한 관계가 있다.
(다) 고지혈증은 인슐린의 분비 부족이나 작용 이상으로 혈당량이 조절되지 못하여 오줌으로 포도당이 배출되는 질환이다.

**설명 중 옳은 것만을 있는 대로 고른 것은?**

① (가) ② (나) ③ (다)
④ (가), (나) ⑤ (나), (다)

개념 가이드

[ ] 과정에 이상이 생겨 나타나는 질환을 [ ] 질환이라고 한다.

답 물질대사, 대사성

# 3일

대단원 III. 항상성과 몸의 조절 ❶

# 신경계

**Quiz** ㄴ ㄹ 은 우리 몸에서 신호를 받아들이고 신호를 전달하는 역할을 한다.

답 뉴런

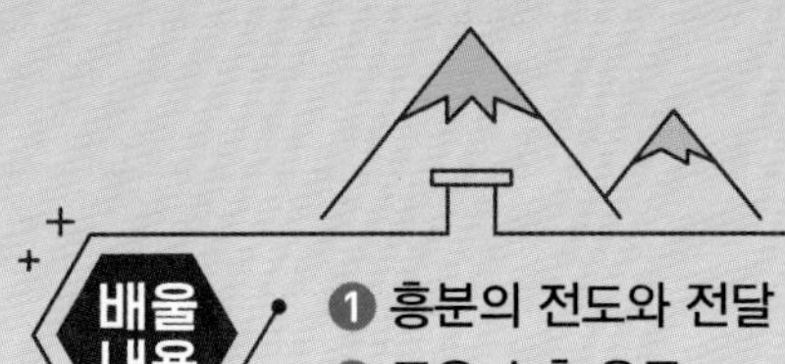

배울 내용
❶ 흥분의 전도와 전달
❷ 근육 수축 운동
❸ 중추 신경계
❹ 말초 신경계

**Quiz** 반사는 자극이 ㄷ ㄴ를 거치지 않아 반응이 빠르게 일어난다.

답 대뇌

**Quiz** 위험한 상황에서는 ㄱ ㄱ 신경이 작용하여 심장 박동과 호흡이 빨라진다.

답 교감

## 개념 1 흥분의 전도와 전달

**1 뉴런** 신경계를 구성하는 기본 단위인 신경 세포 - 말이집 유무에 따라 말이집 신경, 민말이집 신경으로, 기능에 따라 구심성 뉴런, 연합 뉴런, 원심성 뉴런으로 구분된다.

① **신경 세포체** ❶ [　　　] 과 세포질이 있어 생장과 물질대사가 일어난다.

② **가지 돌기** 다른 뉴런이나 세포에서 오는 ❷ [　　　] (신호)을 받아들인다.

③ **축삭 돌기** 다른 뉴런이나 세포로 자극(신호)을 ❸ [　　　] 한다.

❶ 핵
❷ 자극
❸ 전달

**2 흥분의 발생** 분극 → 탈분극 → 재분극으로 진행된다.

① **분극(❶)** 세포막 안쪽은 음전하, 바깥쪽은 양전하를 띤다. 약 −70 mV의 휴지 전위를 나타낸다. ➡ $Na^+-K^+$ 펌프에 의해 $Na^+$은 세포 안에서 밖으로, ❹ [　　　] 은 세포 밖에서 안으로 이동된다. $Na^+$ 농도는 세포 밖이 안보다 높고, $K^+$ 농도는 세포 안이 밖보다 높다.

막전위(mV)
+35
0
−50
−70
활동 전위
역치
휴지 전위
❶ ❷ ❸ ❹
0 1 2 3 4 5 6 7
시간(ms)
자극

❹ $K^+$

② **탈분극(❷~❸)** 역치 이상의 자극을 받으면 $Na^+$ 통로가 열리며 ❺ [　　　] 이 세포 안으로 유입되어 막전위가 역전된다. 막전위가 약 +35 mV까지 상승하는 활동 전위가 발생한다.

❺ $Na^+$

③ **재분극(❹)** $Na^+$ 통로는 닫히고, $K^+$ 통로가 열리며 ❻ [　　　] 이 세포 밖으로 유출되어 막전위가 하강한다. 재분극 이후 $K^+$ 통로가 닫히고 $Na^+-K^+$ 펌프에 의해 분극 상태의 이온 분포를 회복한다.

❻ $K^+$

**3 흥분의 전도와 전달** 한 뉴런 내에서 흥분이 이동하는 현상을 흥분의 ❼ [　　　] , 흥분이 ❽ [　　　] 를 통해 한 뉴런에서 다른 뉴런으로 전달되는 현상을 흥분의 전달이라 한다.

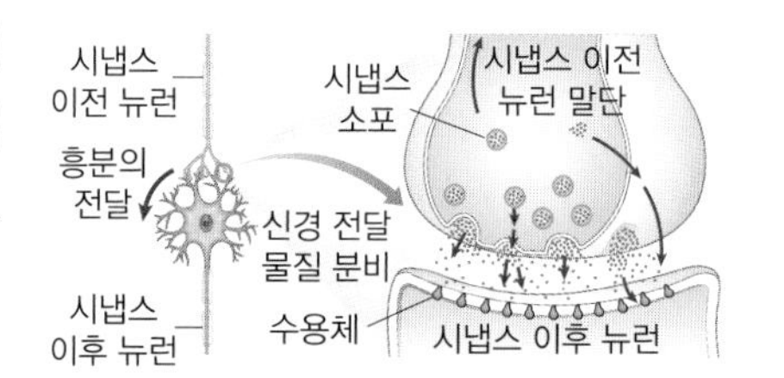


❼ 전도
❽ 시냅스

## 개념 2 근육 수축 운동

**1 골격근의 구조** 골격근 > 근육 섬유 다발 > 근육 섬유 > 근육 원섬유 > 액틴 필라멘트, 마이오신 필라멘트

**2 근육 수축의 원리** 액틴 필라멘트가 마이오신 필라멘트 사이로 미끄러져 들어가 근육 원섬유 마디가 짧아지면서 근육이 수축한다. ➡ ❾ [　　　] 소모

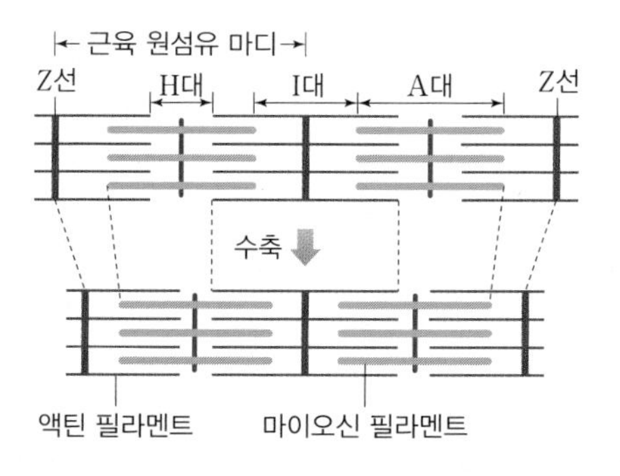


❾ ATP

# 기초 확인 문제

정답과 해설 68쪽

**1** 그림은 뉴런의 구조를 나타낸 것이다.

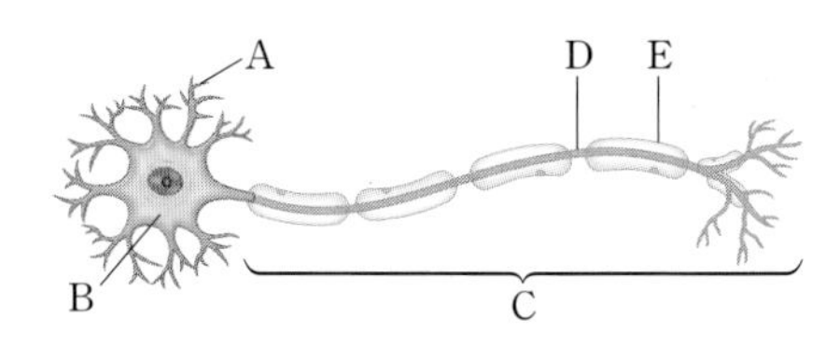


(1) A~E 각 부분의 이름을 쓰시오.

(2) 자극을 다른 뉴런으로 전달하는 부분의 기호를 쓰시오.

(3) 절연체 역할을 하여 흥분의 전도 속도를 빠르게 하는 것의 기호를 쓰시오.

**2** 흥분 전도의 각 단계에 대한 설명으로 옳은 것을 〈보기〉에서 모두 고르시오.

보기

ㄱ. 분극 시에는 $Na^+-K^+$ 펌프에 의해 $Na^+$은 세포 안으로, $K^+$은 세포 밖으로 능동 수송된다.

ㄴ. 탈분극 시에는 $Na^+$ 통로가 열려 $Na^+$이 세포 안으로 확산되어 들어온다.

ㄷ. 재분극 시에는 $K^+$ 통로가 열려 $K^+$이 세포 밖으로 확산되어 나간다.

**3** 그림은 자극을 받은 뉴런의 막전위 변화를 나타낸 것이다.

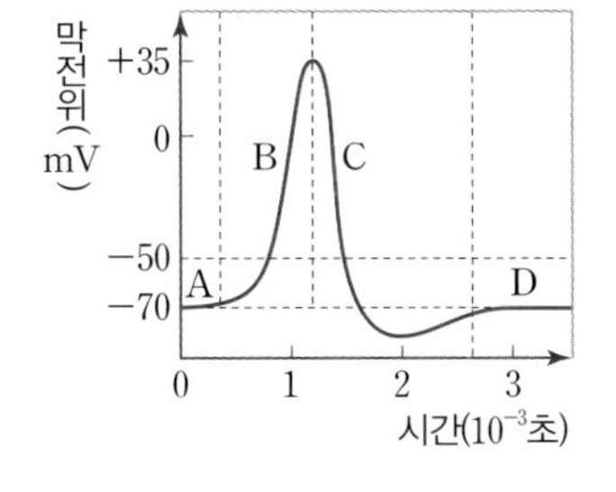


(1) A~C 각각에 해당하는 상태를 쓰시오.

(2) B에서 어떤 이온이 세포 막 안쪽으로 들어오는지 쓰시오.

(3) C 상태에서 D 상태로 돌아갈 때 작용하는 것은 무엇인지 쓰시오.

**4** 그림은 2개의 뉴런 X와 Y가 연결된 시냅스 구조를 나타낸 것이다.

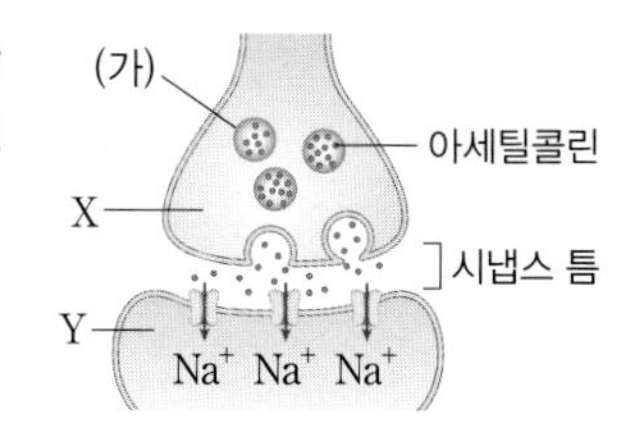


(1) (가)의 이름을 쓰시오.

(2) 흥분이 전달되는 방향을 기호로 쓰시오.

(3) 빈칸에 알맞은 말을 쓰시오.

> 시냅스 틈에 신경 전달 물질이 방출되면 Y에서 (　　　　　　)이 일어난다.

**5** 그림은 골격근을 구성하는 근육 원섬유의 구조를 나타낸 것이다.

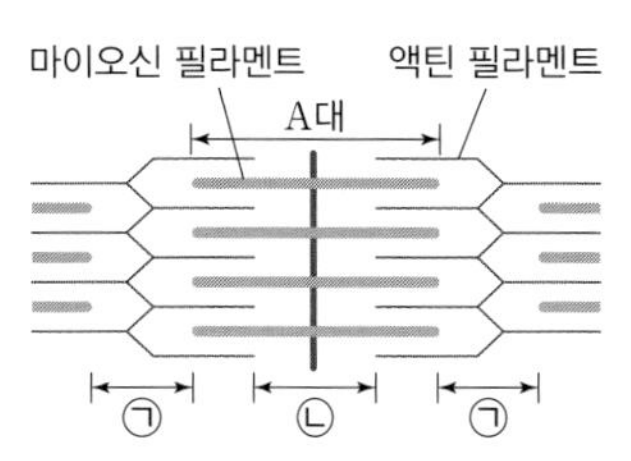


㉠과 ㉡은 각각 H대와 I대 중 하나이다. 빈칸에 알맞은 말을 쓰시오.

(1) ㉠은 (　　　　)이다.

(2) 근육 수축 시 ㉡의 길이는 (　　　　)진다.

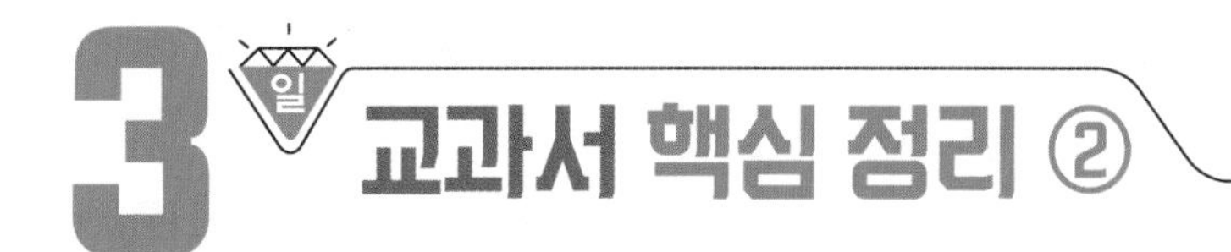




## 개념 3 중추 신경계

뇌와 척수로 구성되어 있다.

**1 뇌의 구조와 기능** 대뇌, 소뇌, 간뇌, 뇌줄기(중간뇌, 뇌교, 연수)로 구성

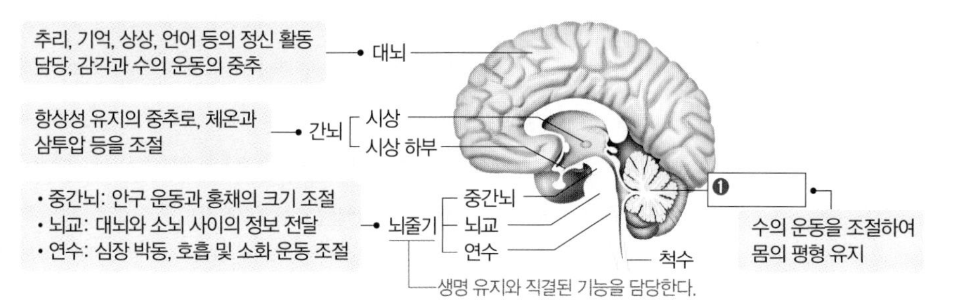


❶ 소뇌

**2 척수** 연수에 이어져 척추 속으로 뻗어 있으며, 뇌와 말초 신경계를 연결한다.

**3 의식적인 반응** ❷ ______ 의 판단과 명령에 따라 일어나는 반응

예 날아오는 공을 보고 야구 방망이로 친다.

• 반응 경로: 자극 → 감각기 → 감각 신경 → 중추 신경(❸ ______ ) → 운동 신경 → 반응기(근육)

**4 무조건 반사** 무의식적으로 일어나는 반응으로, 자극이 대뇌에 전달되기 전에 일어나므로 ❹ ______ 가 빨라 위험으로부터 몸을 보호할 수 있다.

예 뜨거운 냄비에 손이 닿으면 손을 무의식적으로 뗀다(회피 반사), 무릎 반사

• 반응 경로: 자극 → 감각기 → 감각 신경 → 중추 신경(❺ ______ ) → 운동 신경 → 반응기(근육)

❷ 대뇌
❸ 대뇌
❹ 반응 속도
❺ 척수, 연수, 중간뇌

## 개념 4 말초 신경계

12쌍의 뇌신경과 31쌍의 척수 신경으로 구성되어 있다.

**1 구심성 신경(감각 신경)** 감각기에서 받아들인 자극을 중추 신경계로 전달

**2 원심성 신경** 중추 신경계에서 내린 명령을 반응기에 전달

① **체성 신경계** 골격근에 분포하며, 운동 신경으로 구성, ❻ ______ 의 지배를 받는다.

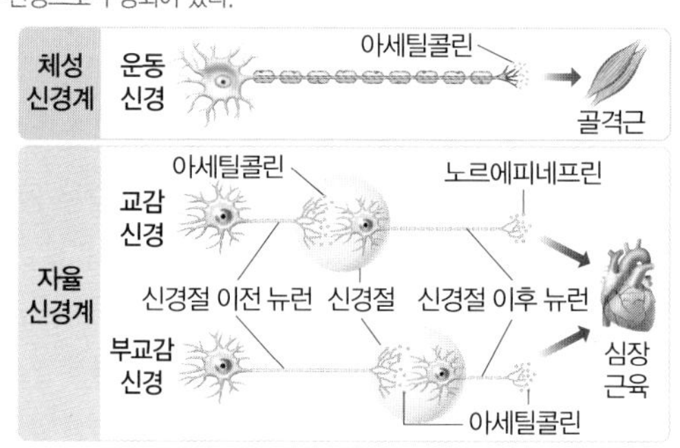


② **자율 신경계** 주로 내장 기관, 혈관, 분비샘에 분포하며, 교감 신경과 부교감 신경이 ❼ ______ 으로 기능을 조절한다. 간뇌, 중간뇌, 연수의 조절을 받는다.

대뇌의 영향을 직접 받지 않는다.

❻ 대뇌
❼ 길항 작용

| 구분 | 동공 | 기관지 | 심장 박동 | 소화 | 혈당량 | 방광 |
|---|---|---|---|---|---|---|
| 교감 신경 | 확대 | 확장 | 촉진 | 억제 | 증가 | 이완 |
| 부교감 신경 | 축소 | 수축 | 억제 | 촉진 | 감소 | 수축 |

정답과 해설 68쪽

**6** 그림은 뇌의 구조를 나타낸 것이다.

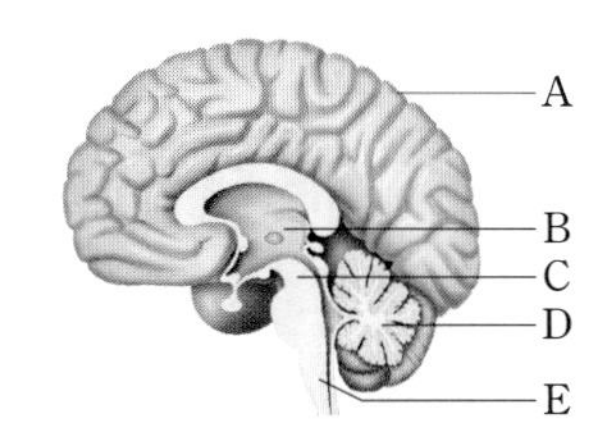


이에 대한 설명으로 옳은 것은?

① A는 안구 운동을 조절한다.
② B는 시각을 담당하는 중추이다.
③ C는 호흡 운동 속도를 조절한다.
④ D는 몸의 평형을 조절하는 중추이다.
⑤ E는 무릎 반사의 중추이다.

**7** 그림은 감각기에 수용된 자극이 중추 신경계를 거쳐 반응기에 전달되는 경로를 나타낸 것이다.

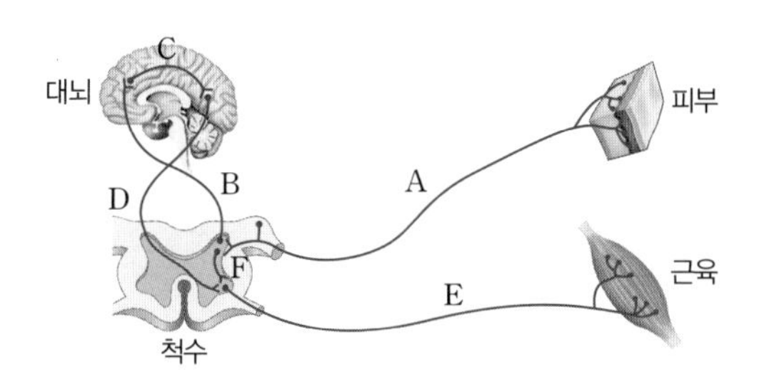


이에 대한 설명으로 옳은 것을 〈보기〉에서 모두 고르시오.

보기

ㄱ. 오른쪽 손의 감각은 대뇌 좌반구에서 감지된다.
ㄴ. 손가락에 갑자기 뜨거운 물체가 닿을 때 A → F → E 경로로 반응이 일어난다.
ㄷ. E가 마비되면 감각을 느낄 수 없으나 손을 움직일 수는 있다.

**8** 그림은 말초 신경계의 구조를 모식적으로 나타낸 것이다.

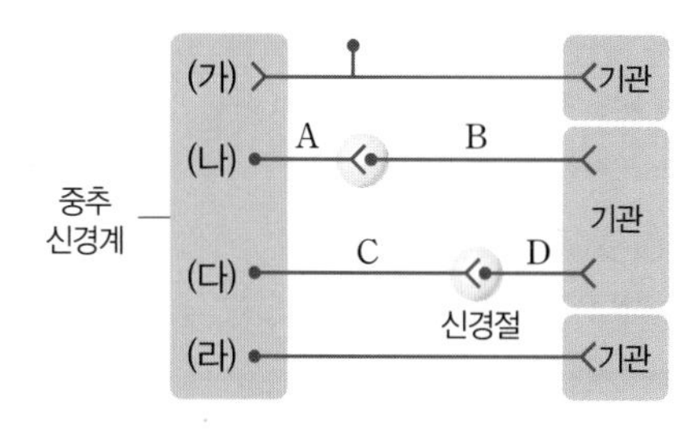


(1) 신경 (가)~(라)의 이름을 쓰시오.
(2) A와 B의 신경 말단에서 분비되는 신경 전달 물질의 이름을 각각 쓰시오.
(3) C와 D의 신경 말단에서 분비되는 신경 전달 물질의 이름을 각각 쓰시오.

**9** 자율 신경계에 대한 설명으로 옳지 않은 것은?

① 원심성 신경으로 구성되어 있다.
② 주로 혈관이나 내장 기관에 분포한다.
③ 생명 유지에 필수적인 기능을 조절한다.
④ 대뇌, 연수, 척수로부터 신경이 뻗어 나온다.
⑤ 중추 신경에서 뻗어 나와 특정 기관에 이르기 전에 신경절에서 다른 뉴런과 시냅스를 이룬다.

**10** 성난 강아지에게 쫓기고 있는 사람의 신체적 특징에 대한 설명으로 옳지 않은 것은?

① 혈압이 하강한다.
② 동공이 확대된다.
③ 방광이 이완된다.
④ 호흡 운동이 촉진된다.
⑤ 심장 박동이 촉진된다.

# 3일 내신 기출 베스트

## 대표 예제 1 뉴런의 구조

그림은 어떤 뉴런의 구조를 나타낸 것이다. A, B, C는 각각 가지 돌기, 축삭 돌기, 축삭 돌기 말단 중 하나이다. 이 뉴런의 특징에 대한 설명으로 옳은 것은 〈보기〉에서 모두 고르시오.

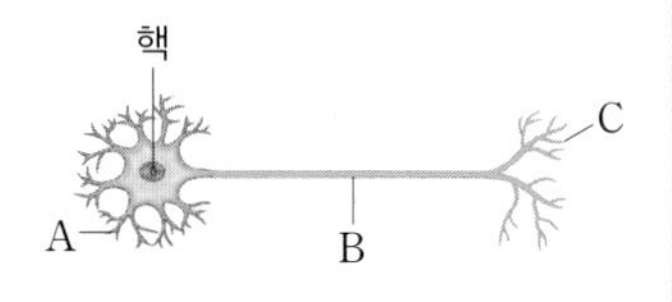


보기

ㄱ. 이 뉴런은 말이집 신경이다.
ㄴ. 핵이 있는 부위는 신경 세포체이다.
ㄷ. A는 가지 돌기, B는 축삭 돌기, C는 축삭 돌기 말단이다.

개념 가이드

뉴런은 축삭 돌기가 말이집으로 싸여 있는 [ ] 신경과 말이집으로 싸여 있지 않은 [ ] 신경으로 구분된다.

답 말이집, 민말이집

## 대표 예제 2 흥분의 전도

그림은 활동 전위가 발생할 때 막전위 변화를 나타낸 것이다. 이에 대한 설명으로 옳은 것을 〈보기〉에서 모두 고르시오.

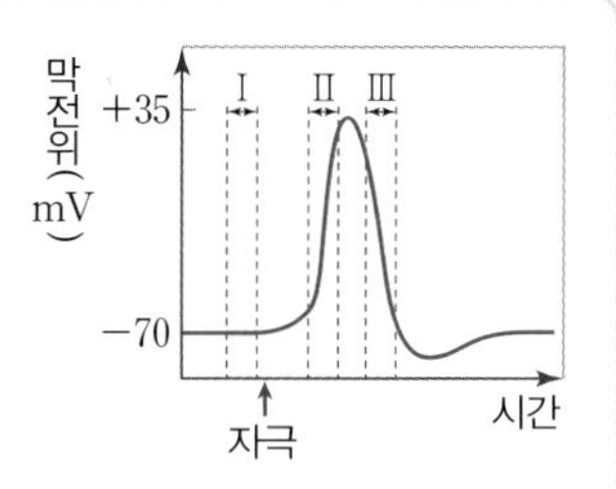


보기

ㄱ. 구간 Ⅰ에서 막전위는 −70 mV이다.
ㄴ. 구간 Ⅱ에서 $Na^+$의 이동에 ATP가 소모된다.
ㄷ. $K^+$ 막 투과도는 구간 Ⅲ에서가 구간 Ⅱ에서보다 높다.

개념 가이드

탈분극이 일어날 때는 [ ]이 세포 안으로, 재분극이 일어날 때는 [ ]이 세포 밖으로 확산된다.

답 $Na^+$, $K^+$

## 대표 예제 3 흥분의 전달

다음은 흥분 전달 과정을 순서에 관계없이 나열한 것이다.

(가) 시냅스 소포가 세포막과 융합한다.
(나) 신경 전달 물질이 수용체에 결합한다.
(다) 신경 전달 물질이 시냅스 이후 뉴런을 탈분극시킨다.
(라) 시냅스 틈으로 신경 전달 물질이 방출된다.

흥분 전달 과정 순서대로 기호를 나열하시오.

개념 가이드

활동 전위가 [ ] 말단에 도달하면 시냅스 소포가 세포막과 융합하여 [ ]이 시냅스 틈으로 방출된다.

답 축삭 돌기, 신경 전달 물질

## 대표 예제 4 근육 수축

그림 (가)는 팔을 굽힐 때 골격근의 모습을, (나)는 근육 ㉠의 원섬유 마디 X의 구조를 나타낸 것이다.

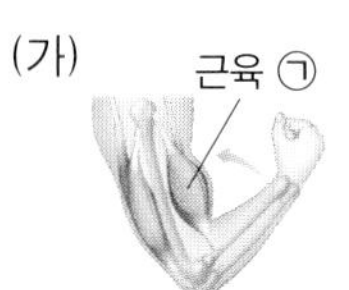


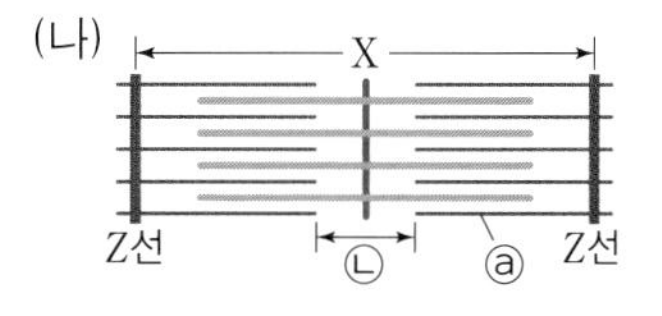


이에 대한 설명으로 옳은 것을 〈보기〉에서 모두 고르시오.

보기

ㄱ. ⓐ는 액틴 필라멘트이다.
ㄴ. 팔을 펴면 ㉡의 길이가 길어진다.
ㄷ. 팔을 굽히면 X의 길이가 짧아진다.

개념 가이드

근육 수축 시 액틴 필라멘트와 마이오신 필라멘트의 겹치는 부분이 늘어나면서 [ ]대와 [ ]대가 짧아진다.

답 I, H

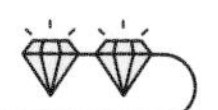

정답과 해설 69쪽

3일

## 대표 예제 5 중추 신경계

그림은 중추 신경계의 구조를 나타낸 것이다. 이에 대한 설명으로 옳지 않은 것은?

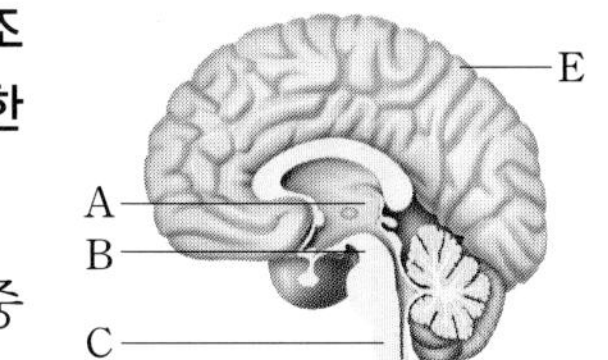


① A에는 항상성 조절 중추가 있다.
② B는 동공 반사의 중추이다.
③ C에서는 대뇌로 연결되는 신경의 좌우 교차가 일어난다.
④ D는 뇌줄기에 속한다.
⑤ E의 겉질은 회색질이다.

**개념 가이드**

뇌는 대뇌, 소뇌, 간뇌, 뇌줄기로 구성되어 있다. 중간뇌, 뇌교, [ ]를 합쳐 [ ]라고 하며, 생명 유지와 직결된 기능을 담당한다.

답 연수, 뇌줄기

## 대표 예제 6 무조건 반사

그림은 뾰족한 물건에 손이 찔렸을 때 자신도 모르게 팔을 움츠리는 반응의 경로를 나타낸 것이다.

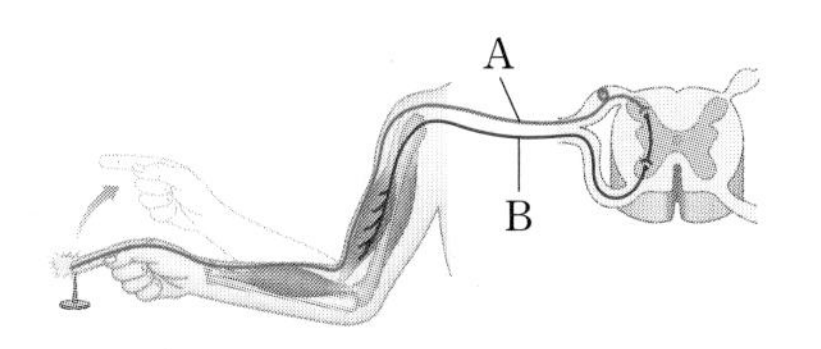


이에 대한 설명으로 옳은 것을 〈보기〉에서 모두 고르시오.

보기

ㄱ. A는 감각 신경이다.
ㄴ. B는 자율 신경계에 속한다.
ㄷ. 이 반사의 조절 중추는 척수이다.

**개념 가이드**

회피 반사(무조건 반사)의 반응 경로는 자극 → 감각기 → [ ] → 척수 → [ ] → 반응기 → 반응이다.

답 감각 신경, 운동 신경

## 대표 예제 7 자율 신경계

그림은 심장에 분포하는 자율 신경을 나타낸 것이다.

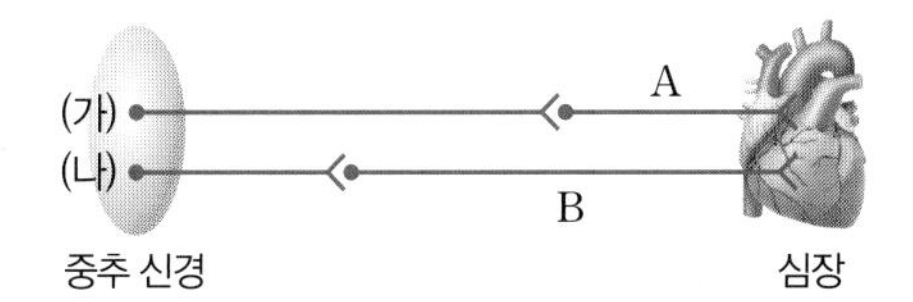


(1) 긴장하였을 때 작용하는 신경의 기호를 쓰시오.
(2) A와 B의 신경 말단에서 분비되는 신경 전달 물질을 각각 쓰시오.
(3) (나) 신경이 작용할 때 심장 박동의 변화를 쓰시오.

**개념 가이드**

[ ]은 신경절 이전 뉴런이 신경절 이후 뉴런보다 짧고, [ ]은 신경절 이전 뉴런이 신경절 이후 뉴런보다 길다.

답 교감 신경, 부교감 신경

## 대표 예제 8 교감 신경과 부교감 신경

교감 신경과 부교감 신경의 작용을 옳게 비교한 것은?

| | 교감 신경 | 부교감 신경 |
|---|---|---|
| ① | 혈관 확장 | 혈관 수축 |
| ② | 동공 축소 | 동공 확대 |
| ③ | 호흡 억제 | 호흡 촉진 |
| ④ | 혈압 상승 | 혈압 하강 |
| ⑤ | 침 분비 촉진 | 침 분비 억제 |

**개념 가이드**

[ ] 신경은 위험한 상황에서 작용하여 심장 박동과 호흡을 [ ]하고, 혈압을 상승시킨다.

답 교감, 촉진

# 4

대단원 III. 항상성과 몸의 조절 ❷

# 호르몬과 항상성

공부할 핵심 개념이 무엇인지 퀴즈를 통해 알아보자.

**Quiz** 호르몬 분비 조절은 ㅇ ㅅ 피드백의 원리로 이루어진다.

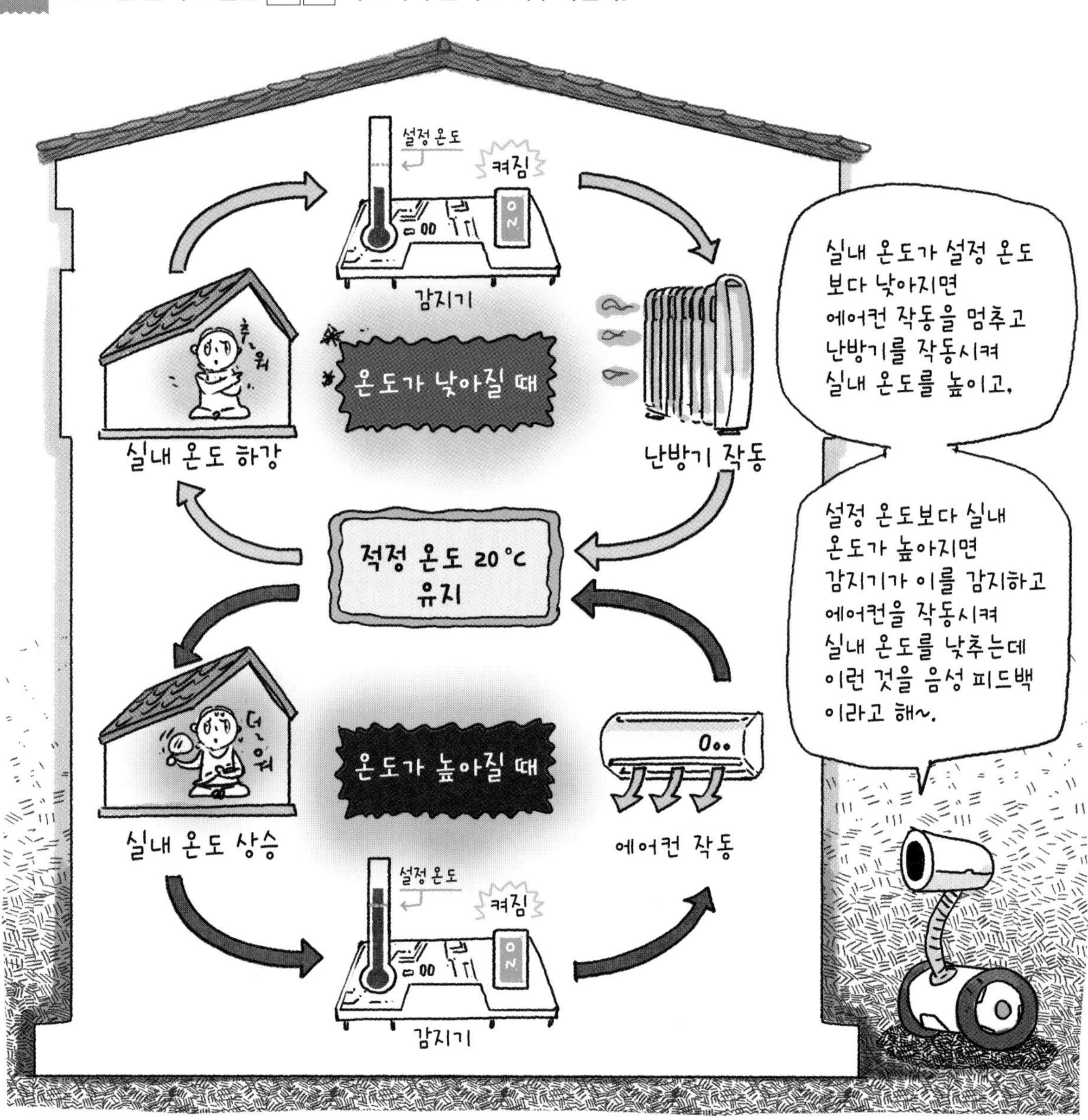


답 음성

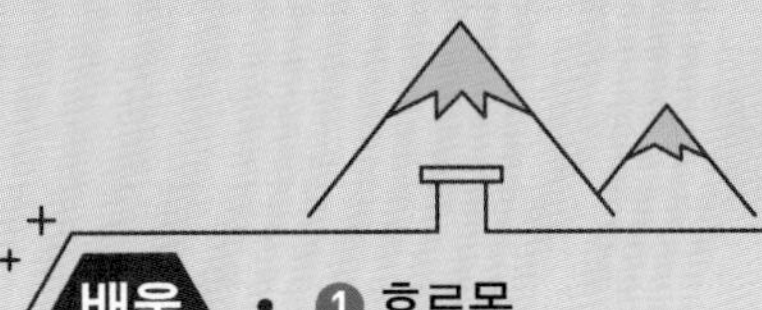

배울 내용

1 호르몬
2 사람의 내분비계
3 항상성의 조절 원리
4 혈당량 조절
5 체온 조절
6 삼투압 조절

**Quiz** 더워서 체온이 올라가면 ㄸ 분비가 촉진된다.

답 땀

**Quiz** 물을 많이 마시면 콩팥에서 수분 재흡수량이 감소하여 오줌량이 ㅈ ㄱ 한다.

답 증가

# 4일 교과서 핵심 정리 ①

## 개념 1 호르몬

**1 호르몬** 내분비샘에서 생성·분비되어 적은 양으로 특정 조직이나 기관의 생리 작용을 ❶ [ ]하는 화학 물질 ➡ 분비관이 없이 ❷ [ ]으로 직접 분비되며, 혈액을 따라 이동하다가 ❸ [ ]에 작용한다. 결핍증과 과다증이 있다.

❶ 조절
❷ 혈액
❸ 표적 세포(표적 기관)

**2 호르몬과 신경의 비교** – 호르몬과 신경은 공통적으로 체내에서 신호를 전달하는 역할을 한다.

| 구분 | 전달 매체 | 전달 속도 | 작용 범위 | 효과 지속성 | 특징 |
|---|---|---|---|---|---|
| 호르몬 | 혈액 | ❹ [ ] | 넓다 | 오래 지속 | 표적 세포에 작용 |
| 신경 | 뉴런 | ❺ [ ] | 좁다 | 빨리 사라짐 | 한 방향으로 전달 |

❹ 느리다
❺ 빠르다

## 개념 2 사람의 내분비계

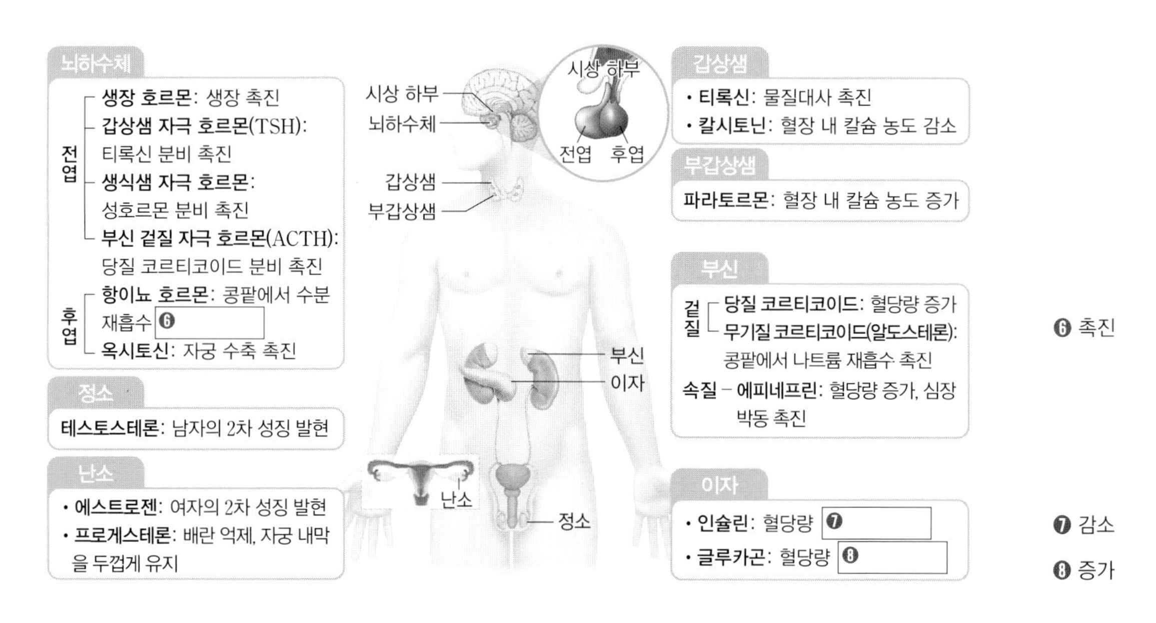


❻ 촉진
❼ 감소
❽ 증가

## 개념 3 항상성의 조절 원리

└ 체내·외의 환경 변화에 관계없이 체온, 혈당량 등의 체내 환경을 일정하게 유지하려는 성질

**1 음성 피드백** 어떤 원인으로 인해 나타난 결과가 다시 원인을 억제하는 조절 방식 ㉎ 갑상샘에서의 티록신 분비 조절

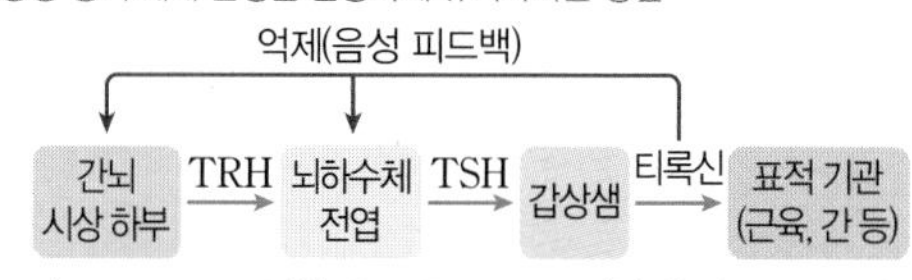


(TRH : TSH 방출 호르몬, TSH : 갑상샘 자극 호르몬)

▲ 음성 피드백에 의한 티록신 분비 조절

**2 길항 작용** 같은 기관에 서로 ❾ [ ]되는 두 가지 요인이 작용하여 기관의 기능을 조절하는 것 ㉎ 교감 신경과 부교감 신경의 작용, 인슐린과 글루카곤의 작용

❾ 반대

# 기초 확인 문제

정답과 해설 70쪽

**1** 호르몬에 대한 설명으로 옳은 것을 〈보기〉에서 모두 고르시오.

보기
ㄱ. 표적 세포에만 작용한다.
ㄴ. 미량으로 작용하므로 결핍증이나 과다증이 없다.
ㄷ. 호르몬은 내분비샘에서 생성되어 분비관을 통해 온몸으로 이동한다.

**2** 그림은 우리 몸에서 항상성 유지에 관여하는 두 가지 작용 방식을 나타낸 것이다.

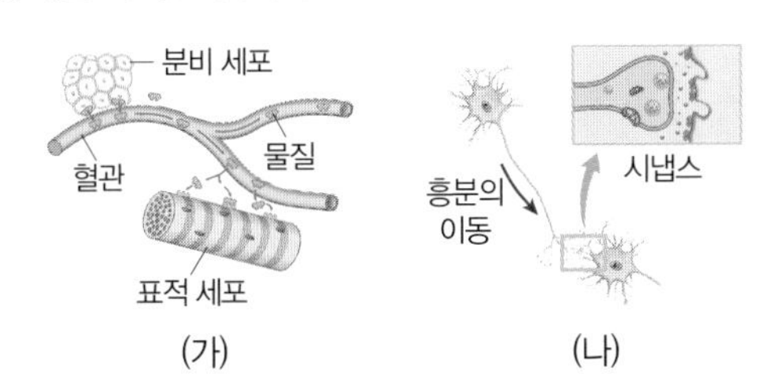


이에 대한 설명으로 옳은 것만을 〈보기〉에서 있는 대로 고른 것은?

보기
ㄱ. (가)는 (나)보다 신호를 더 빠르게 전달한다.
ㄴ. (가)의 물질은 수용체가 있는 표적 세포에만 작용한다.
ㄷ. (나)에서 전달된 신호는 좁은 범위에 작용하고 효과가 빨리 사라진다.

① ㄱ ② ㄴ ③ ㄱ, ㄷ
④ ㄴ, ㄷ ⑤ ㄱ, ㄴ, ㄷ

**3** 사람의 각 내분비샘에서 분비되는 호르몬을 옳게 연결하시오.

(1) 뇌하수체 • • ㉠ 티록신
(2) 갑상샘 • • ㉡ 인슐린
(3) 이자 • • ㉢ 생장 호르몬
(4) 부신 • • ㉣ 에스트로젠
(5) 난소 • • ㉤ 에피네프린

**4** 다음은 호르몬 X의 기능을 설명한 것이다. 호르몬 X는 무엇인지 쓰시오.

- 뇌하수체 전엽에서 분비된다.
- 우리 몸의 생장을 촉진하는 기능을 한다.
- 과다 분비되면 거인증이나 말단 비대증이 나타난다.

**5** 그림은 티록신의 분비 조절 과정을 나타낸 것이다.

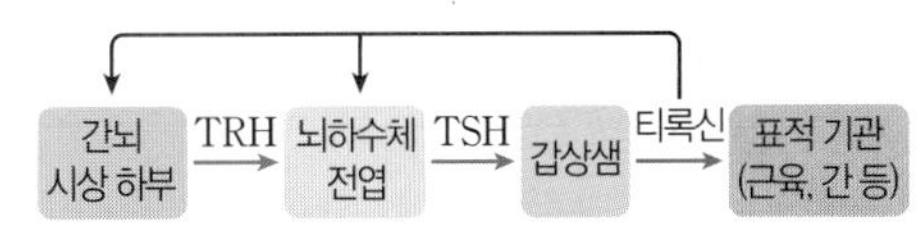


(TRH : TSH 방출 호르몬, TSH : 갑상샘 자극 호르몬)

이에 대한 설명으로 옳은 것은?

① TRH와 TSH는 티록신의 분비를 억제한다.
② 티록신은 양성 피드백에 의해 분비가 조절된다.
③ 티록신이 많으면 TRH와 TSH의 분비가 억제된다.
④ 뇌하수체를 제거하면 TRH가 티록신의 분비를 촉진한다.
⑤ 티록신은 TRH의 분비를 억제하고, TSH의 분비를 촉진한다.

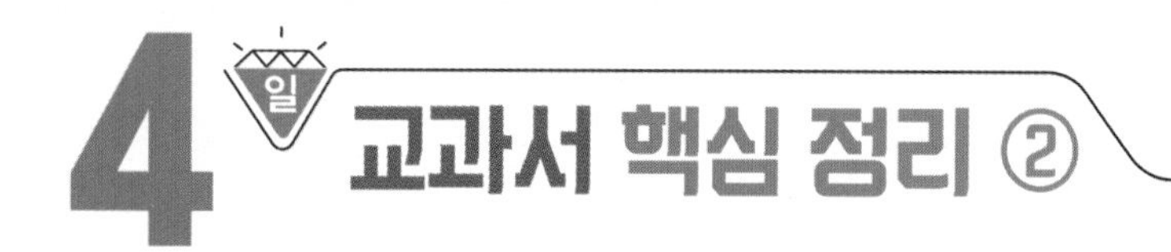


## 개념 4 혈당량 조절

**1 혈당량이 높을 때** 이자섬의 $\beta$세포에서 ❶ [ ] 분비 → 간에서 포도당을 글리코젠으로 합성하는 반응 촉진, 세포의 포도당 흡수 촉진 → 혈당량 감소

**2 혈당량이 낮을 때** 이자섬의 $\alpha$세포에서 ❷ [ ] 분비, 부신 속질에서 에피네프린 분비 → 간에서 글리코젠을 포도당으로 분해하는 반응 촉진 → 혈당량 증가

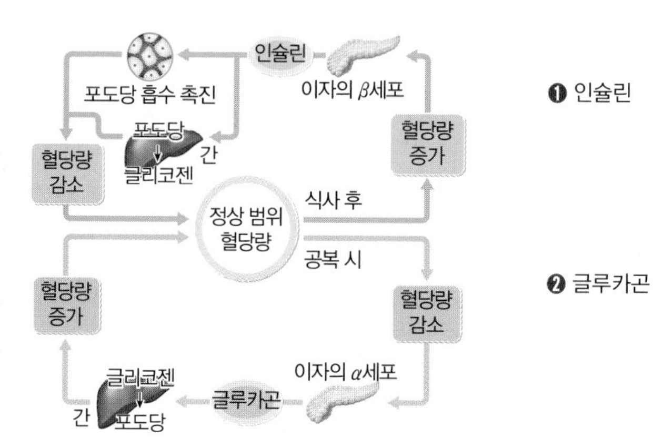


❶ 인슐린

❷ 글루카곤

## 개념 5 체온 조절

**1 추울 때** 열 발생량 ❸ [ ] (티록신과 에피네프린 분비량 증가 ➡ 간과 근육 등에서 물질대사 촉진 / 몸 떨림과 근육 운동 촉진), 열 발산량 ❹ [ ] (교감 신경의 작용 강화 ➡ 피부 근처 혈관 수축)

**2 더울 때** 열 발생량 감소(티록신과 에피네프린 분비량 감소 ➡ 간과 근육 등에서 물질대사 감소), 열 발산량 증가(교감 신경의 작용 완화 ➡ 피부 근처 혈관 ❺ [ ] / 땀 분비량 증가)

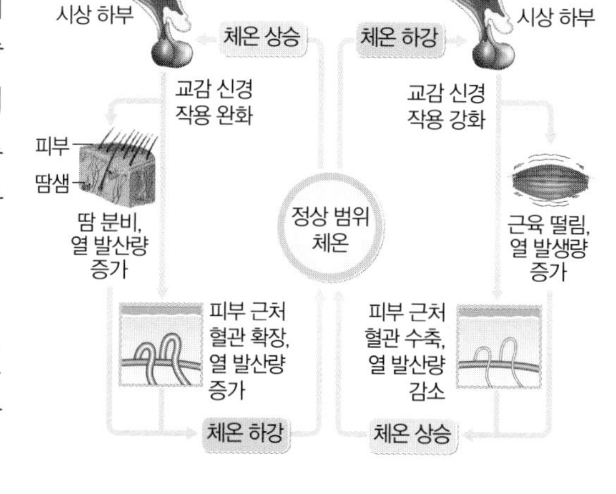


❸ 증가

❹ 감소

❺ 확장

## 개념 6 삼투압 조절

**1 삼투압 조절** 삼투압을 조절하는 중추는 간뇌의 ❻ [ ] 로, 뇌하수체 후엽에서 분비되는 항이뇨 호르몬(ADH)을 통해 삼투압을 일정하게 유지한다.

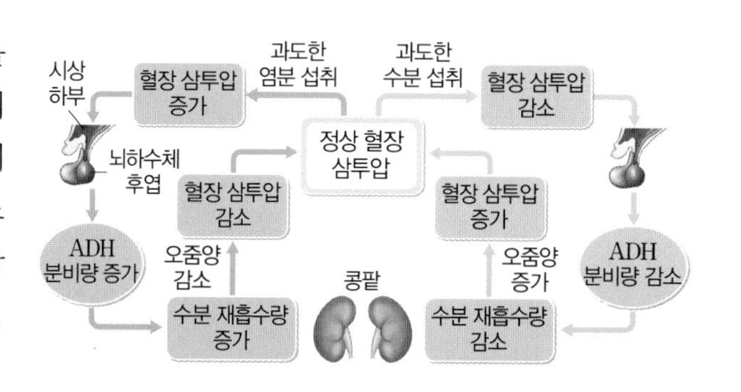


❻ 시상 하부

정답과 해설 70쪽



**6** 그림은 정상인에서 혈당량 조절 과정을 나타낸 것이다. ㉠과 ㉡은 각각 글리코젠과 포도당 중 하나이다.

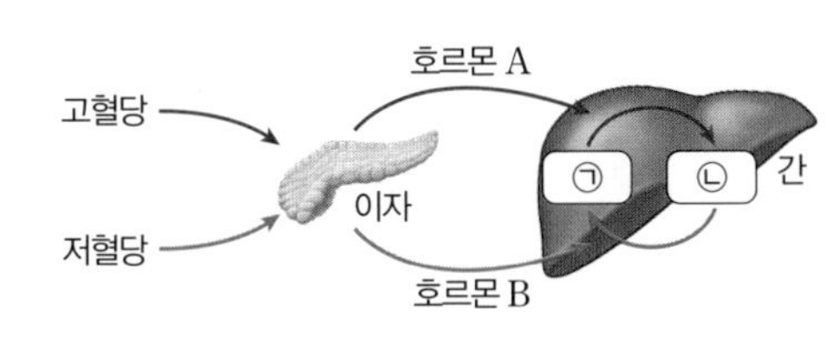


(1) 호르몬 A와 B의 이름을 쓰시오.

(2) ㉠과 ㉡은 각각 무엇인지 쓰시오.

(3) 호르몬 A와 B와 같이 한 기관에 함께 작용하여 그 기관의 기능을 일정하게 유지하는 작용을 무엇이라고 하는지 쓰시오.

**7** 그림은 운동할 때 호르몬의 혈중 농도를 나타낸 것이다.

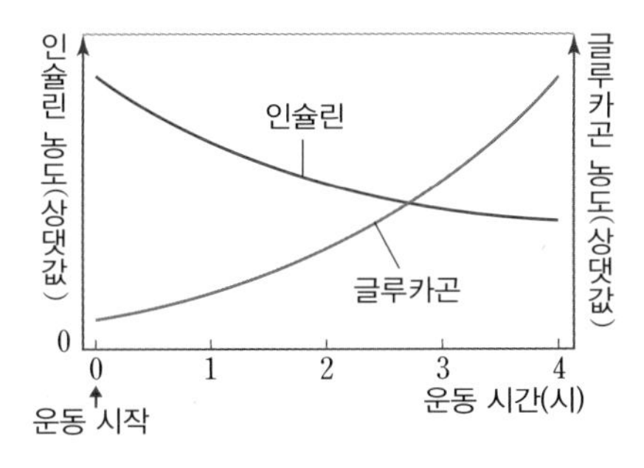


**빈칸에 알맞은 말을 고르시오.**

(1) 운동을 하면 혈당량이 정상 수준보다 ( 높아, 낮아 )진다.

(2) 인슐린과 글루카곤은 ( 길항 작용, 음성 피드백 작용 )을 한다.

(3) 운동을 하면 간에서 ( 글리코젠, 포도당 )이 ( 글리코젠, 포도당 )으로 전환되는 과정이 촉진된다.

**8** 그림은 체온 조절 과정을 나타낸 것이다.

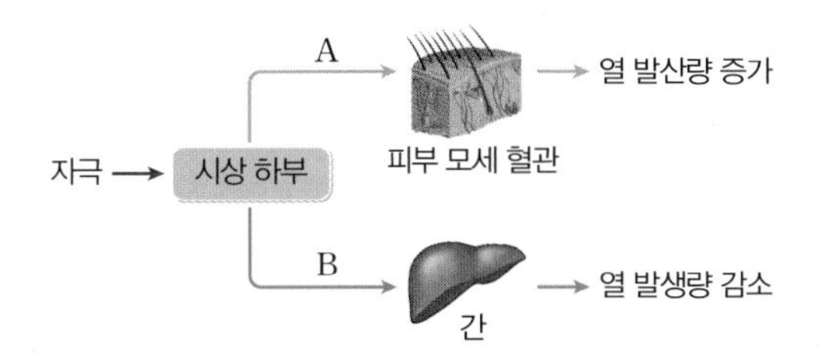


**이에 대한 설명으로 옳은 것만을 〈보기〉에서 있는 대로 고른 것은?**

> 보기
> ㄱ. 더울 때 일어나는 과정이다.
> ㄴ. A는 호르몬에 의한 조절 과정이다.
> ㄷ. B의 조절로 간에서 물질대사가 촉진된다.

① ㄱ ② ㄴ ③ ㄷ ④ ㄱ, ㄴ ⑤ ㄴ, ㄷ

**9** 삼투압 조절에 대한 설명으로 옳은 것만을 〈보기〉에서 있는 대로 고른 것은?

> 보기
> ㄱ. 물을 많이 마시면 항이뇨 호르몬(ADH)의 분비량이 증가한다.
> ㄴ. 항이뇨 호르몬을 분비하는 내분비샘은 뇌하수체 후엽이다.
> ㄷ. 항이뇨 호르몬의 표적 기관은 콩팥이다.
> ㄹ. 항이뇨 호르몬의 분비량이 감소하면 혈장 삼투압은 감소하고 오줌양은 감소한다.

① ㄴ ② ㄷ ③ ㄱ, ㄴ ④ ㄴ, ㄷ ⑤ ㄷ, ㄹ

# 4일 내신 기출 베스트

## 대표 예제 1 내분비샘과 호르몬

사람의 내분비샘과 분비되는 호르몬을 옳게 짝지은 것은?

| | 뇌분비샘 | 호르몬 |
|---|---|---|
| ① | 뇌하수체 전엽 | 옥시토신 |
| ② | 뇌하수체 후엽 | 에스트로젠 |
| ③ | 정소 | 티록신 |
| ④ | 부신 겉질 | 당질 코르티코이드 |
| ⑤ | 갑상샘 | 테스토스테론 |

**개념 가이드**

부신 겉질에서 분비되는 [　　　]는 혈당량을 [　　　] 시킨다.

답 당질 코르티코이드, 증가

## 대표 예제 2 호르몬과 신경의 비교

표는 신경계와 내분비계를 비교한 것이다.

| 구분 \ 기관계 | 신경계 | 내분비계 |
|---|---|---|
| 신호 전달 매체 | 뉴런 | 혈액 |
| 전달 속도 | A | ? |
| 작용 범위 | ? | B |
| 효과의 지속성 | C | ? |

A, B, C에 알맞은 말을 쓰시오.

**개념 가이드**

[　　　]과 [　　　]은 공통적으로 체내에서 신호를 전달하는 역할을 한다.

답 호르몬, 신경

## 대표 예제 3 호르몬의 조절 작용

그림은 티록신의 분비 조절 과정을 나타낸 것이다.

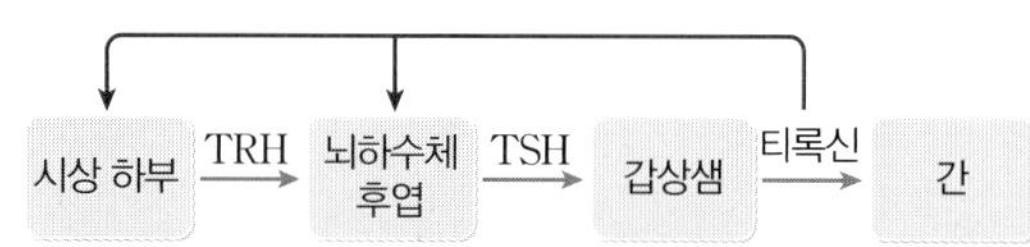


이에 대한 설명으로 옳은 것을 〈보기〉에서 모두 고르시오.

**보기**

ㄱ. TSH의 표적 기관은 갑상샘이다.

ㄴ. TRH 분비가 증가하면 티록신 분비가 억제된다.

ㄷ. 티록신의 분비량이 부족하면 TRH와 TSH의 분비가 모두 촉진된다.

**개념 가이드**

호르몬의 분비량은 [　　　]과 길항 작용에 의해 조절된다. 음성 피드백은 어떤 원인으로 나타난 결과가 원인을 [　　　] 하는 조절 원리이다.

답 음성 피드백, 억제

## 대표 예제 4 혈당량 조절

그림은 이자에서 분비되는 호르몬 X와 Y가 혈당량에 미치는 영향을 나타낸 것이다. 이에 대한 설명으로 옳지 <u>않은</u> 것은?

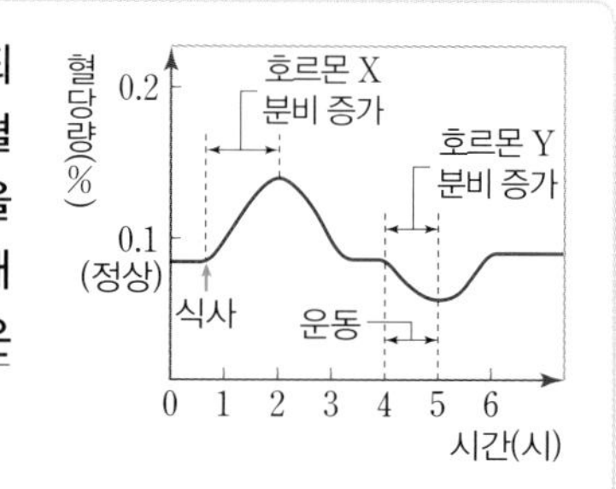


① X는 인슐린이다.

② X는 간에서 글리코젠 합성을 촉진한다.

③ Y는 에피네프린이다.

④ Y는 글리코젠을 포도당으로 분해하게 한다.

⑤ 공복에는 Y가 분비되어 혈당량이 낮아지는 것을 막는다.

**개념 가이드**

혈당량은 [　　　]과 글루카곤의 [　　　]에 의해 일정하게 유지된다.

답 인슐린, 길항 작용

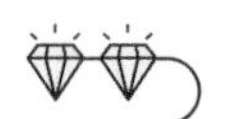



## 대표 예제 5 혈당량 조절

그림은 정상인의 식사 후 호르몬 X의 농도 변화를 나타낸 것이다. X는 혈당량 조절에 관여하며, 이자에서 분비된다. 이에 대한 설명으로 옳은 것을 〈보기〉에서 모두 고르시오.

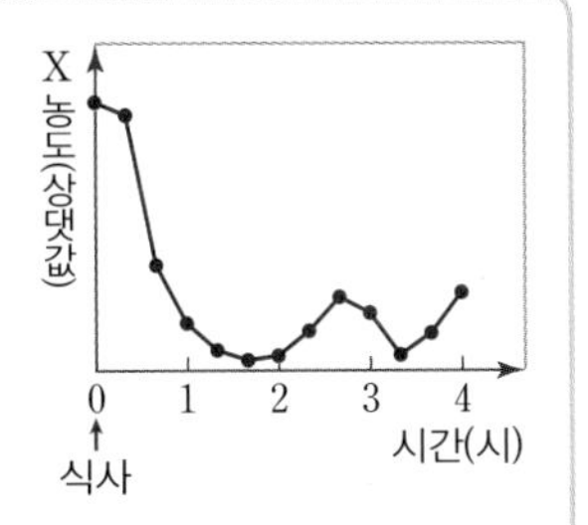


보기

ㄱ. X는 글리코젠이다.
ㄴ. X는 혈당량을 증가시킨다.
ㄷ. X는 이자의 $\beta$세포에서 분비된다.

개념 가이드

혈당량이 낮아지면 이자의 [ ]세포에서 [ ]이 분비된다.

답 $\alpha$, 글루카곤

## 대표 예제 6 체온 조절

그림은 더울 때와 추울 때 피부 근처 모세 혈관의 변화를 순서 없이 나타낸 것이다.

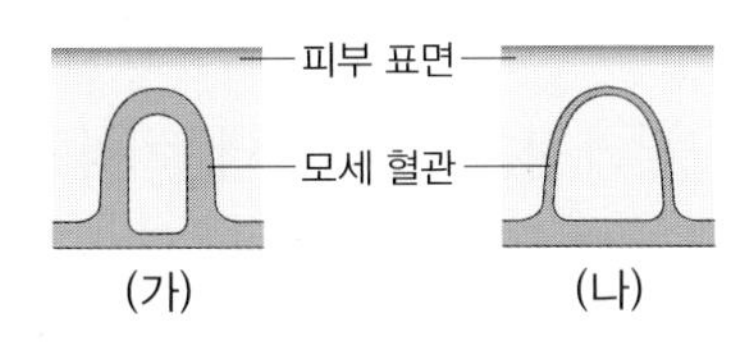


(가)와 같은 상태일 때 몸에서 나타나는 현상으로 옳은 것을 〈보기〉에서 모두 고르시오.

보기

ㄱ. 땀 분비가 촉진된다.
ㄴ. 열 발산량이 증가한다.
ㄷ. 피부 근처로 흐르는 혈액의 양이 줄어든다.

개념 가이드

더울 때는 피부 근처 혈관이 [ ]하여 피부 근처로 흐르는 혈액의 양이 늘어나고 땀 분비가 [ ]한다.

답 확장, 증가

## 대표 예제 7 체온 조절

체온이 낮을 때 일어나는 체내 조절 작용으로 옳지 않은 것은?

① 땀 분비가 줄어든다.
② 체내의 열 발생량을 높인다.
③ 골격근의 떨림이 나타난다.
④ 갑상샘에서 티록신의 분비량이 감소해 물질대사량이 줄어든다.
⑤ 교감 신경의 작용이 강화되어 피부 근처 모세 혈관이 수축한다.

개념 가이드

추울 때는 호르몬과 신경계의 조절에 의해 [ ]가 촉진되고, 몸 떨림 현상이 일어나 열 발생량이 [ ]한다.

답 물질대사, 증가

## 대표 예제 8 삼투압 조절

항이뇨 호르몬(ADH)의 조절 작용에 대한 설명으로 옳은 것만을 〈보기〉에서 있는 대로 고른 것은?

보기

ㄱ. 땀을 많이 흘리면 ADH의 분비가 감소한다.
ㄴ. 짠 음식을 많이 먹으면 오줌의 양이 감소한다.
ㄷ. ADH의 분비가 증가하면 혈장 삼투압이 낮아진다.

① ㄱ ② ㄴ ③ ㄷ
④ ㄱ, ㄴ ⑤ ㄴ, ㄷ

개념 가이드

항이뇨 호르몬(ADH)은 [ ]에서 [ ]을 조절하여 혈장 삼투압을 일정하게 유지한다.

답 콩팥, 수분 재흡수량

5일 대단원 Ⅲ. 항상성과 몸의 조절 ❸

# 방어 작용

**Quiz** 우리 몸은 병원체에 대항하여 스스로를 보호하는 방어 작용을 하며 이러한 방어 작용을 ㅁ ㅇ 이라고 한다.

답 면역

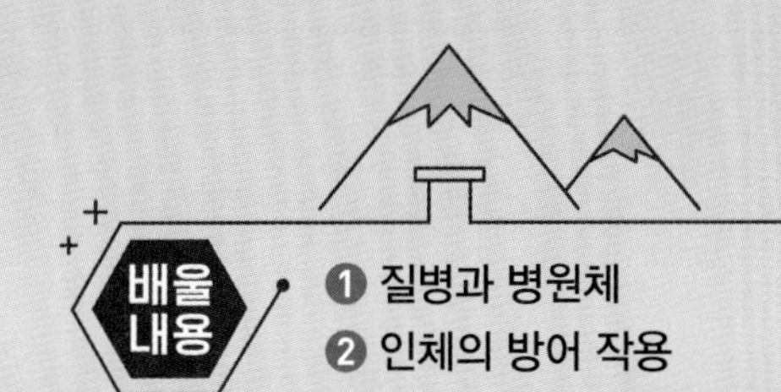

배울 내용

❶ 질병과 병원체
❷ 인체의 방어 작용
❸ 1차 면역 반응과 2차 면역 반응
❹ 혈액의 응집 반응과 혈액형

**Quiz** 질병은 병원체의 감염으로 발생하는 ㄱ ㅇ ㅅ 질병과 비감염성 질병으로 구분된다.

답 감염성

**Quiz** 백신은 죽은 병원체나 독성을 약화시킨 ㅎ ㅇ 이다.

답 항원

## 개념 1 질병과 병원체

**1 질병의 구분**

① **감염성 질병** [❶ ] 에 감염되어 발생하는 질병 예 감기, 독감, 결핵

② **비감염성 질병** 병원체 없이 발생하는 질병 예 고혈압, 혈우병, 당뇨병

❶ 병원체

**2 병원체의 종류** 세균, 바이러스, 원생생물, 곰팡이 등

① **세균** 핵막이 없는 단세포 생물로, 결핵, 파상풍, 폐렴, 콜레라, 세균성 식중독 등을 유발한다. 질병은 [❷ ] 로 치료한다.

② **바이러스** 핵산과 단백질 껍질로 구성되어 있으며, [❸ ] 가 없어 물질대사를 못한다. 감기, 독감, 홍역, 후천성 면역 결핍증(AIDS) 등을 유발한다.

❷ 항생제

❸ 효소

## 개념 2 인체의 방어 작용

**1 비특이적 방어 작용(선천적 면역)** 병원체의 종류를 구분하지 않고 동일한 방식으로 일어나며, 신속하고 광범위하게 일어난다. 예 피부, 점막, 식균 작용(식세포 작용), [❹ ]

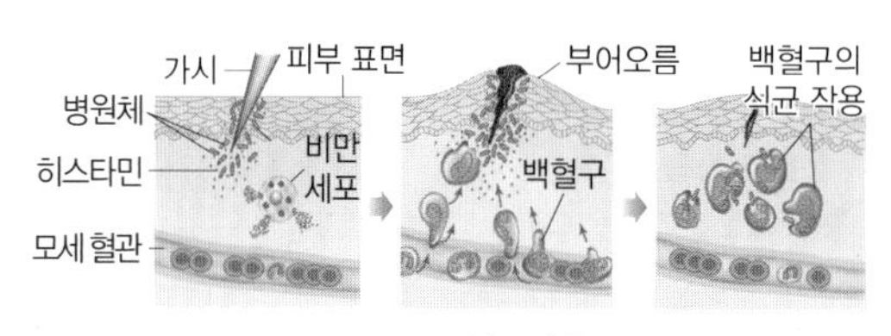

▲ 염증 반응

❹ 염증 반응

**2 특이적 방어 작용(후천적 면역)** 항원의 종류를 인식하여 제거하는 방어 작용이다. 대식세포가 잡아 먹은 항원의 조각을 세포 표면에 제시하면, 이를 보조 T 림프구가 인식하면서 시작된다.

(항원의 종류를 인식하여: 병원체의 종류를 인식하고 방어하는 데 시간이 걸린다.)

① **세포성 면역** 세포독성 T 림프구가 병원체에 감염된 세포를 직접 제거하는 과정

② **체액성 면역** 형질 세포에서 생성·분비된 항체가 [❺ ] 반응에 의해 병원체(항원)를 제거하는 과정 ➡ 항원이 처음 침입하면 1차 면역 반응이 일어나고, 같은 항원이 재침입하면 [❻ ] 이 일어난다.

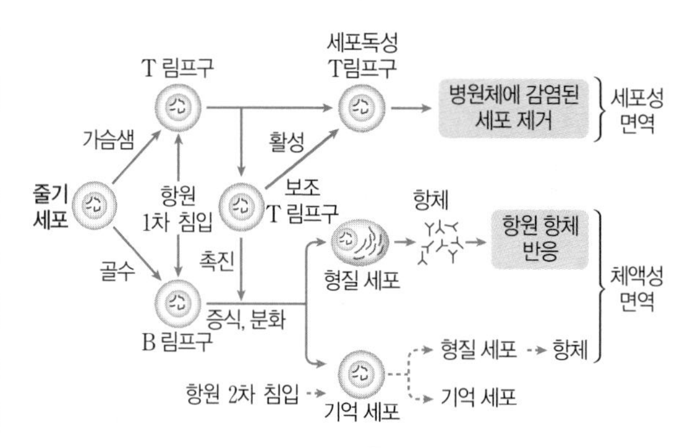


❺ 항원 항체

❻ 2차 면역 반응

**3 항원 항체 반응의 특이성** 한 종류의 항체는 특정 [❼ ] 에만 결합하여 작용한다.

① **항원** 체내에서 면역 반응을 일으키는 원인 물질

② **항체** 항원과 결합하여 항원을 무력화시키는 면역 단백질

❼ 항원

# 기초 확인 문제

정답과 해설 72쪽

5일

**1** 그림은 3가지 질병을 기준에 따라 분류하는 과정을 나타낸 것이다.

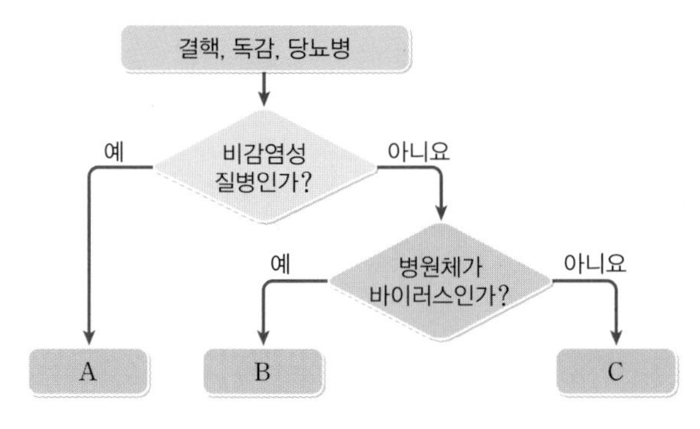


(1) A, B, C는 각각 어떤 질병인지 쓰시오.

(2) 치료하는 데 항생제가 이용되는 질병은 무엇인지 기호를 쓰시오.

**2** 그림 (가)는 결핵을 일으키는 병원체를, (나)는 독감을 일으키는 병원체를 나타낸 것이다.

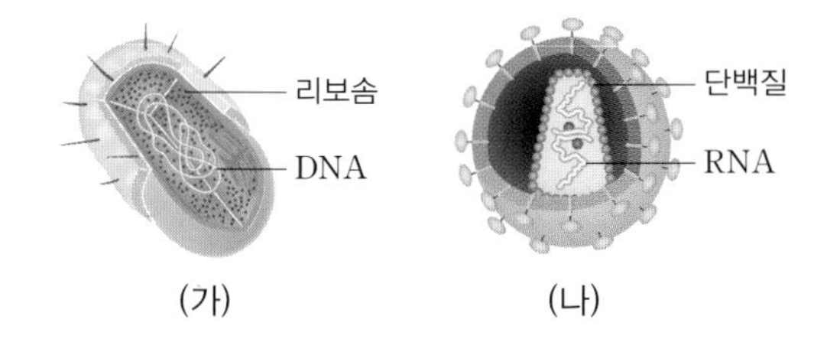


(1) 핵산을 갖는 것의 기호를 쓰시오.

(2) 세포 분열로 증식하는 것의 기호를 쓰시오.

**3** 다음 설명에 해당하는 물질을 쓰시오.

- 효소의 한 종류이다.
- 세균의 세포벽을 용해하여 제거한다.
- 눈물, 콧물, 침 등에 포함되어 분비된다.

**4** 다음 각 인체의 방어 작용을 특이적 방어 작용과 비특이적 방어 작용으로 구분하여 쓰시오.

(1) 땀에는 라이소자임이 들어 있어 세균을 죽인다.

(2) 병원체가 몸속으로 침입하면 백혈구가 식균 작용으로 병원체를 제거한다.

(3) 병원체가 몸속으로 침입하면 림프구에서 항체가 생성되어 병원체를 제거한다.

(4) 가시에 찔려 염증 반응이 일어났다.

**5** 그림은 어떤 사람이 최초로 항원 X에 감염되었을 때 일어나는 방어 작용의 일부를 나타낸 것이다.

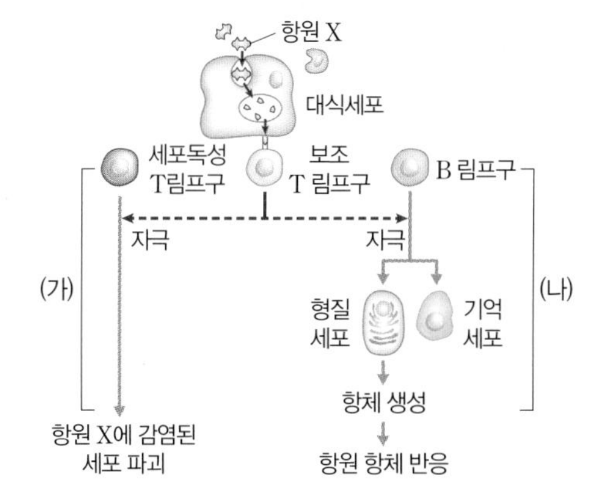


이에 대한 설명으로 옳은 것을 <보기>에서 모두 고르시오.

보기

ㄱ. (가)는 세포성 면역, (나)는 체액성 면역이다.

ㄴ. T 림프구와 B 림프구에 의한 면역을 특이적 방어 작용이라고 한다.

ㄷ. 보조 T 림프구의 자극으로 형질 세포는 기억 세포로 분화한다.

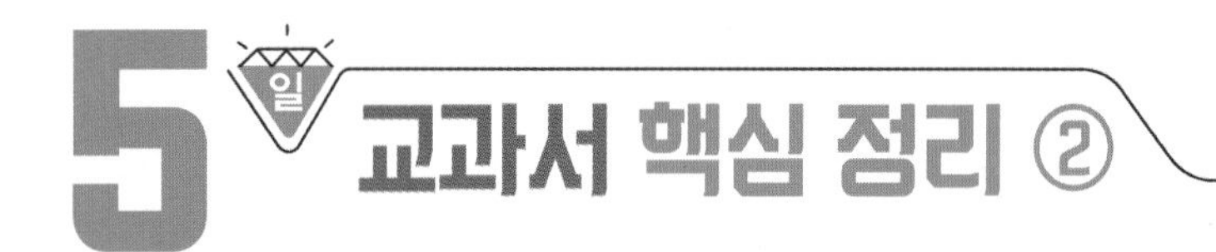




## 개념 3 1차 면역 반응과 2차 면역 반응

항원이 처음 침입하면 1차 면역 반응이, 같은 항원이 재침입하면 2차 변역 반응이 일어난다.

**1 1차 면역 반응** 항원의 1차 침입 시 보조 T 림프구의 도움으로 B 림프구가 형질 세포와 기억 세포로 분화되며, 형질 세포에서 ❶ [    ]를 분비하여 항원을 제거한다.

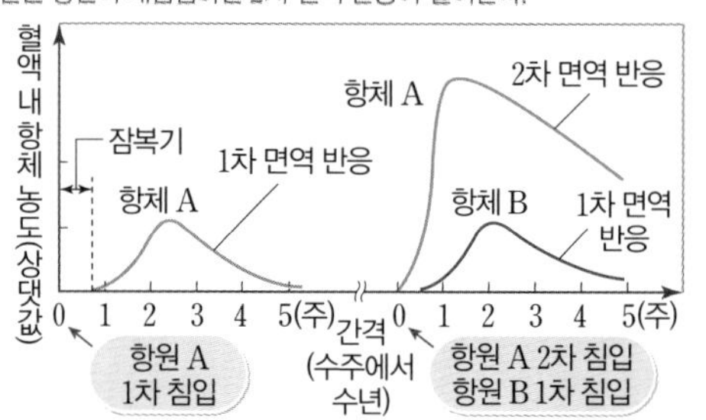


**2 2차 면역 반응** 동일한 항원이 재침입할 때 1차 면역 반응에서 생성된 ❷ [    ]가 빠르게 형질 세포로 분화하여 다량의 항체를 생성한다. ➡ ❸ [    ]가 거의 없어 항원이 빠르게 제거된다.

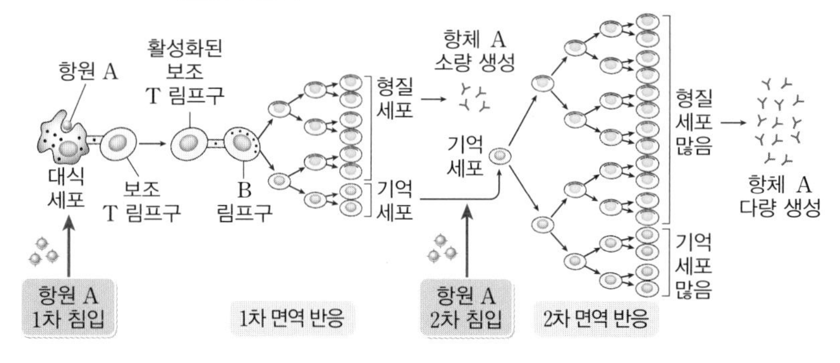


**3 백신** 면역 반응이 일어나 기억 세포가 생성되도록 하기 위해 질병을 일으키지 않을 정도로 독성을 약화시키거나 비활성 상태로 만든 ❹ [    ]이다.

❶ 항체
❷ 기억 세포
❸ 잠복기
❹ 항원

## 개념 4 혈액의 응집 반응과 혈액형

**1 ABO식 혈액형의 판정** 응집원과 응집소의 ❺ [    ]을 이용하여 혈액형을 판정한다.

| 혈액형 | A형 | B형 | AB형 | O형 |
|---|---|---|---|---|
| 응집원(항원) | A | B | A, B | 없음 |
| 응집소(항체) | $\beta$ | $\alpha$ | 없음 | $\alpha, \beta$ |

항 A 혈청 항 B 혈청
➡ A형
➡ B형
➡ AB형
➡ O형

• **혈액의 응집 반응** 적혈구 세포막의 ❻ [    ]과 혈장의 ❼ [    ]가 특이적으로 결합한다. ➡ 항원 항체 반응의 일종이다.

**2 ABO식 혈액형의 수혈 관계** 같은 혈액형끼리 수혈하는 것이 원칙이지만, 혈액을 주는 쪽의 응집원과 받는 쪽의 응집소 사이에 응집 반응이 일어나지 않으면 서로 다른 혈액형이라도 소량 수혈이 가능하다.

❺ 응집 반응
❻ 응집원
❼ 응집소

# 기초 확인 문제

정답과 해설 72쪽

[6~7] 그림은 항원 X에 2회 감염되었을 때 생성되는 항체의 농도 변화를 나타낸 것이다.

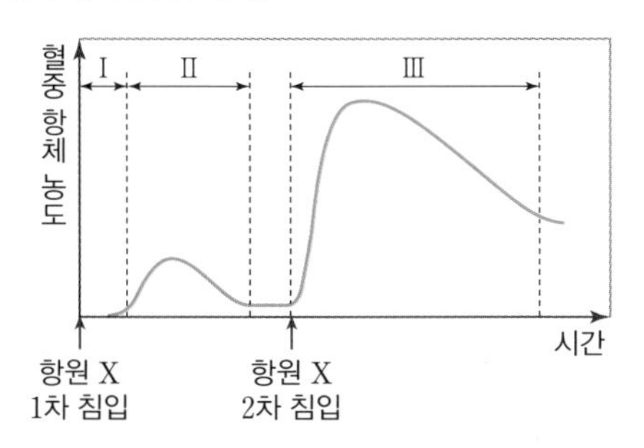


**6** (1) 1차 면역 반응과 (2) 2차 면역 반응이 일어나는 구간을 각각 쓰시오.

**7** 이에 대한 설명으로 옳은 것만을 〈보기〉에서 있는 대로 고른 것은?

보기
ㄱ. 구간 Ⅰ에서 비특이적 방어 작용이 일어난다.
ㄴ. 구간 Ⅱ에서 기억 세포가 형성된다.
ㄷ. 구간 Ⅲ에서 항원 항체 반응이 일어난다.

① ㄱ ② ㄷ ③ ㄱ, ㄴ
④ ㄴ, ㄷ ⑤ ㄱ, ㄴ, ㄷ

**8** 예방 접종에 대한 설명으로 옳은 것을 〈보기〉에서 모두 고르시오.

보기
ㄱ. 병원성을 제거한 병원체 등이 백신으로 이용된다.
ㄴ. 백신은 질병에 걸렸을 때 그 질병에 대한 치료 방법으로 활용될 수 없다.
ㄷ. 예방 접종으로 생성된 항체의 작용은 체액성 면역에 해당한다.

**9** 그림은 형질 세포와 기억 세포가 만들어지는 과정을 나타낸 것이다.

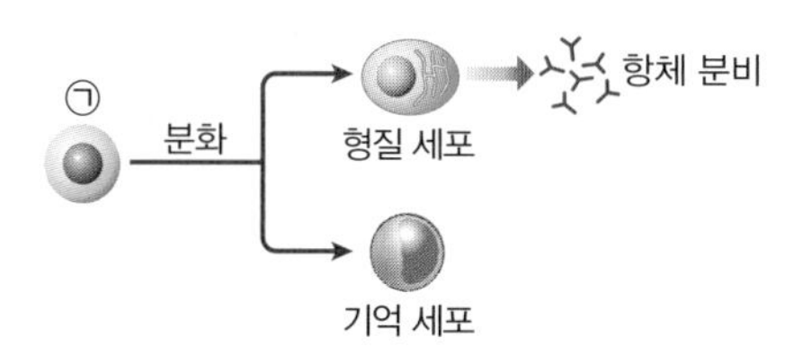


빈칸에 알맞은 말을 고르시오.

(1) ㉠은 ( B 림프구, T 림프구 )로, ( 가슴샘, 골수 )에서 성숙한다.
(2) 항체를 만드는 것은 ( 형질 세포, 기억 세포 )이다.
(3) 기억 세포는 항원이 2차 침입하면 ( B 림프구, 형질 세포 )로 분화하여 항체를 빠르게 생성한다.

**10** 그림은 철수의 혈액형 판정 실험 결과를 나타낸 것이다.

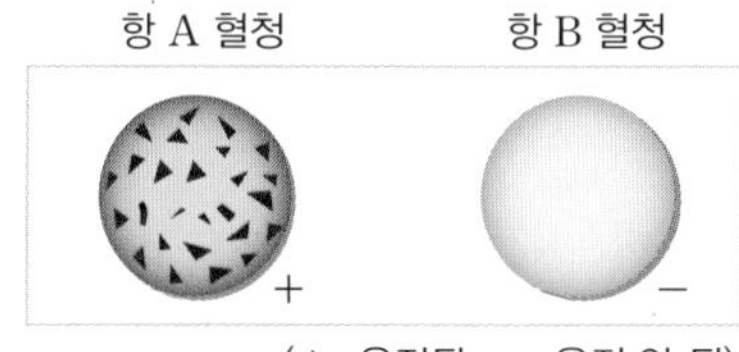

(+: 응집됨, −: 응집 안 됨)

이에 대한 설명으로 옳은 것만을 〈보기〉에서 있는 대로 고른 것은?

보기
ㄱ. 철수의 혈액형은 A형이다.
ㄴ. A형과 AB형으로부터 수혈받을 수 있다.
ㄷ. 혈액형 판정 실험은 항원 항체 반응의 원리가 이용된다.

① ㄱ ② ㄱ, ㄴ ③ ㄱ, ㄷ
④ ㄴ, ㄷ ⑤ ㄱ, ㄴ, ㄷ

# 내신 기출 베스트

## 대표 예제 1 질병과 병원체

표는 질병 A~C의 특징을 나타낸 것이다. A~C는 파상풍, 독감, 당뇨병을 순서 없이 나타낸 것이다.

| 질병 | 특징 |
|---|---|
| A | 병원체는 세포 구조가 아니다. |
| B | 병원체는 스스로 물질대사를 한다. |
| C | 병원체가 없다. |

이에 대한 설명으로 옳은 것을 〈보기〉에서 모두 고르시오.

보기

ㄱ. A는 독감이다.
ㄴ. B의 병원체는 세균이다.
ㄷ. C는 비감염성 질병이다.

개념 가이드

질병은 병원체의 감염에 의한 [ ] 질병과 병원체와 관계없는 [ ] 질병으로 구분된다.

답 감염성, 비감염성

## 대표 예제 2 면역

사람의 면역에 대한 설명으로 옳은 것만을 〈보기〉에서 있는 대로 고른 것은?

보기

ㄱ. 피부는 1차 방어벽에 해당된다.
ㄴ. 비특이적 방어 작용은 병원체의 종류와 무관하게 동일한 방식으로 신속하게 일어난다.
ㄷ. 염증 반응 시 일어나는 백혈구의 식균 작용은 특이적 방어 작용에 해당된다.

① ㄱ ② ㄴ ③ ㄷ
④ ㄱ, ㄴ ⑤ ㄱ, ㄴ, ㄷ

개념 가이드

비특이적 방어 작용은 [ ]의 종류와 관계없이 신속하게 일어나는 [ ] 면역이다.

답 병원체, 선천적

## 대표 예제 3 염증 반응

그림은 바늘에 찔려 체내로 세균이 침입했을 때 일어나는 방어 작용을 나타낸 것이다.

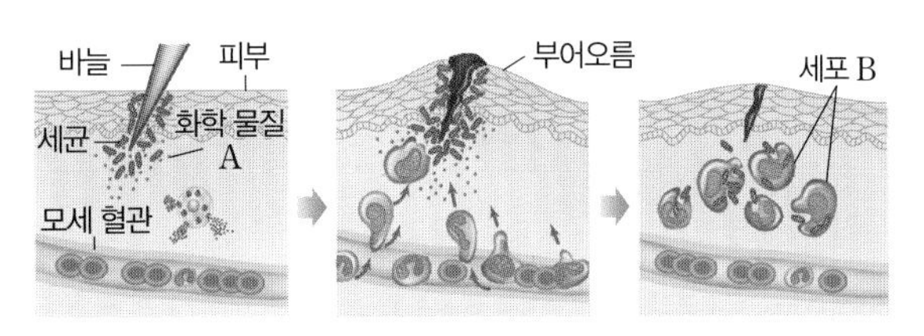


(1) 세균이 침입했을 때 조직에서 분비하는 화학 물질 A는 무엇인지 쓰시오.

(2) 세포 B의 이름과, 그림과 같은 세포 B의 작용을 각각 무엇이라고 하는지 쓰시오.

개념 가이드

병원체가 침입하면 비만 세포에서 [ ]이 분비되고, 백혈구가 [ ]으로 병원체를 제거한다.

답 히스타민, 식균 작용

## 대표 예제 4 특이적 방어 작용

그림 (가)~(다)는 체내에 항원 X가 침입했을 때 일어나는 방어 작용의 일부를 나타낸 것이다.

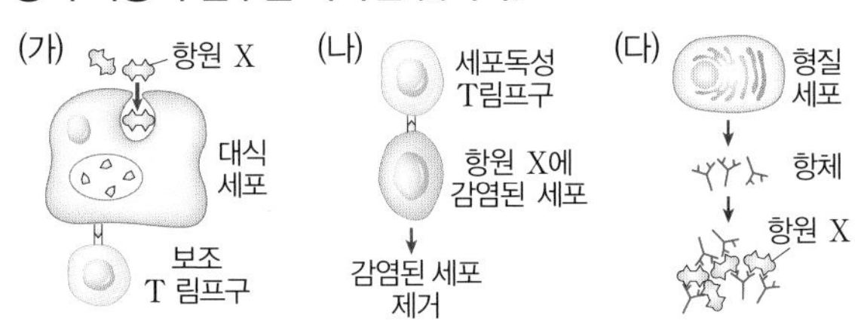


이에 대한 설명으로 옳은 것을 〈보기〉에서 모두 고르시오.

보기

ㄱ. (가)에서 식균 작용이 일어난다.
ㄴ. (나)는 비특이적 방어 작용이다.
ㄷ. (다)는 체액성 면역 반응이다.

개념 가이드

특이적 방어 작용은 특정 [ ]을 제거하는 방어 작용으로 T 림프구와 [ ]에 의해 이루어진다.

답 항원, B 림프구

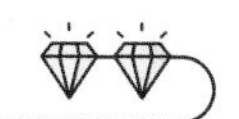



5일

## 대표 예제 5 1차 면역 반응

**그림 (가)~(라)는 체내에 항원 A가 1차 침입했을 때 일어나는 방어 작용의 일부를 순서 없이 나타낸 것이다. 세포 ㉠~㉢은 각각 B 림프구, 보조 T 림프구, 대식세포 중 하나이다.**

(가)
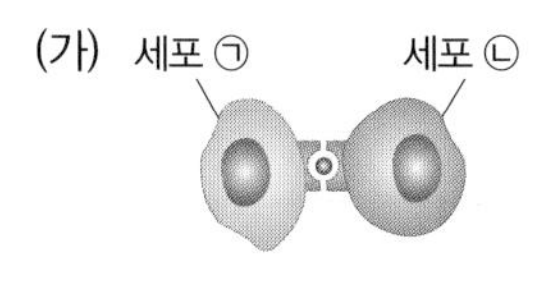


(나)
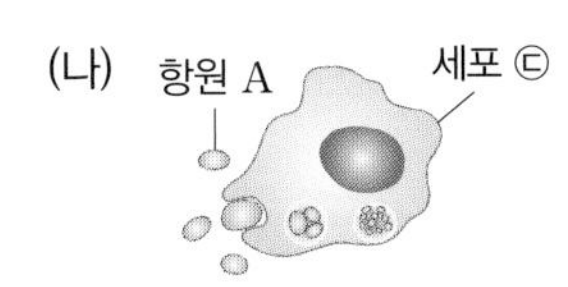


(다)
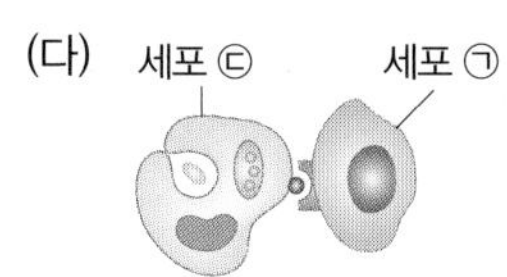


(라)
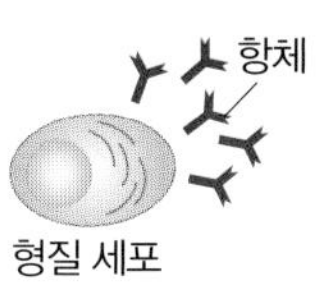


(1) ㉠~㉢의 이름을 각각 쓰시오.

(2) 면역 반응이 일어나는 순서대로 나열하시오.

**개념 가이드**

항원이 침입하면 (　　　)의 도움을 받은 (　　　)가 형질 세포로 분화되어 항체를 생산한다.

답 보조 T 림프구, B 림프구

## 대표 예제 6 체액성 면역

**체액성 면역에 대한 설명으로 옳은 것을 〈보기〉에서 모두 고르시오.**

보기

ㄱ. 1차 면역 반응에서는 B 림프구에서 분화된 형질 세포가 항체를 생산한다.

ㄴ. 2차 면역 반응에서는 기억 세포가 직접 항체를 생산한다.

ㄷ. 예방 주사는 1차 면역 반응을 일으켜 항체와 기억 세포를 형성시킨다.

ㄹ. 특정 항체는 그 항체를 만들어지게 한 특정 항원하고만 결합한다.

**개념 가이드**

체액성 면역은 형질 세포를 통해 생산된 (　　　)에 의해 항원 항체 반응이 일어나 (　　　)을 제거하는 면역 반응이다.

답 항체, 항원

## 대표 예제 7 2차 면역 반응

**그림은 항원 A에 감염된 사람의 혈액 속에 생성된 항체 A의 농도를 일주일 간격으로 측정하여 나타낸 것이다.**

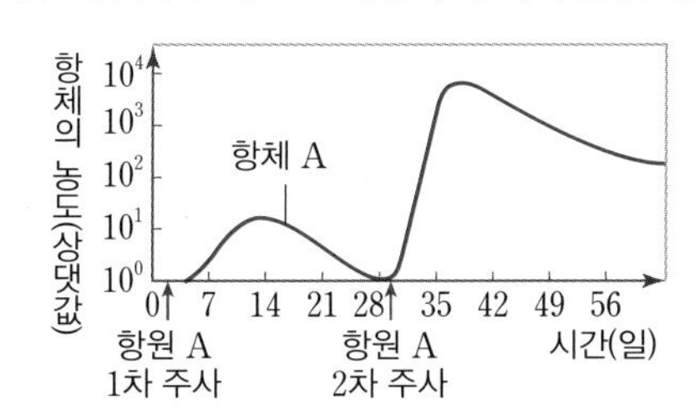


**항원 A를 처음 주사했을 때와 항원 A를 두 번째 주사했을 때 항체의 농도가 다르게 나타나는 까닭을 서술하시오.**

**개념 가이드**

같은 항원이 다시 들어오면 (　　　)가 빠르게 다량의 기억 세포와 (　　　)로 분화된다.

답 기억 세포, 형질 세포

## 대표 예제 8 ABO식 혈액형

**그림은 철수의 혈액을 항 A 혈청과 항 B 혈청에 각각 섞었을 때 일어나는 응집 반응을 나타낸 것이다.**

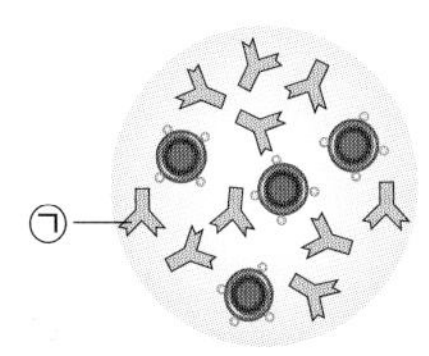


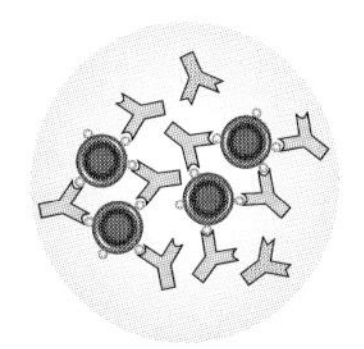


(1) ㉠은 응집소이다. 응집소의 종류를 쓰시오.

(2) 철수의 혈액형을 쓰시오.

(3) 철수가 수혈해 줄 수 있는 혈액형을 모두 쓰시오.

**개념 가이드**

혈액의 응집 반응은 적혈구 세포막에 있는 (　　　)과 혈장에 있는 (　　　) 사이의 항원 항체 반응에 의해 일어난다.

답 응집원, 응집소

**1** 다음은 인공지능을 가진 강아지 로봇의 특징 중 일부를 나타낸 것이다.

- 감정 표현(눈): 기쁨, 슬픔, 화남 등 표현
- 음성 인식(마이크): 약 100 단어 인식 및 반응
- 터치 센서(등, 머리, 옆구리): 쓰다듬기, 때리기에 다양한 반응

강아지 로봇과 살아 있는 강아지의 공통점에 해당하는 생물의 특성과 가장 관련 깊은 것은?

① 아메바는 분열법으로 증식한다.
② 막걸리를 만들 때 이산화 탄소가 발생한다.
③ 어머니가 적록 색맹이면 아들도 적록 색맹이다.
④ 지렁이에 빛을 비추면 어두운 곳으로 이동한다.
⑤ 개구리는 알에서 올챙이를 거쳐 성체로 발달한다.

**2** 다음은 물질 A가 세균을 죽이는지 알아보기 위한 실험 과정을 나타낸 것이다.

(가) 물질 A가 세균을 죽게 할 것이라고 가정하였다.
(나) 완전히 멸균된 2개의 배지에 세균을 배양하고 한 배지에는 물질 A가 있는 용액을, 다른 배지에는 물질 A가 없는 용액을 떨어뜨린 다음 두 배지 모두 같은 온도에 두었다.
(다) ㉠ 물질 A가 있는 용액을 떨어뜨린 배지에서는 세균이 죽었으나, ㉡ 물질 A가 없는 용액을 떨어뜨린 배지에서는 세균이 죽지 않았다.

이에 대한 설명으로 옳은 것만을 〈보기〉에서 있는 대로 고른 것은?

보기
ㄱ. 연역적 탐구 방법이다.
ㄴ. (나) 단계에서 변인 통제를 하고 있다.
ㄷ. ㉠은 실험군, ㉡은 대조군에 해당한다.

① ㄱ ② ㄱ, ㄴ ③ ㄱ, ㄷ
④ ㄴ, ㄷ ⑤ ㄱ, ㄴ, ㄷ

**3** 그림은 생명체에서 일어나는 물질대사를 나타낸 것이다. 이에 대한 설명으로 옳은 것만을 〈보기〉에서 있는 대로 고른 것은?

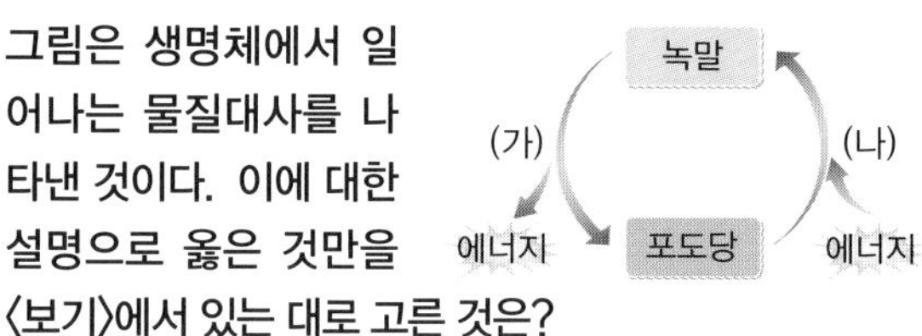


보기
ㄱ. (가)는 동화 작용이다.
ㄴ. (가)와 (나) 반응이 일어날 때 효소가 관여한다.
ㄷ. (나)에서는 생성물보다 반응물이 가진 에너지양이 더 많다.

① ㄱ ② ㄴ ③ ㄷ
④ ㄱ, ㄴ ⑤ ㄴ, ㄷ

**4** 생명 과학에 대한 설명으로 옳은 것을 〈보기〉에서 모두 고르시오.

보기
ㄱ. 생명체의 특성을 탐구하는 과학의 한 분야이다.
ㄴ. 생명 과학은 연구 성과를 인류의 생존과 복지에 응용하는 종합적인 학문이다.
ㄷ. 생명 과학은 여러 학문 분야의 성과와 연계되어 발달하면서 학문 간의 경계가 강화되고 있다.

신경향

**5** 다음은 대사성 질환에 대한 세 학생의 대화이다.

대화 내용이 옳은 학생을 모두 고르시오.

정답과 해설 74쪽

**6** **그림은 ATP와 ADP 사이의 전환을 나타낸 것이다.**

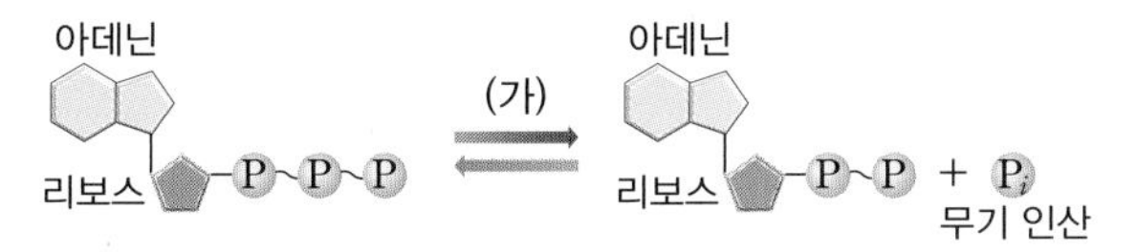


**(가) 과정이 이용되는 예가 아닌 것은?**

**7** **그림은 사람 몸의 순환계와 기관계 A~C의 통합적 작용을 나타낸 것이다. 이에 대한 설명으로 옳지 않은 것은?**

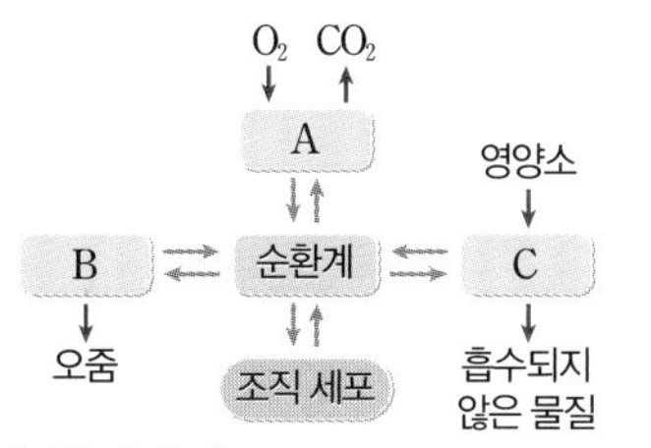


① A에서는 기체 교환이 일어난다.
② 콩팥과 방광은 B에 속하는 기관이다.
③ C에서는 이화 작용이 일어난다.
④ 간은 C에 속하는 기관이다.
⑤ 암모니아는 C에서 생성되어 B에서 방출된다.

**8** **그림은 3개의 뉴런이 연결되어 있는 모습을 나타낸 것이다.**

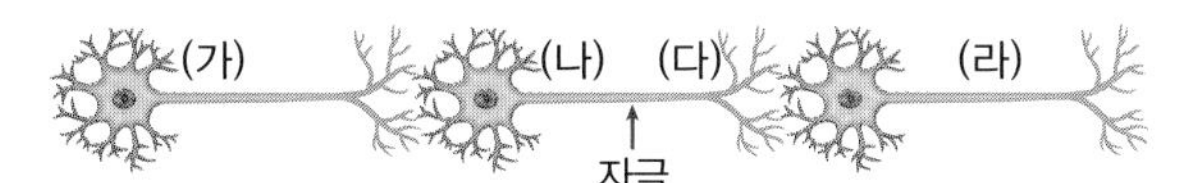


**화살표로 표시된 부분에 역치 이상의 자극을 주었을 때 (가)~(라) 중 활동 전위가 발생하는 지점을 있는 대로 고른 것은?**

① (가), (나) ② (나), (다) ③ (다), (라)
④ (나), (다), (라) ⑤ (가), (나), (다), (라)

**9** **그림 (가)는 뉴런의 두 지점 A, B를, (나)는 A에 자극을 주었을 때 B에서의 막전위 변화를 나타낸 것이다.**

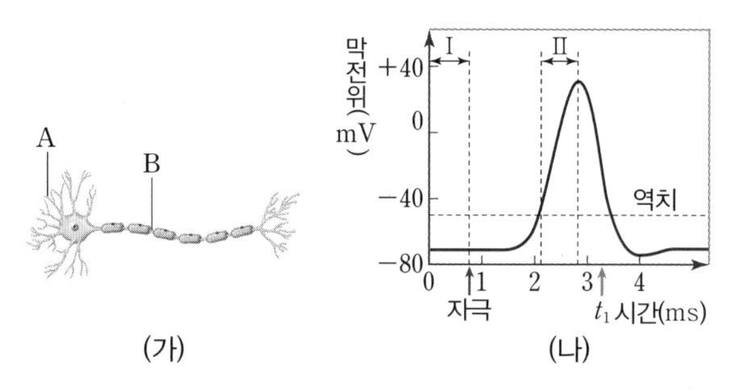


**이에 대한 설명으로 옳은 것을 〈보기〉에서 모두 고르시오.**

보기

ㄱ. 구간 I에서는 세포막을 통한 이온의 이동이 일어나지 않는다.
ㄴ. 구간 II에서 $Na^+$이 ATP를 소모하며 세포 내로 확산되어 유입된다.
ㄷ. (나)의 $t_1$시점에서 B에서는 $K^+$이 세포 밖으로 이동한다.

**10** **그림 (가)는 팔을 구부렸을 때를, (나)는 근육 ㉠의 근육 원섬유 마디 X의 구조를 나타낸 것이다.**

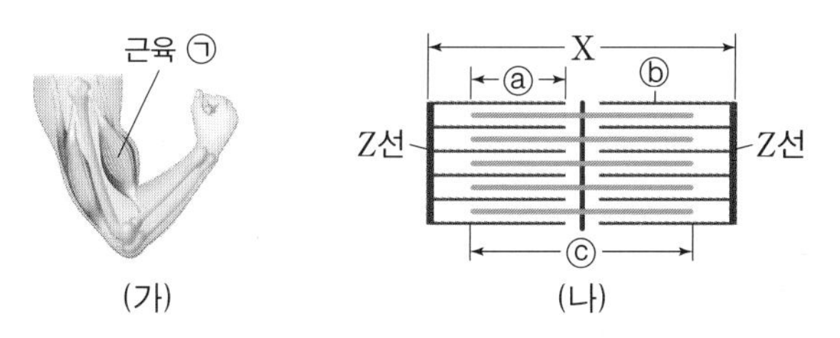


**이에 대한 설명으로 옳은 것은?**

① 팔을 펴면 ⓐ의 길이가 짧아진다.
② ⓑ는 마이오신 필라멘트이다.
③ 근육 섬유에서 활동 전위가 발생하면 ⓒ의 길이가 길어진다.
④ 팔을 구부리면 X의 길이가 길어진다.
⑤ 근육이 이완하면 H대의 길이가 짧아진다.

# 6일 누구나 100점 테스트 2회

**1** 그림은 중추 신경계의 구조를 나타낸 것이다.

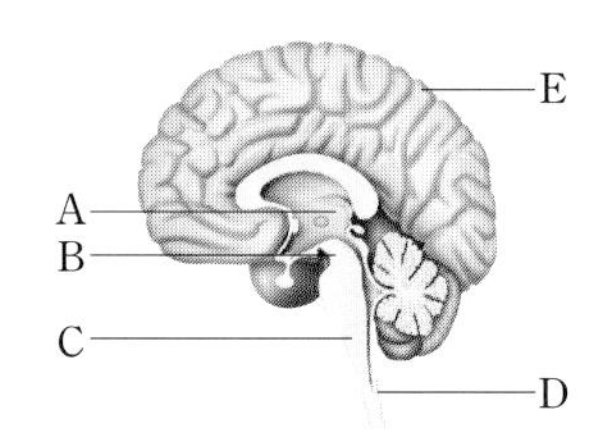


이에 대한 설명으로 옳지 않은 것은?

① A의 시상 하부는 체온, 삼투압 등을 조절한다.
② B는 뇌줄기에 속한다.
③ C는 연수이다.
④ D의 겉질은 회색질이고 속질은 백색질이다.
⑤ E의 겉질은 기능에 따라 감각령, 운동령, 연합령으로 구분한다.

**2** 그림은 중추 신경계로부터 말초 신경을 통해 홍채, 심장, 골격근에 연결된 경로를 나타낸 것이다.

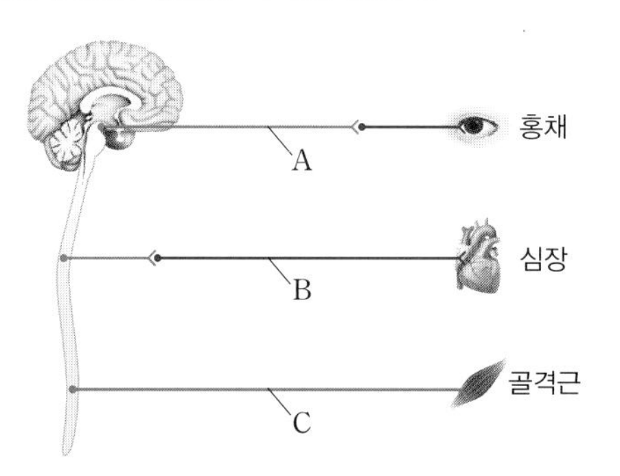


이에 대한 설명으로 옳은 것만을 〈보기〉에서 있는 대로 고른 것은?

**보기**

ㄱ. A, B, C는 모두 원심성 신경이다.
ㄴ. B의 축삭 돌기 말단에서 분비되는 신경 전달 물질은 아세틸콜린이다.
ㄷ. C는 체성 신경계에 속한다.

① ㄱ ② ㄴ ③ ㄱ, ㄷ
④ ㄴ, ㄷ ⑤ ㄱ, ㄴ, ㄷ

**3** 그림은 무릎 반사가 일어나는 과정에서 흥분 전달 경로를 나타낸 것이다.

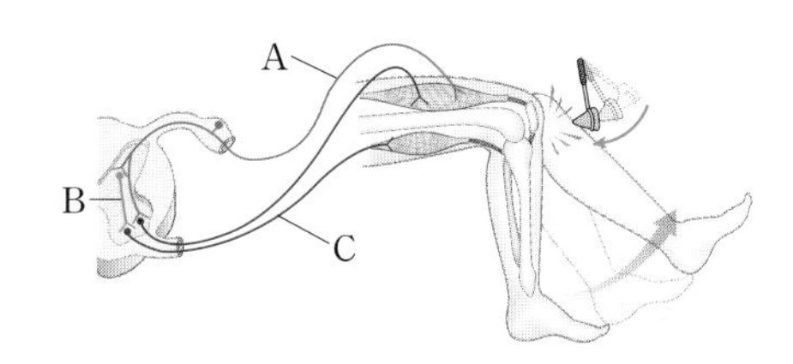


자극의 전달 경로를 쓰시오.

**4** 표는 호르몬의 특징에 대해 학생들이 발표한 내용을 정리한 것이다.

| 학생 | 발표 내용 |
|---|---|
| A | 혈액에 의해 온몸으로 운반되지만 표적 기관에만 작용해. |
| B | 부족하면 결핍증, 많이 분비되면 과다증이 나타나. |
| C | 호르몬을 생산하고 분비하는 기관을 외분비샘이라고 해. |

발표한 내용이 옳은 학생만을 있는 대로 고른 것은?

① A ② C ③ A, B
④ B, C ⑤ A, B, C

신경향

**5** 다음은 학생 A~C가 추울 때 체온 유지를 위한 조절 과정에 대해 발표한 내용이다.

제시한 내용이 옳은 학생을 모두 고르시오.

정답과 해설 75쪽

**6** 물을 다량으로 마셨을 경우, 혈액의 삼투압 유지를 위해 체내에서 일어나는 현상을 모두 고르면? (2개)

① 오줌 생성 속도가 빨라진다.
② 배설되는 오줌의 농도가 진해진다.
③ 항이뇨 호르몬의 분비가 억제된다.
④ 이자에서 인슐린 분비가 증가한다.
⑤ 콩팥에서 수분의 재흡수량이 증가한다.

**7** 그림은 건강한 사람의 혈당량에 따른 인슐린과 글루카곤의 혈중 농도 변화를 나타낸 것이다. 이에 대한 추론으로 옳은 것만을 ⟨보기⟩에서 있는 대로 고른 것은?

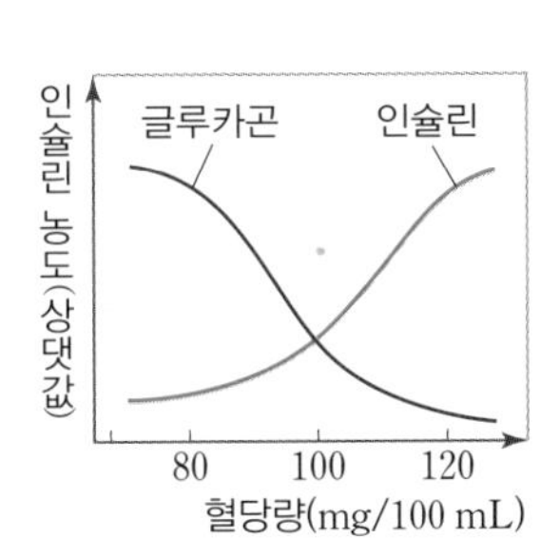


보기

ㄱ. 글루카곤과 인슐린의 표적 기관은 간이다.
ㄴ. 글루카곤과 인슐린은 서로 길항 작용을 한다.
ㄷ. 혈당량이 높으면 인슐린의 혈중 농도가 감소한다.

① ㄱ ② ㄴ ③ ㄷ
④ ㄱ, ㄴ ⑤ ㄴ, ㄷ

신경향

**8** 얼마 전 철수가 넘어져 다친 무릎에 염증이 생긴 후 딱지가 앉았다. 이러한 반응은 다음 중 어느 것에 해당되는가?

① 체액성 면역
② 세포성 면역
③ 2차 면역 반응
④ 항원 항체 반응
⑤ 비특이적 방어 작용

신경향

**9** 다음은 질병에 대한 교사와 학생 A~C의 SNS 대화 내용이다. 대화 내용이 옳은 학생을 모두 고르시오.

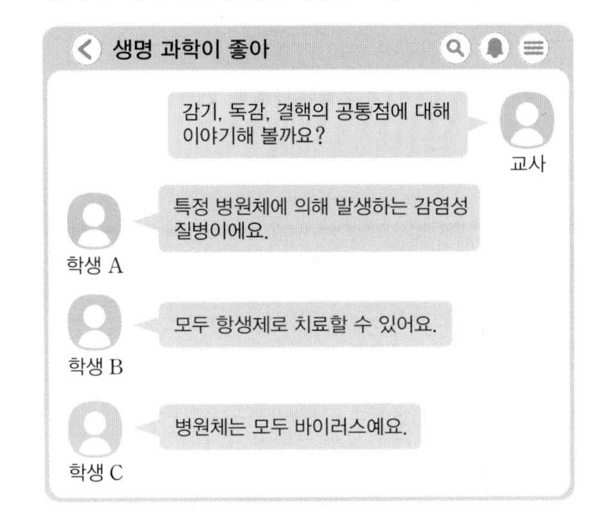


**10** 그림 (가)는 항원 X가 인체에 침입했을 때 일어나는 방어 작용의 일부를, (나)는 X의 침입에 의해 생성되는 혈중 항체의 농도 변화를 나타낸 것이다. ㉠과 ㉡은 각각 기억 세포와 형질 세포 중 하나이다.

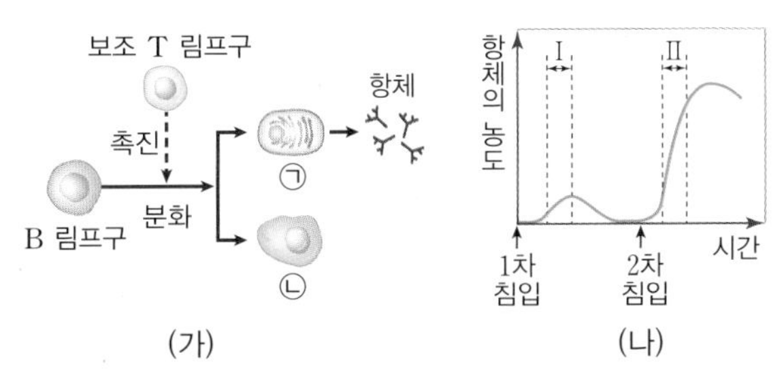


이에 대한 설명으로 옳은 것만을 ⟨보기⟩에서 있는 대로 고른 것은?

보기

ㄱ. B 림프구는 가슴샘에서 성숙된다.
ㄴ. 구간 Ⅰ, Ⅱ에서 체액성 면역 반응이 일어난다.
ㄷ. 구간 Ⅱ에서 ㉡은 ㉠으로 분화하여 항체를 생산한다.

① ㄱ ② ㄴ ③ ㄱ, ㄴ
④ ㄱ, ㄷ ⑤ ㄴ, ㄷ

# 서술형·사고력 테스트

**1** 다음은 어떤 과학자가 물질 X의 작용을 알아낸 탐구 과정의 일부이다.

> (가) 대장균을 배양하던 배지에 우연히 X가 첨가되었고, 이 배지에서 대장균이 사라지는 것을 관찰하였다.
> (나) '㉠ ____________'라는 가설을 설정하였다.
> (다) 20개의 대장균 배양 접시를 준비해 10개의 접시에는 X를 넣고, 나머지 10개의 접시에는 X를 넣지 않았다.
> (라) X가 첨가된 배양 접시에서는 대장균이 증식하지 않았고, X가 첨가되지 않은 배양 접시에서는 대장균이 증식하였다.

(1) 이 실험의 조작 변인과 종속변인을 쓰시오.

(2) 실험 결과를 통해 (나)의 가설 ㉠을 유추하여 서술하시오.

**2** 그림은 뉴런의 구조를 나타낸 것이다.

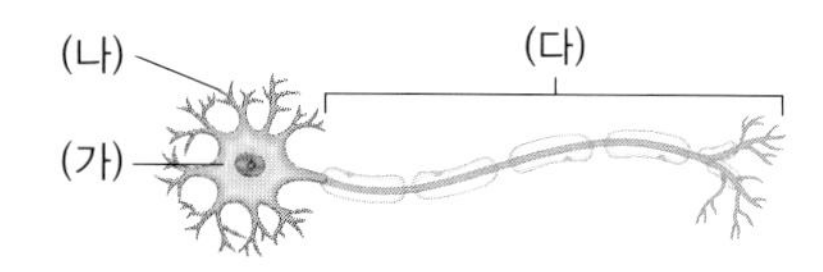


(가), (나), (다) 부위의 이름을 쓰고, (나)와 (다)의 역할에 대해 서술하시오.

**3** 그림은 어떤 영양소 X의 호흡 산물과 이때 나오는 에너지의 흐름을 나타낸 것이다.

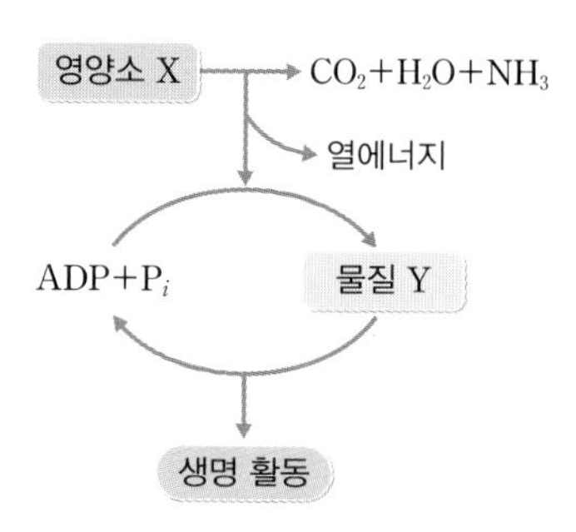


(1) 영양소 X와 물질 Y는 각각 무엇인지 쓰시오.

(2) ATP가 만들어지는 과정이 동화 작용인지 이화 작용인지를 그렇게 판단한 까닭과 함께 서술하시오. (단, '분자량의 변화'와 '에너지 변화'에 관한 내용을 모두 포함하여 서술할 것)

**4** 그림은 어떤 골격근을 구성하는 근육 원섬유 X의 한 지점의 단면에서 관찰되는 액틴 필라멘트와 마이오신 필라멘트의 분포를, 표는 X의 부위 ㉠~㉢에 대한 설명이다.

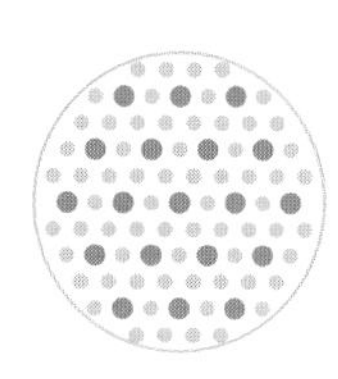

> • ㉠~㉢은 각각 I대, A대, H대 중 하나이다.
> • ㉠에는 그림과 같은 단면을 갖는 부분이 있다.
> • ㉡에는 액틴 필라멘트가 없다.

이완된 상태의 X가 수축되었을 때 ㉠~㉢의 길이 변화를 서술하시오. (단, ㉠~㉢의 명칭을 포함시켜 서술할 것)

정답과 해설 77쪽

**5** 그림은 감각기에 수용된 자극이 중추 신경계를 거쳐 반응기에 전달되는 경로를 나타낸 것이다.

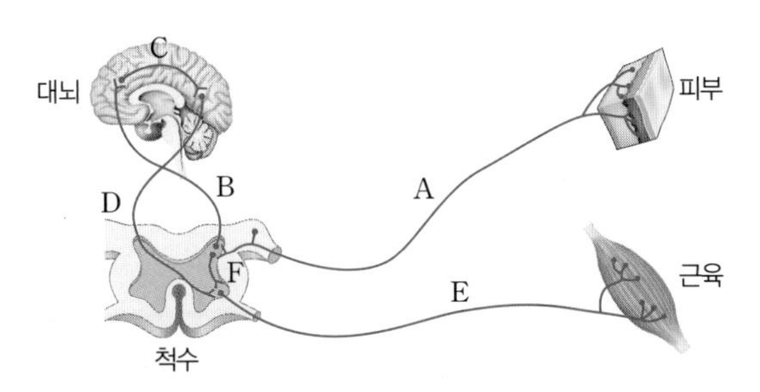


다음 각 반응의 중추와 반응이 일어나기까지 자극의 이동 경로를 기호로 쓰시오.

(가) 손이 시려 장갑을 낀다.

(나) 실수로 뜨거운 것을 만졌을 때 팔을 움찔한다.

**6** 그림은 정상인의 혈중 포도당 농도에 따른 ㉠과 ㉡의 혈중 농도를 나타낸 것이다. ㉠과 ㉡은 인슐린과 글루카곤 중 하나이다.

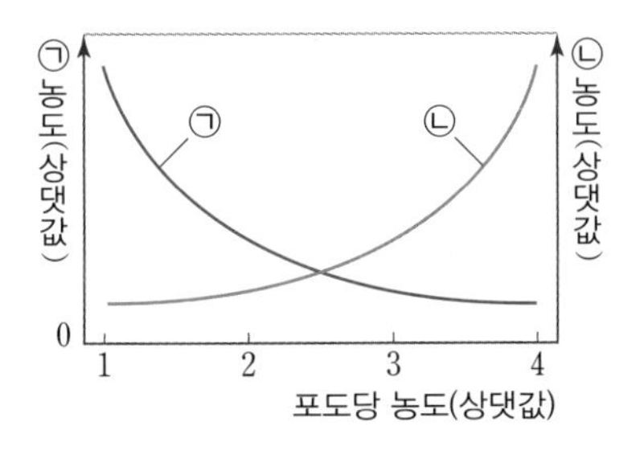


(1) ㉠과 ㉡의 호르몬 이름을 각각 쓰시오.

(2) 혈당량이 정상보다 높을 때 일어나는 호르몬의 변화와 작용을 서술하시오. (단, 호르몬을 분비하는 내분비샘을 포함할 것)

**7** 그림은 심장에 분포한 자율 신경을 나타낸 것이다.

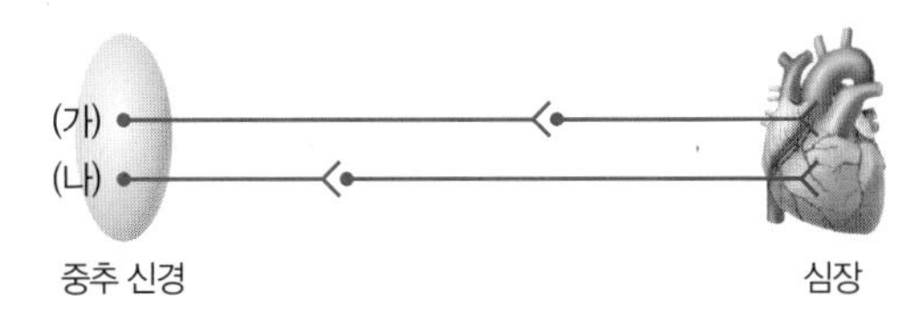


긴장했을 때 작용하는 신경의 기호와 그 신경의 말단에서 분비하는 신경 전달 물질을 쓰고, 이때 심장 박동의 변화를 서술하시오.

**8** 그림은 항원 X에 노출된 적이 없는 사람의 체내에 항원 X를 투여하였을 때 림프구와 항체 생성량의 변화를 나타낸 것이다.

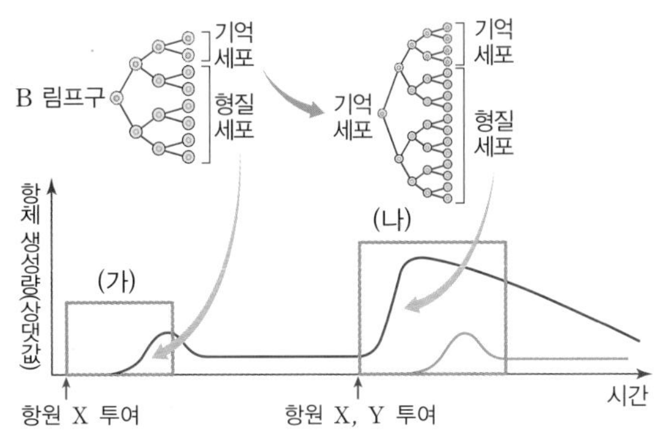


(1) (가)보다 (나)에서 항원 X에 대한 항체가 신속하게 다량으로 생성되는 까닭을 서술하시오.

(2) (나)에서 항원 X에 대한 항체 생성과 항원 Y에 대한 항체 생성이 별도로 일어난 까닭을 서술하시오.

6일

# 6일 창의·융합·코딩 테스트

**1** 코딩

그림은 생물의 특성을 이용하여 고드름, 아메바, 바이러스를 구별하는 과정을 나타낸 것이다.

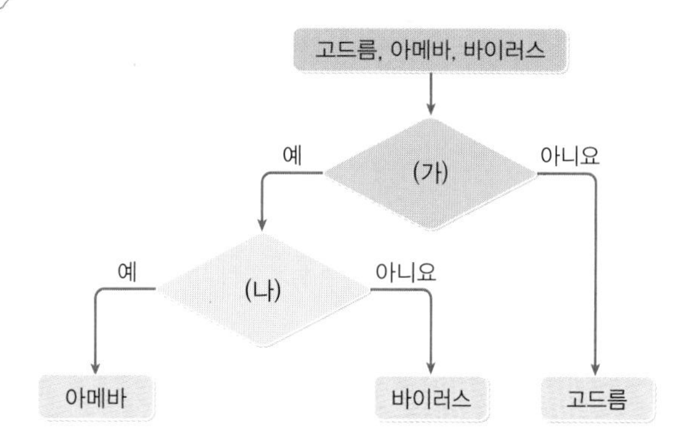


분류 기준 (가)와 (나)가 될 수 있는 것을 각각 하나씩 서술하시오.

**2** 창의융합

개구리, 악어, 하마와 같이 물에 잠겨 생활하는 생물들은 그림과 같이 눈과 콧구멍의 위치가 수면보다 높다.

이와 같은 생물의 특성의 예로 옳지 않은 것은?

① 날이 추워지면 개구리는 겨울잠을 잔다.

② 땀을 많이 흘리고 나면 갈증이 심해진다.

③ 눈신토끼는 겨울이 되면 털색이 희게 변한다.

④ 사막에 사는 선인장의 잎은 가시가 변한 것이다.

⑤ 추운 지방에 사는 사람들에게는 피하 지방이 많다.

**3** 창의융합

다음은 생명체에서 일어나는 물질대사와 에너지 전환에 대한 학생 A～C의 발표 내용이다.

제시한 내용이 옳은 학생을 모두 고르시오.

**4** 창의융합

이구아나는 몸의 크기가 비슷한 고양이에 비해 먹이를 훨씬 적게 먹는다. 파충류가 포유류에 비해 적은 양의 에너지로도 살 수 있는 까닭은 무엇인지 서술하시오.

정답과 해설 78쪽

**5** 참의 융합

그림은 야구 선수가 공을 보고 방망이를 휘두르기까지의 과정을 나타낸 것이다.

이에 대한 설명으로 옳은 것만을 〈보기〉에서 있는 대로 고른 것은?

**보기**

ㄱ. 눈은 자극을 받아들이는 감각기에 해당한다.
ㄴ. 뇌는 전달받은 자극에 대한 정보를 분석, 판단하여 명령을 직접 반응기에 전달한다.
ㄷ. 감각 정보를 전달하고, 운동 명령을 전달하는 기능을 담당하는 것은 말초 신경계에 해당한다.

① ㄴ ② ㄱ, ㄴ ③ ㄱ, ㄷ
④ ㄴ, ㄷ ⑤ ㄱ, ㄴ, ㄷ

**6** 참의 융합

그림은 정상인이 물을 마신 후 시간에 따른 오줌 생성량을 나타낸 것이다. 물을 마신 후 시간에 따른 혈장 삼투압과 오줌의 삼투압이 각각 어떻게 될지 예상하여 그래프로 나타내시오.

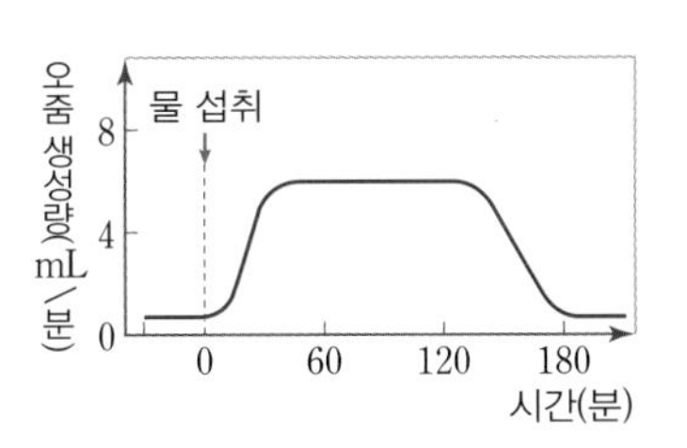


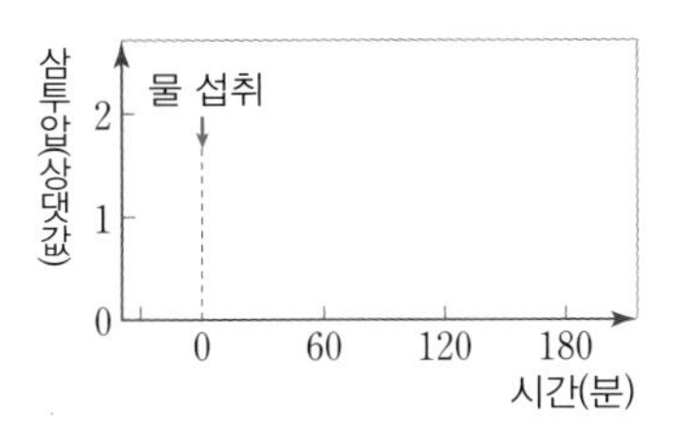


**7** 코딩

그림은 혈액 ㉠~㉢을 응집 여부에 따라 구분하는 과정을 나타낸 것이다 ㉠~㉢의 ABO식 혈액형은 각각 A형, O형, AB형 중 하나이다.

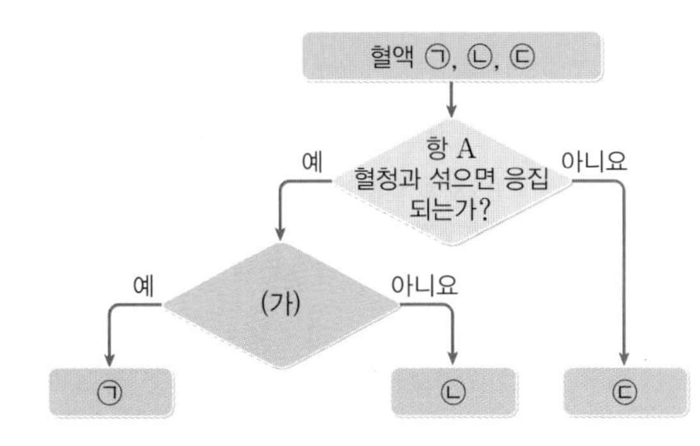


이에 대한 설명으로 옳은 것을 〈보기〉에서 모두 고르시오. (단, ABO식 혈액형만 고려한다.)

**보기**

ㄱ. ㉢의 혈액형은 O형이다.
ㄴ. ㉠과 ㉡은 모두 AB형에게 수혈할 수 있다.
ㄷ. (가)가 '혈액 내에 응집소를 가지지 않는가?'라면 ㉠은 A형이다.

**8** 참의 융합

감기는 감기 바이러스에 감염되어 발병하는 질병이다. 이미 수십 년 전에 많은 나라에서 감기 예방약을 개발하기 위해 연구소를 설립하였지만, 모두 실패하고 문을 닫고 말았다. 감기에 효과적인 백신과 치료약 개발이 어려운 까닭을 바이러스의 특성과 관련지어 서술하시오.

# 7일 학교시험 기본 테스트 1회

**1** 다음은 학생 A~C가 생물의 특성과 그 예를 발표한 내용이다.

| 학생 | 생물의 특성 | 예 |
|---|---|---|
| A | 물질대사 | 식후에는 인슐린이 분비되어 혈당량이 조절된다. |
| B | 발생과 생장 | 개구리의 알은 올챙이를 거쳐 개구리가 된다. |
| C | 생식과 유전 | 효모는 출아법으로 번식한다. |

제시한 내용이 옳은 학생만을 있는 대로 고른 것은?

① A ② B ③ A, C
④ B, C ⑤ A, B, C

**2** 탐구 설계와 수행 단계에 대한 설명으로 옳은 것은?

① 대조군을 설정한다.
② 관찰된 사실을 설명할 수 있어야 한다.
③ 새로운 사실을 예측할 수 있어야 한다.
④ 얻어진 결과를 통해 가설이 옳은지를 판별한다.
⑤ 감각 기관과 기구를 이용하여 세밀하게 관찰한다.

**3** 생명 과학의 특성으로 옳지 않은 것은?

① 생명 과학은 생명 현상을 탐구하는 학문이다.
② 생명 과학은 연구 대상의 규모가 매우 다양하다.
③ 생명 과학의 발전으로 물질 과학의 연구 분야가 넓어졌다.
④ 생명 과학은 다른 학문 분야의 영향을 받아 발달하기도 한다.
⑤ 생명 과학자는 시공간에서 물질의 운동, 그와 관련된 에너지나 힘을 연구한다.

**4** 그림 (가)는 광합성과 세포 호흡에서의 에너지와 물질의 이동을, (나)는 ATP와 ADP 사이의 전환을 나타낸 것이다. ⓐ와 ⓑ는 각각 광합성과 세포 호흡 중 하나이다.

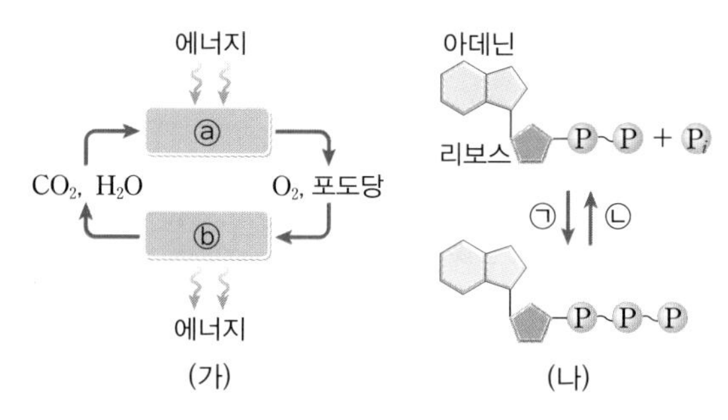


(1) (가)와 (나)에서 동화 작용에 해당하는 것의 기호를 모두 쓰시오.

(2) (나)의 ㉠과 ㉡ 중 ⓑ 과정에서 생성된 에너지가 사용되는 것은 어느 것인지 쓰시오.

**5** 그림은 사람의 폐포와 조직 세포에서 일어나는 기체 교환 (가)와 (나)를 나타낸 것이다. A와 B는 산소와 이산화 탄소 중 하나이다.

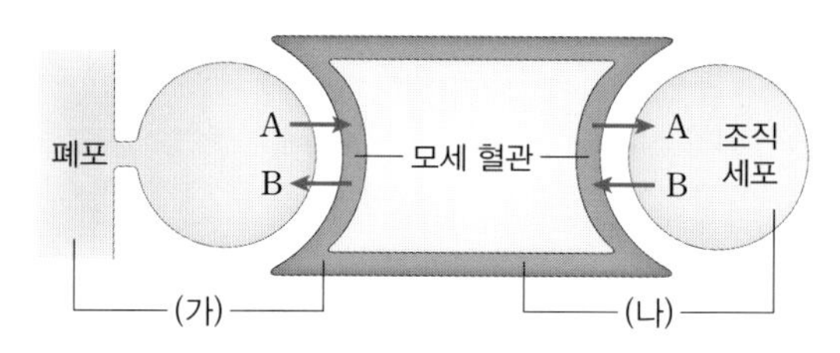


이에 대한 설명으로 옳지 않은 것은?

① A는 주로 적혈구에 의해 운반된다.
② B의 농도는 폐포가 모세 혈관보다 높다.
③ (가)의 기체 교환에서는 ATP가 사용되지 않는다.
④ (나)에서 일어나는 기체 교환의 원리는 확산이다.
⑤ 폐포는 표면적을 넓혀 기체 교환이 효율적으로 일어나게 하는 구조이다.

정답과 해설 79쪽

**6** 우리 몸의 에너지 균형에 대한 설명으로 옳은 것만을 〈보기〉에서 있는 대로 고른 것은?

보기
ㄱ. 근육이 발달할수록 대사량이 높아져 비만 예방에 도움이 된다.
ㄴ. 계단 오르기 등 일상생활에서의 활동도 활동 대사량에 포함될 수 있다.
ㄷ. 균형 잡힌 식사 요법이란 활동에 필요한 에너지량보다 에너지 섭취량을 적게 유지하는 것이다.

① ㄱ ② ㄴ ③ ㄷ
④ ㄱ, ㄴ ⑤ ㄴ, ㄷ

**7** 그림은 인접한 뉴런 A와 B를 나타낸 것이다.

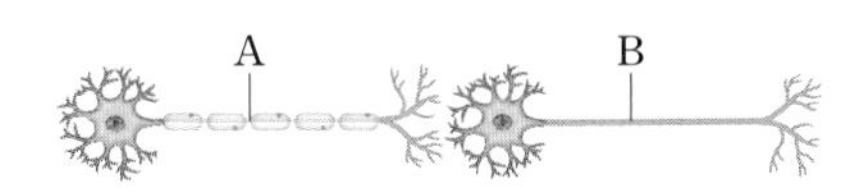


이에 대한 설명으로 옳은 것을 〈보기〉에서 모두 고르시오.

보기
ㄱ. A에서 도약 전도가 일어난다.
ㄴ. A와 B는 시냅스를 형성한다.
ㄷ. 흥분 전도 속도는 A가 B보다 빠르다.

**8** 그림은 뉴런의 축삭 어느 한 지점에 자극을 주었을 때 막전위 변화를 나타낸 것이다. 이에 대한 설명으로 옳지 않은 것은?

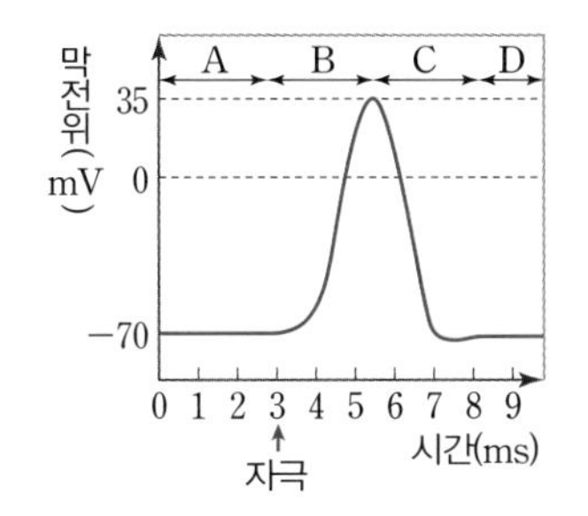


① A에서는 $Na^+-K^+$ 펌프에 의해 $Na^+$이 세포 안으로 이동한다.
② B에서는 $Na^+$이 세포 안으로 이동한다.
③ C에서는 $K^+$이 세포 밖으로 이동한다.
④ D에서 $Na^+$ 농도는 세포 안보다 밖이 더 높다.
⑤ $K^+$의 세포막 투과도는 A에서보다 C에서 더 크다.

신경향

**9** 다음은 두 뉴런이 접하고 있는 부분에서 신경 전달 물질이 이동하는 그림을 보고 학생 A~C가 대화한 내용이다.

제시한 내용이 옳은 학생만을 있는 대로 고른 것은?

① A ② B ③ A, B
④ B, C ⑤ A, B, C

신경향

**10** 그림은 뉴런의 세포막에 존재하는 이온 통로 A, B, C의 공통점과 차이점을 나타낸 것이다. A, B, C는 각각 $Na^+$ 통로, $K^+$ 통로, $Na^+-K^+$ 펌프 중 하나이다. 이에 대한 설명으로 옳은 것만을 〈보기〉에서 있는 대로 고른 것은?

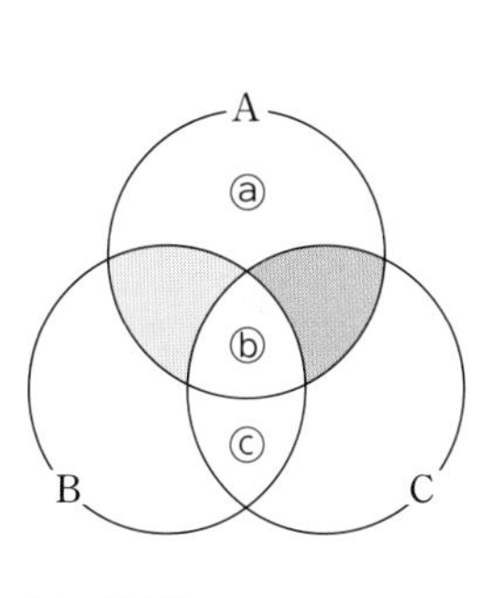


보기
ㄱ. A가 $Na^+-K^+$ 펌프라면 ⓐ는 'ATP를 소모한다.'이다.
ㄴ. A가 $Na^+$ 통로, B가 $K^+$ 통로라면 ⓑ는 '역치 이상의 자극을 받으면 열리는 통로'이다.
ㄷ. B가 $Na^+-K^+$ 펌프, C가 $Na^+$ 통로라면 ⓒ는 '통로를 통해 $Na^+$이 세포 밖으로 이동한다.'이다.

① ㄱ ② ㄷ ③ ㄱ, ㄴ
④ ㄴ, ㄷ ⑤ ㄱ, ㄴ, ㄷ

**11** 그림은 근육이 수축할 때와 이완할 때 근육 원섬유 마디의 변화를 나타낸 것이다. 이에 대한 설명으로 옳은 것은?

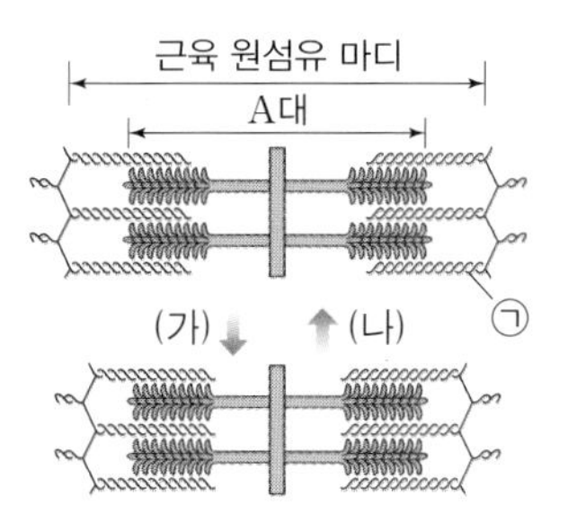


① ㉠은 마이오신 필라멘트이다.
② A대의 길이는 액틴 필라멘트의 길이와 같다.
③ (가) 과정에서 A대의 길이는 변하지 않는다.
④ (나)는 근육이 수축하는 과정이다.
⑤ 근육이 수축해도 근육 원섬유 마디의 길이는 변하지 않는다.

**12** 그림은 무릎 반사가 일어날 때 감각기와 반응기 사이의 흥분 전달 경로를 나타낸 것이다. 이에 대한 설명으로 옳은 것을 〈보기〉에서 모두 고르시오.

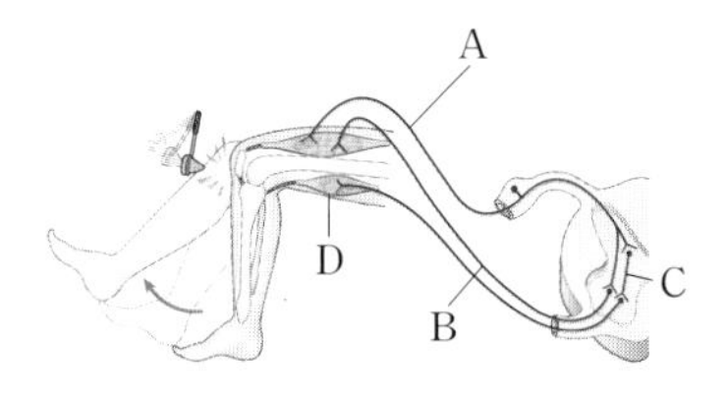


보기

ㄱ. A는 후근을 구성한다.
ㄴ. B와 C는 말초 신경계에 속한다.
ㄷ. 다리가 올라갈 때 근육 D의 근육 원섬유 마디의 길이는 길어진다.

**13** 다음은 과학 잡지 중 일부분을 서술한 내용이다.

> 가슴샘은 면역에서 중요한 역할을 담당한다. 가슴샘에서 성숙한 ㉠은 항원을 인식하고 ㉡과 B 림프구를 활성화시킨다. 활성화된 B 림프구는 다량의 항체를 생성하여 우리 몸에 침입한 대부분의 병원체를 무력화한다.

㉡의 이름을 쓰고, 그 역할을 간단히 서술하시오.

**14** 그림은 중추 신경계에 연결되어 있는 신경 A~D를 나타낸 것이다.

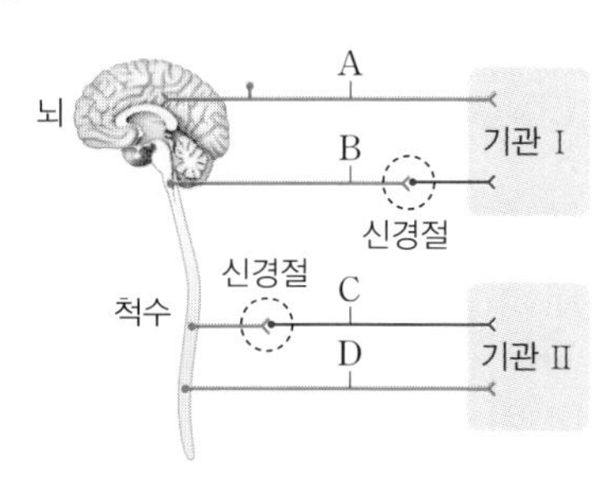


이에 대한 설명으로 옳은 것만을 〈보기〉에서 있는 대로 고른 것은?

보기

ㄱ. A와 B는 대뇌의 직접적인 지배를 받는다.
ㄴ. B와 C의 신경절에서 분비되는 물질은 모두 아세틸콜린이다.
ㄷ. D는 체성 신경이다.

① ㄱ ② ㄴ ③ ㄷ
④ ㄱ, ㄷ ⑤ ㄴ, ㄷ

**15** 그림 (가)는 포도당과 글리코젠의 전환 과정을, (나)는 혈당량에 따른 혈액 내 호르몬 A와 B의 농도를 나타낸 것이다. A와 B는 각각 인슐린과 글루카곤 중 하나이다.

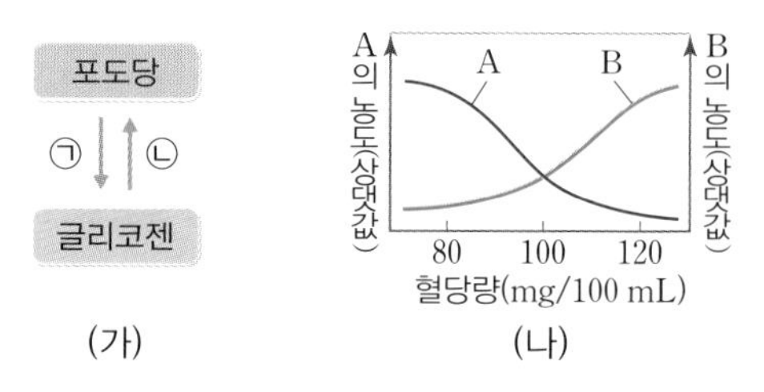


이에 대한 설명으로 옳은 것만을 〈보기〉에서 있는 대로 고른 것은?

보기

ㄱ. A는 ㉠ 과정을 촉진한다.
ㄴ. A는 이자의 $\alpha$세포에서 분비된다.
ㄷ. A와 B의 작용은 길항 작용의 예에 해당한다.

① ㄴ ② ㄷ ③ ㄱ, ㄴ
④ ㄱ, ㄷ ⑤ ㄴ, ㄷ

**16** 추울 때 우리 몸에서 일어나는 반응으로 옳지 않은 것은?

① 열 발산량이 줄어든다.
② 피부 근처의 혈류량을 줄인다.
③ 피부 근처 모세 혈관이 확장된다.
④ 교감 신경이 흥분하여 털이 곤두선다.
⑤ 뇌하수체에서 갑상샘 자극 호르몬(TSH)의 분비량이 늘어난다.

신경향

**17** 그림은 세 가지 병원체를 분류하는 과정을 나타낸 것이다. 분류 기준 (가)에 해당하는 내용을 한 가지만 쓰시오.

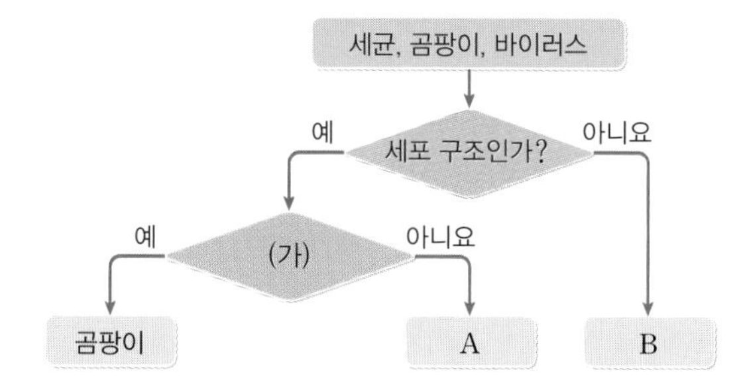


**18** 그림은 ABO식 혈액형이 모두 다른 철수네 가족의 혈액형 판정 결과를 나타낸 것이다. 이에 대한 설명으로 옳은 것만을 〈보기〉에서 있는 대로 고른 것은?

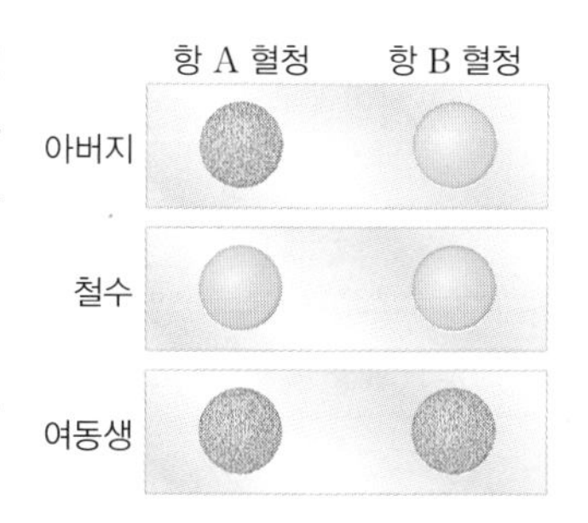


보기

ㄱ. 아버지의 혈액형은 A형이다.
ㄴ. 어머니와 철수의 혈장에는 공통된 응집소가 존재한다.
ㄷ. 아버지의 혈구와 여동생의 혈장을 섞으면 응집 반응이 일어난다.

① ㄱ　② ㄴ　③ ㄷ
④ ㄱ, ㄴ　⑤ ㄱ, ㄴ, ㄷ

**19** 그림은 어떤 사람이 병원체에 감염되었을 때 일어나는 방어 작용의 일부를 나타낸 것이다.

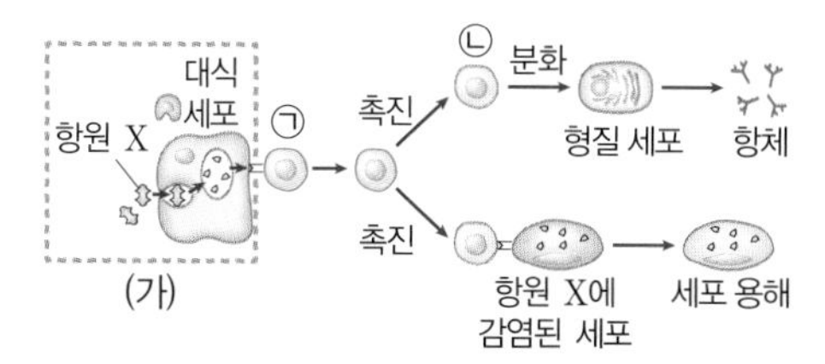


이에 대한 설명으로 옳은 것만을 〈보기〉에서 있는 대로 고른 것은?

보기

ㄱ. (가)는 비특이적 방어 작용에 해당한다.
ㄴ. ㉠은 보조 T 림프구이다.
ㄷ. ㉡은 골수에서 성숙된다.

① ㄱ　② ㄷ　③ ㄱ, ㄴ
④ ㄴ, ㄷ　⑤ ㄱ, ㄴ, ㄷ

**20** 그림은 인체에 항원 X와 Y가 침입했을 때 시간에 따른 혈중 항체 X와 Y의 농도를 나타낸 것이다.

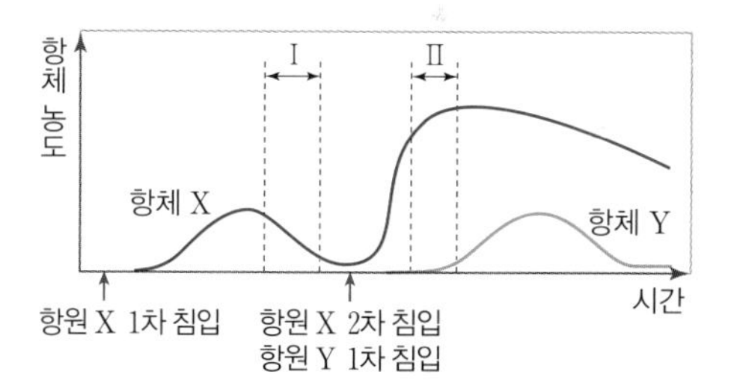


이에 대한 설명으로 옳은 것만을 〈보기〉에서 있는 대로 고른 것은?

보기

ㄱ. Ⅰ에는 항원 X에 대한 기억 세포가 존재한다.
ㄴ. Ⅱ에서 항원 Y에 대한 형질 세포가 기억 세포로 분화된다.
ㄷ. Ⅱ에서 항체 X와 항체 Y는 서로 다른 형질 세포에서 생성된다.

① ㄱ　② ㄴ　③ ㄱ, ㄷ
④ ㄴ, ㄷ　⑤ ㄱ, ㄴ, ㄷ

# 7일 학교시험 기본 테스트 2회

**1** 다음은 학생 A~C가 생명 과학의 특성에 대해 발표한 내용이다.

제시한 내용이 옳은 학생을 모두 고르시오.

신경향

**2** 그림은 HIV(인간 면역 결핍 바이러스)와 대장균의 공통점과 차이점을 나타낸 것이다. 이에 대한 설명으로 옳은 것만을 〈보기〉에서 있는 대로 고른 것은?

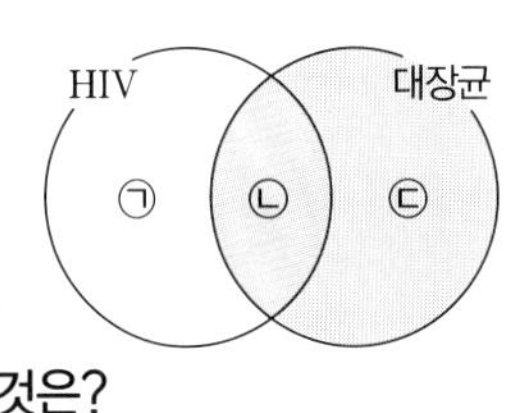


보기

ㄱ. '효소가 없다.'는 ㉠에 해당한다.
ㄴ. '핵산을 가지고 있다.'는 ㉡에 해당한다.
ㄷ. '세포로 이루어져 있다.'는 ㉢에 해당한다.

① ㄱ ② ㄴ ③ ㄱ, ㄷ
④ ㄴ, ㄷ ⑤ ㄱ, ㄴ, ㄷ

**3** 그림은 세포에서 일어나는 물질대사를 나타낸 것이다.

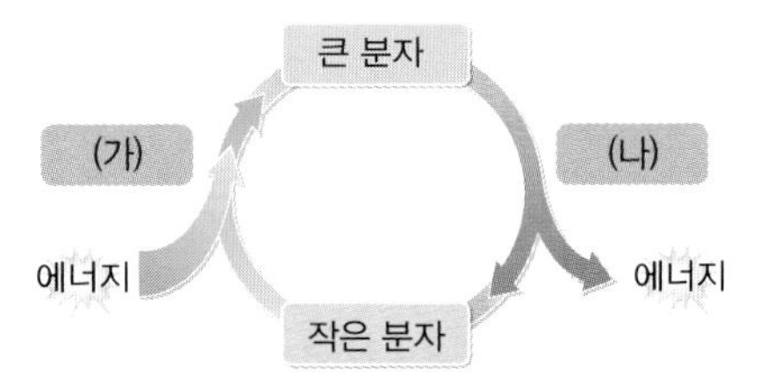


(가) 작용과 (나) 작용의 차이점을 두 가지만 서술하시오.

신경향

**4** 경희는 화분에 심어진 식물을 사온 후 매일 물을 주면서 키웠지만, 얼마 후에 식물이 시들어 버렸다.

경희는 '식물에 물을 너무 많이 주어서 식물이 시들었을 것이다.'라는 가설을 세웠다. 이 가설을 검증하기 위한 실험을 할 때, 통제 변인과 조작 변인을 옳게 짝지은 것은?

| | 통제 변인 | 조작 변인 |
|---|---|---|
| ① | 온도 | 빛의 세기 |
| ② | 식물의 크기 | 식물의 종류 |
| ③ | 식물의 종류 | 식물에 주는 물의 양 |
| ④ | 식물에 주는 물의 양 | 온도 |
| ⑤ | 식물이 시든 정도 | 식물에 주는 비료의 양 |

**5** 그림은 정상인이 단백질을 섭취했을 때 일어나는 체내 기관계의 통합적 작용을 나타낸 것이다.

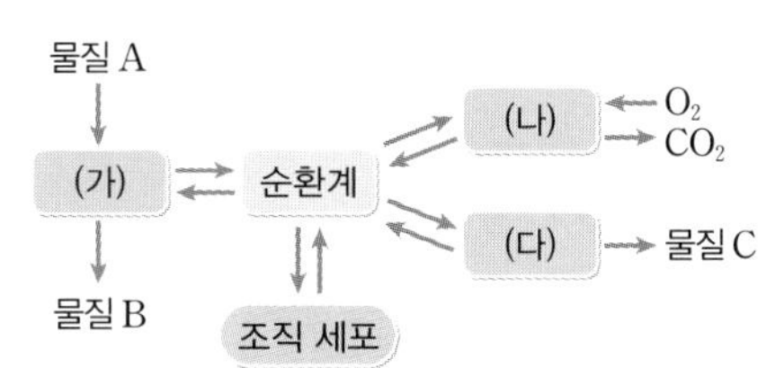


이에 대한 설명으로 옳은 것만을 〈보기〉에서 있는 대로 고른 것은?

보기

ㄱ. 물질 A는 질소 성분을 포함한다.
ㄴ. (가)에서 동화 작용이 일어난다.
ㄷ. (나)에서 $O_2$와 $CO_2$의 이동에 ATP가 사용된다.

① ㄱ ② ㄴ ③ ㄱ, ㄴ
④ ㄱ, ㄷ ⑤ ㄴ, ㄷ

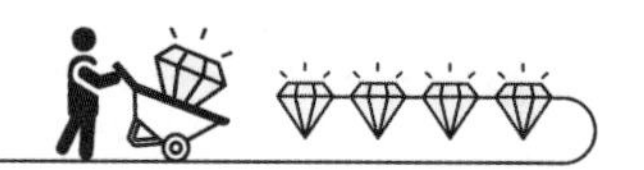

정답과 해설 81쪽

**6** 그림은 우리 몸에서 소화·흡수된 영양소가 분해되어 몸 밖으로 나가는 과정을 나타낸 것이다.

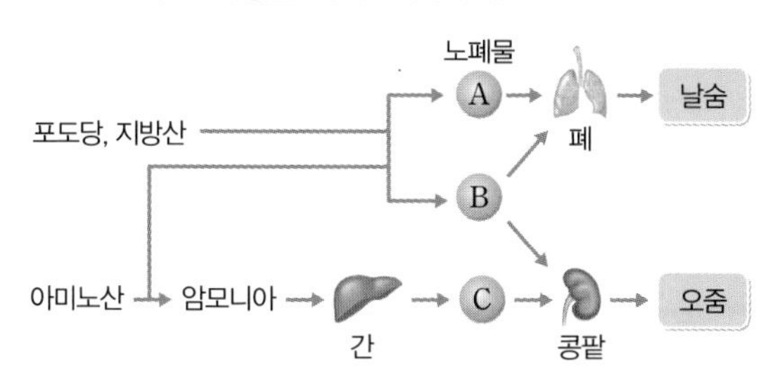


이에 대한 설명으로 옳지 않은 것은?

① A는 이산화 탄소, B는 물이다.
② A와 B는 3대 영양소의 분해 결과 공통으로 생성되는 노폐물이다.
③ 암모니아는 간에서 요소로 전환된다.
④ 단백질의 소화 산물이 분해될 때 질소 노폐물이 생성된다.
⑤ 포도당이 분해될 때 생성되는 노폐물은 모두 콩팥을 통해 배설된다.

**7** 그림 (가)는 뉴런에 역치 이상의 자극을 가했을 때의 막전위 변화를, (나)는 막 내부의 이온 농도 변화를 나타낸 것이다. ㉠과 ㉡은 각각 $Na^+$과 $K^+$ 중 하나이다.

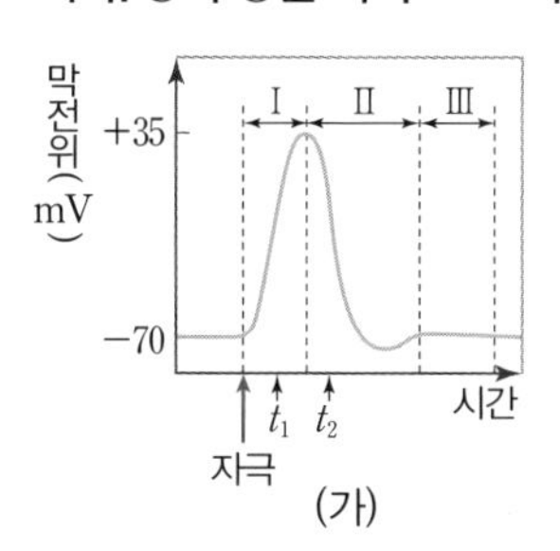

(가)

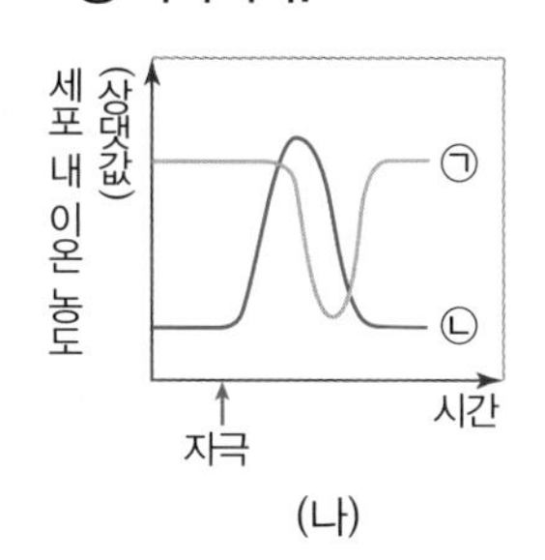

(나)

이에 대한 설명으로 옳은 것을 〈보기〉에서 모두 고르시오.

〈보기〉
ㄱ. Ⅰ은 재분극, Ⅱ은 탈분극, Ⅲ은 분극 상태이다.
ㄴ. ㉠은 $K^+$이고, ㉡은 $Na^+$이다.
ㄷ. ㉡의 막 투과도는 $t_1$일 때가 $t_2$일 때보다 크다.

**8** 그림은 시냅스로 연결된 뉴런 (가)~(다)를 나타낸 것이다. (가)~(다)는 각각 감각 뉴런, 연합 뉴런, 운동 뉴런 중 하나이다.

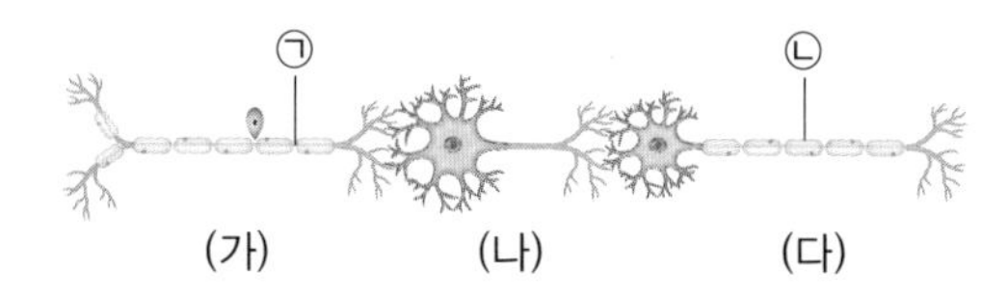


이에 대한 설명으로 옳은 것만을 〈보기〉에서 있는 대로 고른 것은?

〈보기〉
ㄱ. (가)와 (다)는 모두 말초 신경계에 속한다.
ㄴ. (가)는 구심성 뉴런, (다)는 원심성 뉴런이다.
ㄷ. ㉠에 역치 이상의 자극이 주어지면 일정 시간 후 ㉡에서 활동 전위가 발생한다.

① ㄱ ② ㄴ ③ ㄱ, ㄴ
④ ㄴ, ㄷ ⑤ ㄱ, ㄴ, ㄷ

신경향

**9** 표는 뉴런의 막전위 변화에 관여하는 막단백질과 물질 이동 방식을 나타낸 것이다. 빈칸에 알맞은 말을 쓰시오.

| 막전위 변화 | 막단백질 | 물질 이동 방식 |
|---|---|---|
| 탈분극 | $Na^+$ 통로 | (1) |
| 재분극 | (2) | 확산 |
| 휴지 전위 회복 | (3) | 능동 수송 |

**10** 그림은 시냅스로 연결된 두 개의 뉴런을 나타낸 것이다.

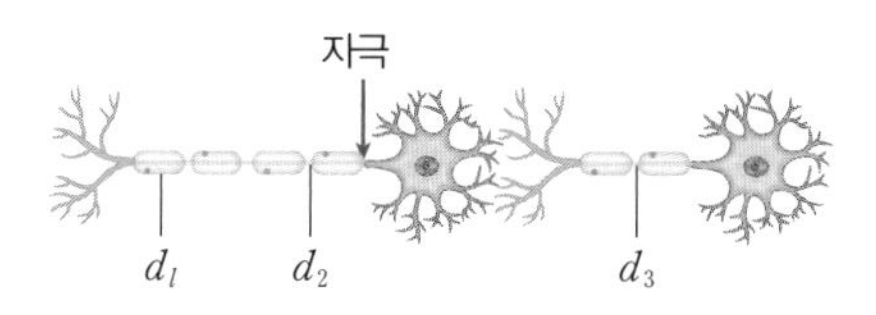


그림과 같이 역치 이상의 자극을 주었을 때 $d_1$~$d_3$ 중 활동 전위가 나타나는 곳을 모두 고르시오.

**11** 그림은 근육 원섬유 마디 X의 구조를, 표는 골격근 수축 과정의 두 시점 ⓐ와 ⓑ일 때 근육 원섬유 마디 X의 길이를 나타낸 것이다. X는 좌우 대칭이고, ㉠은 액틴 필라멘트만 있는 부분이다. ⓐ일 때 A대의 길이는 1.6 $\mu$m이다.

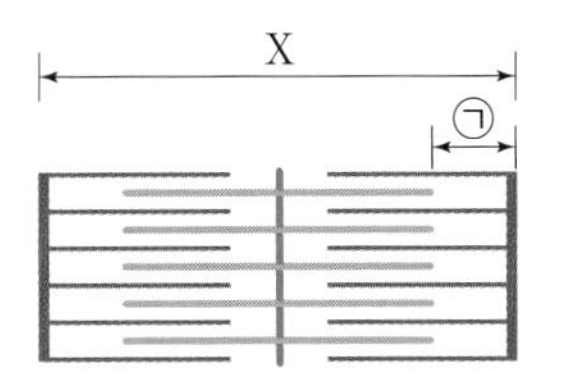


| 시점 | X의 길이 ($\mu$m) |
| --- | --- |
| ⓐ | 2.2 |
| ⓑ | 2.0 |

이에 대한 설명으로 옳은 것을 <보기>에서 모두 고르시오.

보기

ㄱ. ⓐ는 근육이 수축할 때, ⓑ는 근육이 이완할 때이다.
ㄴ. ⓐ일 때 ㉠의 길이는 0.3 $\mu$m이다.
ㄷ. ⓑ일 때 A대의 길이는 ⓐ일 때보다 짧다.

**12** 그림은 대뇌, 연수, 중간뇌를 구분하는 과정을 나타낸 것이다.

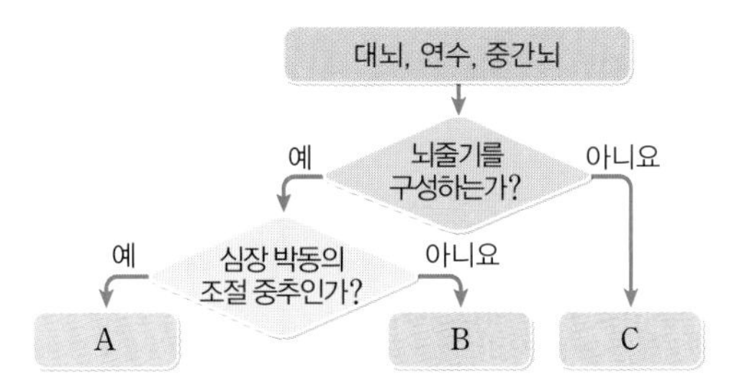


이에 대한 설명으로 옳은 것만을 <보기>에서 있는 대로 고른 것은?

보기

ㄱ. A는 연수이다.
ㄴ. B는 홍채 운동을 조절한다.
ㄷ. C의 겉질은 백색질이다.

① ㄱ ② ㄴ ③ ㄱ, ㄴ
④ ㄴ, ㄷ ⑤ ㄱ, ㄴ, ㄷ

**13** 그림은 뇌와 자율 신경계에 의한 동공 크기 조절 경로를 나타낸 것이다.

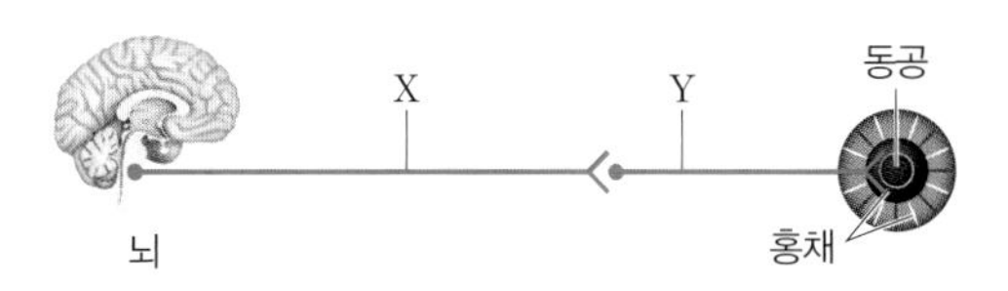


X의 신경 세포체가 있는 뇌의 부위를 쓰고, X와 Y가 흥분했을 때 나타나는 동공의 반응을 서술하시오.

신경향

**14** 그림은 신경계 질환을 나타낸 것이다.

(가) 파킨슨병 (나) 알츠하이머병 (다) 근위축성 측삭 경화증

이에 대한 설명으로 옳은 것을 <보기>에서 모두 고르시오.

보기

ㄱ. (가)는 말초 신경계 질환이다.
ㄴ. (나)는 대뇌의 뉴런이 파괴되어 발생한다.
ㄷ. (다)는 감각 신경의 말이집이 손상되어 발생한다.

**15** 그림은 더울 때와 추울 때 피부 근처 모세 혈관의 변화를 순서 없이 나타낸 것이다.

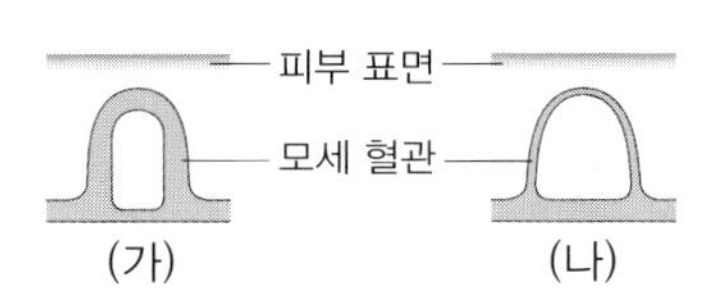


이에 대한 설명으로 옳은 것을 <보기>에서 모두 고르시오.

보기

ㄱ. (가)일 때 땀샘에서 땀 분비가 촉진된다.
ㄴ. (나)일 때 물질대사가 촉진된다.
ㄷ. 피부 표면을 통한 열 발산량은 (가)에서보다 (나)에서 많다.

**16** 그림은 티록신 분비 조절 과정을 나타낸 것이다.

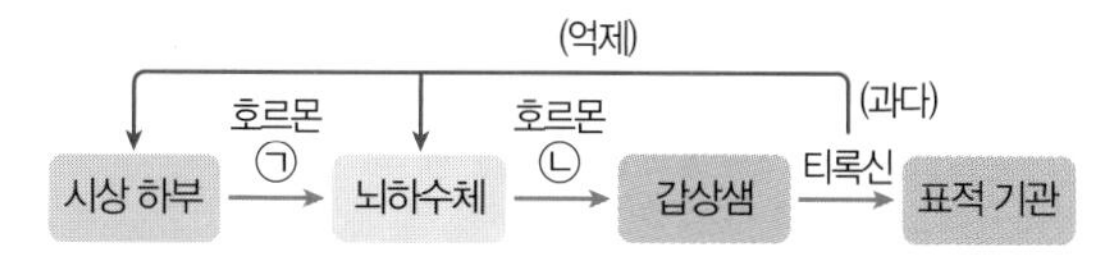


이에 대한 설명으로 옳은 것을 〈보기〉에서 모두 고르시오.

보기
ㄱ. ㉠은 TSH이다.
ㄴ. 갑상샘을 제거하면 ㉠의 혈중 농도가 높아진다.
ㄷ. 아이오딘 부족으로 갑상샘이 비대해진 환자는 정상인에 비해 ㉡의 혈중 농도가 높다.

**17** 다음은 우리 몸의 방어 작용에 대한 학생 A~C의 대화 내용이다. 대화 내용이 옳은 학생을 모두 고르시오.

**18** 백신에 대한 설명으로 옳지 않은 것은?

① 병원체의 독성을 약화시켜 만든 것이다.
② 감염성 질병을 예방하는 방법 중 하나이다.
③ 건강한 사람에게 백신을 접종하면 체내에서 1차 면역 반응이 일어난다.
④ 병원체 A에 대한 백신을 접종받은 사람은 병원체 B에 대한 질병도 예방할 수 있다.
⑤ 병원체 A에 대한 백신 접종 후, 실제로 A가 체내에 침입하면 2차 면역 반응이 일어난다.

**19** 다음은 피부에 상처가 났을 때 염증 반응이 일어나는 과정을 순서 없이 나열한 것이다.

(가) 모세 혈관이 확장되고 혈관 벽의 투과성이 증가한다.
(나) 상처 부위에 모인 백혈구가 ㉠ 식균 작용으로 병원체를 제거한다.
(다) 손상된 조직 세포에서 ㉡ 화학 물질을 분비한다.

이에 대한 설명으로 옳은 것만을 〈보기〉에서 있는 대로 고른 것은?

보기
ㄱ. ㉠은 비특이적 방어 작용이다.
ㄴ. ㉡은 모세 혈관을 확장시키는 라이소자임이다.
ㄷ. 염증 반응이 일어나는 과정은 (가) → (나) → (다)이다.

① ㄱ ② ㄷ ③ ㄱ, ㄴ
④ ㄴ, ㄷ ⑤ ㄱ, ㄴ, ㄷ

**20** 그림은 면역을 담당하는 두 종류의 세포 (가)와 (나)의 발생과 분화 과정을 나타낸 것이다.

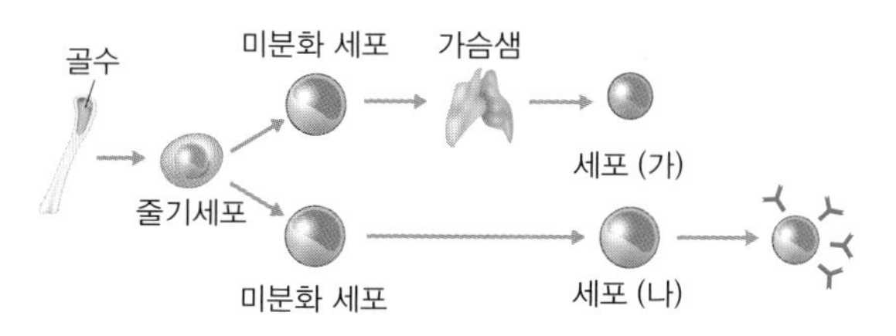


이에 대한 설명으로 옳은 것만을 〈보기〉에서 있는 대로 고른 것은?

보기
ㄱ. 세포 (가) 중 일부는 형질 세포로 분화한다.
ㄴ. 세포 (가) 중 일부는 세균에 감염된 세포를 직접 제거한다.
ㄷ. 세포 (나) 중 일부는 기억 세포로 분화한다.

① ㄱ ② ㄷ ③ ㄱ, ㄷ
④ ㄴ, ㄷ ⑤ ㄱ, ㄴ, ㄷ

7일

# 판다는 추울수록 몸에 말똥을 바른다

## 추위 둔감하게 하는 화학 물질 들어 있어

중국 서북부 산시성에서는 판다가 말똥 밭에서 몸을 뒹구는 모습을 종종 볼 수 있다. 산시성 친링산맥 자연보호구역에 서식하는 친링 판다는 주변 마을에서 이용하는 말이 남긴 말똥을 얼굴과 목에 문지르고 말똥 위에서 뒹구는 것을 좋아한다. 과학자들은 그동안 판다가 왜 이런 이상한 짓을 하는지 관심을 갖고 그 원인을 추적해왔다. 그리고 그 이유를 찾아냈다. 말똥 속에 낮은 온도에 대처할 수 있는 화합물이 포함되어 있다는 것이다.

친링 판다는 판다의 아종으로 갈색의 털을 가지고 있다.

연구팀은 판다가 추울 때 말똥을 찾는 데 착안해 말똥 속 물질이 판다를 따뜻하게 해 줄 것이라는 가설을 세웠다. 연구진은 말똥 속에서 베타카로필렌(BCP)과 베타카로필렌옥사이드(BCPO)를 발견했는데 신선한 말똥일수록 이 물질이 더 많았다.

중국에서는 판다를 대상으로 하는 실험이 금지돼 있어 쥐로 대신 실험을 하였는데, BCP와 BCPO가 포함된 용액을 털에 바른 쥐는 식염수를 바른 쥐보다 차가운 표면을 걷는 데 더 거리낌이 없었고, 영하의 온도에서 서로 한 데로 모여드는 모습을 보이지 않았다. 이 같은 실험 결과와 세포 검사를 토대로 연구팀은 말똥에 포함된 BCP와 BCPO가 온도 변화를 감지하는 수용체를 둔감하게 만들어서 판다가 추위를 덜 느낀다는 결론을 내렸다.

추위를 견디기 위한 습성을 지닌 동물은 판다만이 아니다. 예를 들어 흰색 털을 가진 눈표범은 자신의 꼬리를 물고 다니는 모습이 목격되는데 체온을 유지하기 위해서라는 가설이 유력하다. 또 판다의 온도 조절 수용체는 코끼리, 펭귄, 인간에서도 발견되는데 이는 다른 동물도 비슷한 방법으로 추위를 견딜 수 있음을 보여준다.

출처: 동아사이언스

7일 끝!

# 정답과 해설

## 정답과 해설 활용 안내

- 정답 박스로 **빠르게 정답 확인하기!**
- 정답과 오답의 이유, **한 번 더 짚고 넘어가기!**
- **서술형** 답안의 **채점 기준**은 직접 **체크**해 보며, **주관식** 문제 꼼꼼히 **대비하기!**

# 7일 끝! 1학기 중간·기말

## 1일 기초 확인 문제 9, 11쪽

• I. 생명 과학의 이해

**1** (1) ㄱ (2) ㄴ (3) ㅅ (4) ㄹ (5) ㄷ (6) ㅂ (7) ㅁ **2** (1) ㉠ 동화, ㉡ 이화 (2) ㉠ 동화, ㉡ 이화 **3** ③ **4** (가) **5** ①, ⑤ **6** B, C **7** (1) 연역적 (2) 귀납적 (3) 가설 (4) 변인 통제 **8** (1) ○ (2) ○ (3) × **9** (다) **10** (1) 실험군: 탄저병 백신을 주사한 25마리의 양, 대조군: 탄저병 백신을 주사하지 않은 25마리의 양 (2) 백신 주사의 여부

**1** (1) 번식은 생물이 다음 세대의 개체를 만들고 이로 인해 수가 많이 불어나고 퍼지는 의미로 '생식'을 의미한다.
(2) 어머니의 적록 색맹 유전자가 생식 과정에서 아들에게 전달되어 적록 색맹이 되는 것은 '유전' 현상이다.
(3) 빛을 비추는 자극에 대해 반응하여 어두운 곳으로 이동하였으므로 '자극에 대한 반응'에 해당한다.
(4) 광합성, 호흡, 단백질 합성 등 생명체 내에서 일어나는 모든 화학 반응을 '물질대사'라고 한다.
(5) 장구벌레가 성충인 모기가 되거나, 올챙이가 성체인 개구리가 되는 것은 모두 '발생과 생장'에 해당한다.
(6) 선인장의 잎이 가시로 변한 것은 건조한 환경에 살기에 적합하도록 변화된 것이므로 '적응과 진화'에 해당한다.
(7) 외부 환경이 변하더라도 체내 상태를 일정하게 유지하려는 것은 '항상성'에 해당한다. 항상성 조절 작용에는 체온 유지, 혈당량 유지, 체내 수분량 유지 등이 있다.

**2** 물질대사는 생명 현상을 유지하기 위해 일어나는 화학 반응으로 동화 작용과 이화 작용이 있다. 물질대사에는 항상 에너지 출입이 수반되어 에너지 대사라고도 한다. 동화 작용은 에너지를 흡수하는 흡열 반응, 이화 작용은 에너지가 방출되는 발열 반응이다.

**자료 분석 + 물질대사**

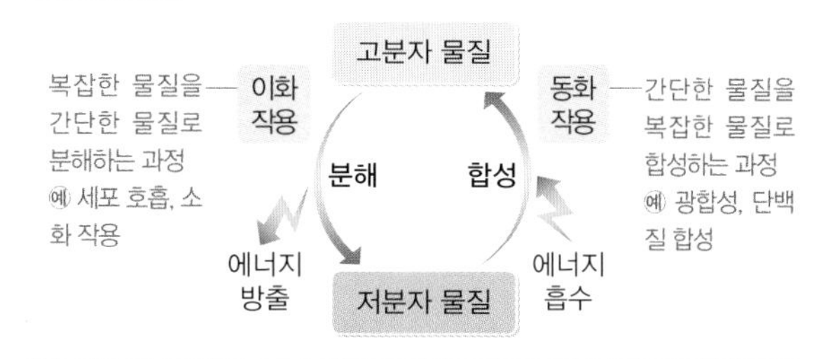


**3** 물질대사에 필요한 물질과 물질대사 결과 생성되는 물질을 탐지하는 실험으로 모든 생명체는 물질대사를 한다는 것을 전제로 하고 있다.

**4** (가)는 광합성(동화 작용)을 하는 생명체가 있다면 $^{14}C$를 포함한 유기물이 합성되고, 이것을 가열하면 방사성 기체가 발생한다는 것을 전제로 한 실험이고, (나)는 세포 호흡(이화 작용)을 하는 생명체가 있다면 방사성을 띠는 영양소가 분해되어 방사성 기체가 발생할 것이라는 전제로 한 실험이다.

**5** 바이러스는 핵산과 단백질로 구성되어 있는 비세포 구조이며, 효소가 없어 독자적으로 물질대사를 할 수 없다.

**선택지 바로 보기**

① 핵산을 가지고 있다. (○)
→ 유전 물질인 핵산(DNA 또는 RNA)이 있어 증식과 진화가 가능하다.
② 세균보다 크기가 크다. (×)
→ 크기가 세균보다 훨씬 작아서 세균 여과기를 통과한다.
③ 세포 분열을 통해 증식한다. (×)
→ 세포막으로 싸여 있지 않으며, 리보솜과 같은 세포 소기관이 없다. 즉, 세포의 구조를 갖추지 못하므로 세포 분열로 증식하지 않는다.
④ 독자적으로 물질대사를 할 수 있다. (×)
→ 바이러스는 효소가 없어 스스로 물질대사를 할 수 없다.
⑤ 숙주 세포의 효소를 이용해 단백질과 핵산을 합성한다. (○)
→ 숙주 세포의 효소를 이용해 물질대사를 하고, 핵산을 합성하여 증식할 수 있다.

**6** • 학생 B: 과거에는 생명 현상을 관찰하고 기술하는 수준에 그쳤으나 근대 이후 분자 수준의 관찰로 발전하였다. 이후 생화학, 생물 물리학 등과 같은 통합적 학문으로 발달하였고, 오늘날에는 컴퓨터 공학, 정보 기술 등과 같은 다양한 영역의 학문과 연계되어 생물 정보학, 생물 기계 공학, 생물 지리학, 생물 물리학 등과 같은 다양한 통합 학문 분야가 발달하고 있다.
• 학생 C: 생명 과학의 연구 성과는 삶과 환경을 개선하고 인류 복지 향상에 기여한다.

**오답 풀이**

• 학생 A: 생명 과학은 생물을 구성하는 물질의 분자 수준에서부터 세포, 조직, 기관, 개체, 개체군, 군집, 생태계까지 다양한 범위의 생명 현상을 연구한다.

**7** (1), (2) 가설을 설정하고 그것을 검증하는 탐구 방법은 연역적 탐구 방법이고, 여러 가지 경험적 사실을 종합하고 분석하여 일반적인 원리나 법칙을 이끌어 내는 탐구 방법은 귀

납적 탐구 방법이다.

(3) 연역적 탐구 방법의 특징은 가설을 세워 이를 실험적으로 검증하는 것으로, 가설은 예측 가능해야 하고, 옳은지 그른지 실험이나 관측을 통해 확인이나 검증이 가능해야 한다.

(4) 실험 과정에서는 대조군과 실험군을 설정하여 대조 실험을 수행해야 하며, 조작한 변인 외에 실험에 영향을 줄 수 있는 모든 조건을 동일하게 하는 변인 통제를 실시해야 한다.

**8** (1), (2) 귀납적 탐구 과정은 자연 현상 관찰 → 관찰 주제 선정(A) → 관찰 등 자료 수집 방법 고안(B) → 관찰 수행 및 자료 수집 → 관찰 결과 및 자료 해석(C) → 규칙성 발견 및 결론 도출 순이다.

(3) 귀납적 탐구 방법에서는 가설을 설정하지 않으므로 가설의 수용 여부를 검증하지 않는다.

**9** (가), (나)는 가설 설정의 단계가 없으므로 귀납적 탐구 방법이며, (다)는 연역적 탐구 방법이다.

**10** 파스퇴르의 실험은 의문에 대한 가설을 설정하고 체계적인 탐구 과정을 거쳐 가설을 검증하는 연역적 탐구 방법이다.

(1) 실험 결과의 타당성을 높이기 위해 실험군과 대조군을 설정한다. 탄저병 백신을 주사한 25마리의 양은 실험군, 탄저병 백신을 주사하지 않은 25마리의 양은 대조군이다.

(2) 탄저병 백신의 주사 여부는 조작 변인, 탄저병의 감염 여부는 종속 변인이다.

## 1일 내신 기출 베스트 12~13쪽

• Ⅰ. 생명 과학의 이해

**1** ㄱ **2** ② **3** ④ **4** ⑤ **5** ④ **6** ① **7** (라) → (나) → (다) → (가) → (마) **8** 해설 참조

**1** ㄱ. (가) 강아지는 생물, (나) 강아지 로봇은 무생물이다. 강아지와 로봇의 공통점은 에너지를 얻어 움직일 수 있고, 자극을 감지하여 반응하는 것이다.

오답 풀이

ㄴ. (나)는 세포 분열을 하지 않는다.

ㄷ. (가)는 물질대사를 하고, (나)는 물질대사를 하지 않는다.

**2** ② 동화 작용은 간단한 물질을 복잡한 물질로 합성하는 과정으로, 에너지를 흡수하는 흡열 반응이다. 광합성은 빛에너지를 흡수하여 이산화 탄소와 물로부터 포도당을 합성하는 동화 작용의 예이다.

**3** 생물이 환경이 변해도 체내 상태를 항상 일정하게 유지하려는 성질을 항상성이라고 한다.

선택지 바로 보기

① 짚신벌레는 분열법으로 증식한다. (×)
→ 생식에 해당한다.

② 미모사의 잎을 건드리면 잎이 접힌다. (×)
→ 자극에 대한 반응의 예이다.

③ 콩은 저장된 녹말을 이용하여 발아한다. (×)
→ 물질대사의 예이다.

④ 물을 많이 마시면 오줌의 양이 많아진다. (○)
→ 물을 많이 마시면 체내 수분량을 일정하게 유지하려고 오줌의 양이 많아진다.

⑤ 효모는 포도당을 분해하여 에너지를 얻는다. (×)
→ 물질대사의 예이다.

**4** ㄴ. A(바이러스)와 B(대장균) 모두 유전 물질인 핵산을 가지고 있으므로 '유전 물질을 가지고 있다.'는 ㉡에 해당한다.

ㄷ. '독립적으로 물질대사를 한다.'는 생물의 특성이므로 대장균만의 특징이다.

오답 풀이

ㄱ. 세포 분열을 통해 증식하는 것은 대장균과 같은 단세포 생물의 생식에 해당하며, 생물의 특성 중 하나이다. A(바이러스)는 숙주 세포 내에서 물질대사와 증식이 가능하다.

자료 분석 + 바이러스와 세균(생물)의 비교

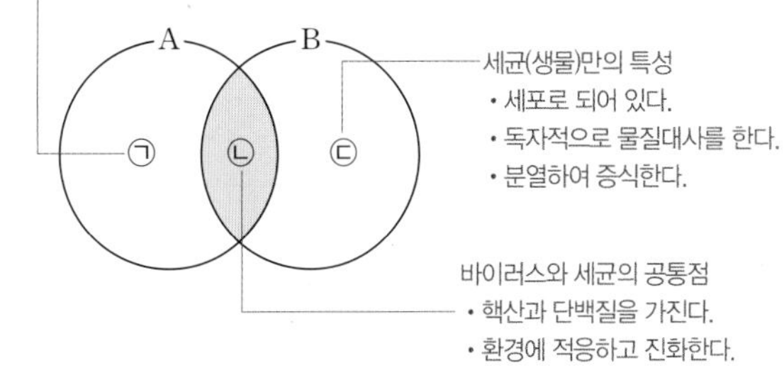


**5** ㄱ. 생명 과학은 지구에 살고 있는 생명체의 특성을 탐구하는 과학의 한 분야이다.

ㄴ. 생명 과학은 물리학, 화학, 의학, 공학 등 다른 학문 분야와 연계되어 서로 영향을 주고받으며 통합적 학문으로 발달하고 있다.

오답 풀이
ㄷ. 여러 학문 분야의 성과와 연계되어 발달하면서 학문 간의 경계가 낮아지고 있다.

**6** 탐구 결과가 처음에 세운 가설과 일치하는 경우에는 결론을 도출하지만, 탐구 결과가 가설과 일치하지 않을 경우에는 가설을 수정하여 다시 설정해야 한다.

**7** 연역적 탐구 과정은 관찰 및 문제 인식(라) → 가설 설정(나) → 탐구 설계 및 수행(다) → 자료 해석(가) → 결론 도출(마)이다. 문제 인식은 주변(자연)을 관찰하는 것으로부터 시작되므로 정확한 사실을 관찰한 후 가설을 설정한다.

**8** 모범 답안 **두 화분의 온도를 20 ℃로 같게 해야 한다.**
실험을 통해 알아보고자 하는 것은 콩이 싹트는 데 햇빛이 미치는 영향으로, 조작 변인은 빛의 유무이다. 따라서 화분 한 개는 양지바른 곳에 두고, 나머지 하나는 암실에 두어야 한다. 그리고 콩이 싹트는 데 영향을 줄 수 있는 독립변인, 즉 통제 변인인 온도와 물의 양은 결과에 영향을 주지 않도록 실험군과 대조군 모두 같게 유지해 주어야 한다. 온도는 콩의 발아에 적합한 20 ℃를 유지하고, 물은 충분히 주어야 한다.

자료 분석 + 물질대사

조작 변인 - 콩이 싹트는 데 햇빛의 영향을 알아보기 위한 것이므로 빛이 조작 변인이다.

| 구분 | 화분 A | 화분 B |
|---|---|---|
| 빛 | 양지 | 암실 |
| 온도 | 20 ℃ | 5 ℃ |
| 물의 양 | 충분히 줌 | 충분히 줌 |

통제 변인 - 실험군과 대조군에서 조건이 같아야 한다.

화분 A와 같이 20 ℃로 같게 해 주어야 한다.

## 2일 기초 확인 문제 17, 19쪽

• II. 사람의 물질대사

**1** ㄱ, ㄴ **2** ㉠ 산소, ㉡ 이산화 탄소 **3** ㄱ, ㄴ **4** (1) (가) ATP, (나) ADP (2) ㉠ (3) ㉡ **5** (1) ㉠ 포도당, ㉡ 아미노산, ㉢ 지방산 (2) ㉠ 확산, ㉡ 폐, ㉢ 조직 세포 (3) ㉠ 영양소, ㉡ 산소 **6** ㉠ 단백질, ㉡ 간, ㉢ 콩팥 **7** 물, 이산화 탄소 **8** (1) (가) 소화계, (나) 호흡계, (다) 배설계 (2) 영양소 **9** ④ **10** ①

**1** ㄱ. 생명체 내에서 일어나는 화학 반응인 물질대사에는 반드시 효소가 관여한다.
ㄴ. (가)는 발열 반응, (나)는 흡열 반응이다.

오답 풀이
ㄷ. 녹말이 엿당으로 분해되는 과정은 이화 작용으로 (가)에 해당한다.

**2** 세포에서 영양소(포도당)를 분해하여 에너지를 얻는 세포 호흡 과정은 주로 미토콘드리아에서 일어나며, 세포질에서도 일부 과정이 일어난다. 포도당이 물과 이산화 탄소(㉡)로 분해되는 과정에는 산소(㉠)가 필요하다.

**3** ATP에 저장된 에너지는 근육 운동, 물질 합성, 물질 운반, 체온 유지 등 다양한 생명 활동에 이용된다.

오답 풀이
ㄷ. 산소가 폐포에서 모세 혈관으로 이동하는 원리는 분압 차에 의한 확산이다. 확산은 물질이 농도가 높은 쪽에서 낮은 쪽으로 스스로 이동하는 현상으로 에너지가 사용되지 않는다.

**4** (1) (가)는 ATP, (나)는 ADP이다.
(2), (3) ㉠은 ATP가 ADP로 분해되면서 에너지가 방출되는 반응이고, ㉡은 ADP가 ATP로 합성되는 반응으로 주로 미토콘드리아에서 세포 호흡 과정을 통해 일어난다. ㉠ 반응은 온몸의 세포에서 일어난다.

자료 분석 + ATP의 분해와 합성

ATP가 분해되어 맨 끝에 있는 인산기가 떨어지는 과정에서 많은 에너지가 방출된다.
아데닌
고에너지 인산 결합
리보스
P~P~P
㉠
㉡
아데닌
리보스
P~P + $P_i$
ATP (가)
세포 호흡 과정에서 에너지를 흡수하여 다시 ATP로 합성된다.
(나) ADP

**5** (1) 탄수화물(녹말)은 소장에서 아밀레이스(이자액)에 의해 엿당으로 분해된 후 말테이스(장액)에 의해 최종적으로 포도당으로 분해된다. 단백질은 위에서 펩신(위액)과 트립신(이자액)의 작용으로 펩타이드로 분해된 후 장액에 의해 최종적으로 아미노산으로 분해된다. 지방은 소장에서 쓸개즙의 도움을 받아 라이페이스(이자액)에 의해 최종적으로 지방산과 모노글리세리드로 분해된다.
(2) 폐에서의 기체 교환은 분압 차에 의한 확산에 의해 산소는 폐에서 모세 혈관으로, 이산화 탄소는 모세 혈관에서 폐로 이동한다.
(3) 세포 호흡에 필요한 영양소는 소화계를 통해 우리 몸속으로 흡수되고, 산소는 호흡계를 통해 흡수된다. 영양소와

산소는 순환계를 통해 온몸의 조직 세포로 운반된다.

**6** 단백질의 구성 원소는 탄소(C), 수소(H), 산소(O), 질소(N)로, 단백질이 세포 호흡에 의해 분해될 경우 물($H_2O$)과 이산화 탄소($CO_2$), 암모니아($NH_3$)가 생성된다. 암모니아는 독성이 강해 간에서 독성이 약한 요소로 합성된 후 콩팥에서 걸러져 오줌으로 배설된다.

**7** 탄수화물과 지방, 단백질이 세포 호흡에 의해 분해될 경우 물과 이산화 탄소가 공통적으로 생성된다.

**8** (가)는 음식물 속의 영양소가 흡수되는 기관계이므로 소화계이고, ㉠은 영양소이다. (나)는 산소가 흡수되고, 이산화 탄소가 배출되는 기관계이므로 호흡계이다. (다)는 오줌이 생성되므로 배설계이다.

**9** ㄱ. 체내에서 일어나는 물질대사의 이상으로 발생하는 질환을 대사성 질환이라고 한다.
ㄴ. 당뇨병은 혈당량 조절 호르몬의 일종인 인슐린이 제대로 분비되지 않거나, 정상적으로 분비되지만 제대로 작용하지 못해 발생하는 대사성 질환으로 혈당량이 비정상적으로 높게 유지되고, 오줌으로 포도당이 배출된다.

**오답 풀이**
ㄷ. 대사성 질환은 물질대사 조절에 관여하는 효소나 호르몬 등에 이상이 있거나 오랜 기간 영양 과잉·운동 부족과 같은 생활 습관에 따른 에너지의 불균형이 지속되면 발생할 수 있다.

**10** ㄱ. 기초 대사량은 체온 조절, 심장 박동, 혈액 순환, 호흡 운동과 같은 생명을 유지하는 데 필요한 최소한의 에너지양을 말한다.

**오답 풀이**
ㄴ. 음식물의 소화·흡수에 필요한 에너지양은 기초 대사량에 포함되지 않는다.
ㄷ. 1일 대사량은 하루 동안 생활하는 데 필요한 에너지양으로 기초 대사량과 활동 대사량, 섭취한 음식물을 소화·흡수하는 데 필요한 에너지양을 더한 값이므로 활동 대사량보다 크다.

## 2일 내신 기출 베스트 20~21쪽

• Ⅱ. 사람의 물질대사

**1** ④ **2** ㄱ, ㄴ, ㄷ **3** (1) ㉠ 산소, ㉡ 영양소 (2) 순환계 **4** ㄱ, ㄷ **5** ② **6** (가) 소화계, (나) 순환계, (다) 배설계, (라) 호흡계 **7** ㄴ **8** ④

**1** ㄴ. B는 간에서 포도당이 글리코젠으로 합성되는 과정으로 동화 작용이다. 동화 작용은 에너지가 흡수되는 흡열 반응이다.
ㄷ. C는 포도당이 이산화 탄소($CO_2$)와 물($H_2O$)로 분해되는 세포 호흡 과정으로 이화 작용이다. 세포 호흡은 주로 미토콘드리아에서 일어난다.

**오답 풀이**
ㄱ. A는 녹말이 포도당으로 소화되는 과정으로 고분자 물질이 저분자 물질로 분해되는 이화 작용이다.

**자료 분석 +** 물질대사

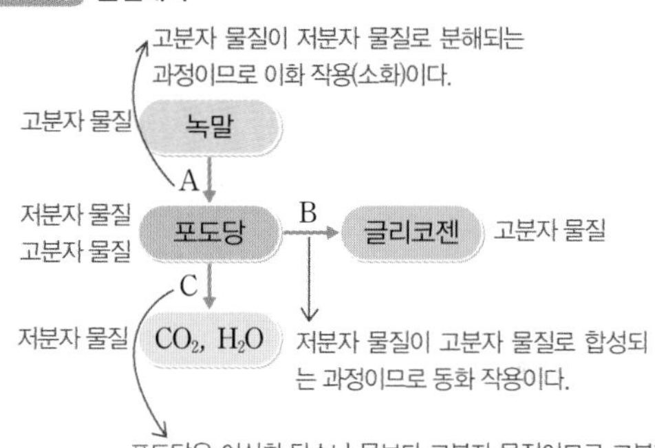


**2** ㄱ. ㉠은 세포 호흡에 이용되는 산소이다. 산소는 폐(호흡계)를 통해 몸속으로 흡수된다.
ㄴ. ㉡은 세포 호흡 결과 발생되는 이산화 탄소이다. 이산화 탄소는 폐를 통해 날숨으로 배출된다.
ㄷ. ㉢은 세포 호흡 결과 만들어지는 ATP이다. ATP는 물질 합성, 근육 운동, 생장, 발성, 정신 활동, 체온 유지 등 여러 생명 활동에 이용된다.

**3** ㉠은 호흡계를 통해 흡수되어 조직 세포에 공급되는 물질이므로 산소이다. ㉡은 소화계를 통해 흡수되어 조직 세포에 공급되는 물질이므로 영양소이다. 산소와 영양소는 순환계를 통해 온몸의 조직 세포로 운반된다.

**4** ㄱ. (가)는 폐를 구성하는 폐포이다. 폐는 수많은 폐포로 구성되어 있어 공기와 접하는 표면적을 넓힌다.
ㄷ. A와 B는 농도가 높은 곳에서 낮은 곳으로 이동하는 확산에 의해 이동한다.

**오답 풀이**
ㄴ. A는 모세 혈관에서 폐포로 이동하여 몸 밖으로 배출되는 이산화 탄소이다. 이산화 탄소는 세포 호흡 결과 발생하는 노폐물이다.

**5** 암모니아는 단백질이 분해될 때 생성되는 노폐물이다.

**6** (가)는 영양소를 분해하여 흡수하는 과정이므로 소화계, (나)는 물질을 온몸의 조직 세포로 운반하므로 순환계이다. (다)는 오줌이 생성되는 것으로 보아 배설계이며, (라)는 이산화 탄소를 내보내고 산소를 흡수하는 것으로 보아 호흡계이다.

**7** ㄴ. 에너지 섭취량이 에너지 소비량보다 많으므로 이 상태가 오래 지속되면 비만이 될 수 있다.

오답 풀이

ㄱ. 에너지 섭취량보다 에너지 소비량이 많을 때 체중이 감소한다.
ㄷ. 비만이 되면 면역력이 낮아져 각종 질병에 걸릴 확률이 높아진다.

**8** 오답 풀이

(다) 인슐린의 분비 부족이나 작용 이상으로 혈당량이 조절되지 못하여 오줌으로 포도당이 배출되는 대사성 질환은 당뇨병이다.

## 3일 기초 확인 문제 25, 27쪽

• Ⅲ. 항상성과 몸의 조절 ❶ 신경계

**1** (1) A: 가지 돌기, B: 신경 세포체, C: 축삭 돌기, D: 랑비에 결절, E: 말이집 (2) C (3) E **2** ㄴ, ㄷ **3** (1) A: 분극, B: 탈분극, C: 재분극 (2) $Na^+$ (3) $Na^+-K^+$ 펌프 **4** (1) 시냅스 소포 (2) X → Y (3) 탈분극 **5** (1) I대 (2) 짧아 **6** ④ **7** ㄱ, ㄴ **8** (1) (가) 구심성 신경(감각 신경), (나) 교감 신경, (다) 부교감 신경, (라) 체성 신경(운동 신경) (2) A: 아세틸콜린, B: 노르에피네프린 (3) C: 아세틸콜린, D: 아세틸콜린 **9** ④ **10** ①

**1** (2) 자극에 의해 형성된 흥분이 축삭 돌기를 따라 이동하여 축삭 돌기 말단에 이르면 신경 전달 물질이 분비되어 흥분을 다음 뉴런으로 전달한다.
(3) 말이집이 절연체 역할을 하여 말이집으로 싸이지 않은 랑비에 결절에서만 탈분극이 일어나 활동 전위가 발생한다. 따라서 도약 전도가 일어나 흥분의 전도 속도가 빨라진다.

**2** ㄴ. 뉴런이 일정한 세기(역치) 이상의 자극을 받으면 $Na^+$ 통로가 열려 $Na^+$이 빠르게 세포 안쪽으로 확산되어 들어와 막전위가 상승하는 탈분극이 일어난다.
ㄷ. 재분극 시에는 $K^+$ 통로가 열려 $K^+$이 세포 밖으로 확산되어 나가 막전위가 다시 하강한다.

오답 풀이

ㄱ. 분극 시에는 $Na^+-K^+$ 펌프에 의해 $Na^+$은 세포 안에서 밖으로, $K^+$은 세포 밖에서 안으로 능동 수송된다.

**3** (2) B는 탈분극이 일어나는 구간으로 $Na^+$이 세포 안쪽으로 들어오고, C에서는 $K^+$이 세포 바깥으로 나간다.
(3) C(재분극 구간)에서 $K^+$이 세포 바깥으로 확산되어 나가 막전위가 하강하면, $Na^+-K^+$ 펌프에 의해 $Na^+$과 $K^+$이 재배치되어 이온 분포가 휴지 상태로 되돌아간다.

자료 분석 + 활동 전위의 발생

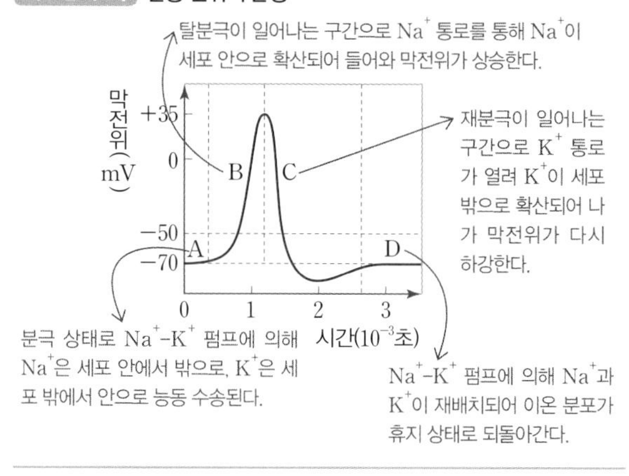


**4** (1) (가)는 아세틸콜린을 담고 있는 시냅스 소포이다.
(2) 시냅스에서는 흥분의 전도와 같은 방법으로는 신호가 이동할 수 없으므로 신경 전달 물질을 분비하여 다음 뉴런에 신호를 전달한다. 그런데 신경 전달 물질이 들어 있는 시냅스 소포가 축삭 돌기 말단에만 있으며, 신경 전달 물질에 대한 수용체는 신경 세포체와 가지 돌기에만 있다. 따라서 뉴런과 뉴런 사이에서 흥분은 시냅스 이전 뉴런(X)의 축삭 돌기에서 시냅스 이후 뉴런(Y)의 가지 돌기나 신경 세포체 방향으로만 전달된다.
(3) 시냅스 틈으로 방출된 아세틸콜린은 Y의 세포막에 있는 수용체와 결합하고, 이후 $Na^+$이 Y 안으로 유입되면서 Y에서 탈분극이 일어난다.

**5** (1) ㉠은 I대이다.
(2) ㉡은 H대로 근육 수축 시 짧아진다.

자료 분석 + 근육 수축

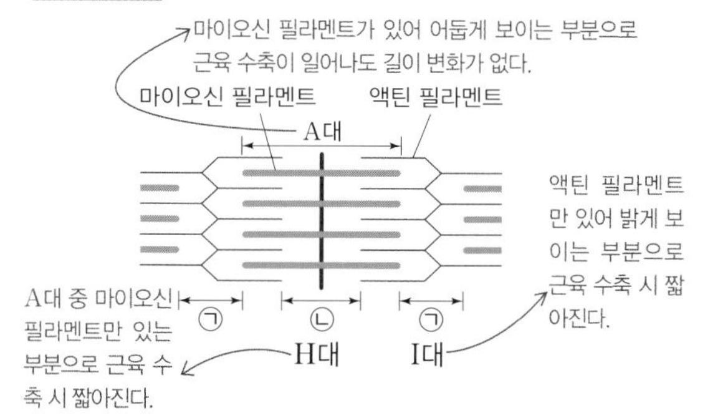

**6** A는 대뇌, B는 간뇌, C는 중간뇌, D는 소뇌, E는 연수이다. 안구 운동은 중간뇌, 시각은 대뇌, 호흡 운동은 연수, 평형 감각은 소뇌가 담당한다. 무릎 반사의 중추는 척수이다.

**7** ㄱ. 뇌와 팔을 연결하는 신경은 연수에서 교차되므로 오른쪽 손의 감각 운동은 대뇌 좌반구의 지배를 받는다.
ㄴ. 손가락에 뜨거운 것이 닿았을 때 자극이 A → F → E로 전달되어 재빨리 손을 움츠리는 반사가 나타난다.

오답 풀이
ㄷ. E는 운동 신경이며, 운동 신경은 중추의 명령을 근육과 같은 반응기로 전달한다. 따라서 E가 마비되면 손을 움직일 수 없게 된다.

**8** (3) 부교감 신경은 신경절 이전 뉴런의 말단과 신경절 이후 뉴런의 말단에서 모두 아세틸콜린을 분비한다.

자료 분석 + 말초 신경계

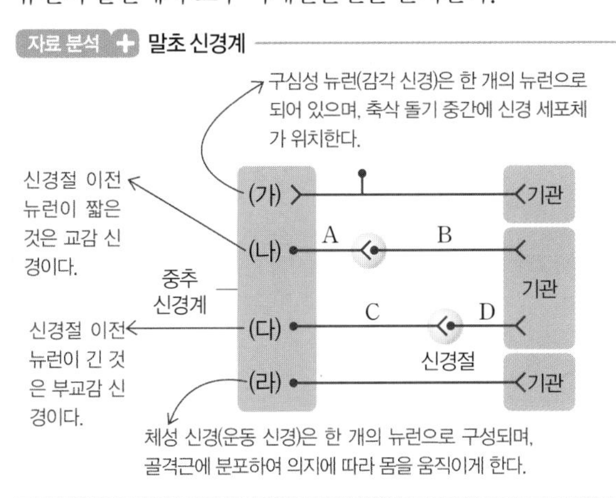


**9** ① 자율 신경계는 말초 신경계로 원심성 신경으로만 구성되어 있으며, 교감 신경과 부교감 신경이 있다.
② 자율 신경계는 중간뇌, 연수, 척수에서 뻗어 나와 각종 내장 기관과 혈관에 분포한다.
③ 자율 신경계는 순환, 호흡, 소화, 호르몬 분비 등 생명 유지에 필수적인 기능을 조절한다.
⑤ 자율 신경계는 중추 신경계에서 나온 뉴런이 반응기에 이르기 전에 신경절에서 시냅스를 형성한다.

오답 풀이
④ 자율 신경은 중간뇌, 연수, 척수로부터 뻗어 나와 대뇌의 직접적인 지배를 받지 않는다.

**10** 위급한 상황에 처했거나 놀랐을 때는 교감 신경이 흥분한다. 교감 신경이 흥분하면 호흡 운동과 심장 박동이 촉진되고, 동공이 확장되고 방광이 이완되며, 소화 운동이 억제된다.

오답 풀이
① 교감 신경이 흥분하면 혈압이 상승한다.

## 3일 내신 기출 베스트 28~29쪽

• III. 항상성과 몸의 조절 ❶ 신경계

**1** ㄴ, ㄷ **2** ㄱ, ㄷ **3** (가) → (라) → (나) → (다) **4** ㄱ, ㄴ, ㄷ
**5** ④ **6** ㄱ, ㄷ **7** (1) (나) (2) A: 아세틸콜린, B: 노르에피네프린 (3) 심장 박동이 촉진된다. **8** ④

**1** A는 가지 돌기, B는 축삭 돌기, C는 축삭 돌기 말단이다.

오답 풀이
ㄱ. 이 뉴런은 축삭 돌기를 둘러싸는 말이집이 없는 민말이집 신경이다.

**2** ㄱ. 구간 Ⅰ은 분극 상태로 막전위는 $-70$ mV이며, 이때의 막전위를 휴지 전위라고 한다.
ㄷ. $K^+$ 통로는 구간 Ⅲ에서 열리므로 $K^+$ 막 투과도는 구간 Ⅱ에서보다 구간 Ⅲ에서 더 높다.

오답 풀이
ㄴ. 세포 밖에서 세포 안으로의 $Na^+$의 이동은 $Na^+$ 통로를 통한 확산에 의해 일어나므로 ATP가 소모되지 않는다.

**3** 흥분의 전달 과정은 '활동 전위가 시냅스 이전 뉴런의 축삭 돌기 말단에 도달한다. → 축삭 돌기 말단의 시냅스 소포가 이동하여 세포막과 융합한다. → 시냅스 소포에 들어 있던 신경 전달 물질이 시냅스 틈으로 방출된다. → 신경 전달 물질이 시냅스 이후 뉴런의 수용체와 결합한다. → 시냅스 이후 뉴런의 이온 통로가 열려 탈분극이 일어난다. → 탈분극이 퍼져 나가면서 시냅스 이후 뉴런에서 활동 전위가 발생한다.' 순으로 일어난다.

**4** 근육 ㉠은 이두박근으로 팔을 굽힐 때 수축하고, 팔을 펼 때 이완한다.
ㄱ. ⓐ는 액틴 필라멘트이다.
ㄴ. 팔을 펴면 근육이 이완하므로 ㉡(H대)의 길이가 길어진다.
ㄷ. 팔을 굽히면 근육이 수축하므로 X(근육 원섬유 마디)의 길이가 짧아진다.

**5** 중추 신경계에는 뇌와 척수가 있다.
① A는 간뇌로 항상성 유지의 중추이며, 체온, 혈당량, 삼투압 등을 조절한다.
② B는 중간뇌로, 동공 반사의 중추이다.
③ C는 연수로, 대뇌로 연결되는 신경의 좌우 교차가 일어난다.

⑤ E는 대뇌로, 겉질은 신경 세포체가 모인 회색질, 속질은 축삭 돌기가 모인 백색질이다.

오답 풀이

④ D는 척수이다. 뇌줄기는 중간뇌, 뇌교, 연수로 구성된다.

**6** ㄱ. A는 척수와 연결된 말초 신경인 감각 신경이다. 감각 신경은 신경 세포체가 축삭 돌기 옆에 위치해 있다.
ㄷ. 뾰족한 물건에 손이 찔렸을 때 무의식적으로 손을 들어 올리는 반사는 회피 반사이며, 회피 반사의 중추는 척수이다.

오답 풀이

ㄴ. B는 골격근에 연결되어 있는 운동 신경이므로 자율 신경계가 아니라 체성 신경계에 속한다. 자율 신경계는 주로 내장 기관, 혈관, 분비샘에 분포한다.

**7** (1) 긴장했을 때 작용하는 신경은 교감 신경이다. 교감 신경은 신경절 이전 뉴런이 짧고 신경절 이후 뉴런이 길며, 부교감 신경은 신경절 이전 뉴런이 길고, 신경절 이후 뉴런이 짧다. 따라서 (가)는 부교감 신경, (나)는 교감 신경이다.
(2) 부교감 신경 (가)의 신경절 이후 뉴런의 말단에서는 아세틸콜린이 분비되고, 교감 신경 (나)의 신경절 이후 뉴런의 말단에서는 노르에피네프린이 분비된다.
(3) 교감 신경 (나)는 심장 박동을 촉진한다.

**8** ④ 교감 신경은 주로 위기 상황에서 우리 몸을 긴장 상태로 만들어 대비하는 작용을, 부교감 신경은 긴장 상태에서 평상시 상태로 회복하는 작용을 담당한다.

오답 풀이

교감 신경이 작용하면 ① 혈관 수축, ② 동공 확대, ③ 호흡 촉진, ⑤ 침 분비 억제 등이 일어난다.

## 4일 기초 확인 문제 33, 35쪽

• III. 항상성과 몸의 조절 ❷ 항상성

**1** ㄱ **2** ④ **3** (1) ㉢ (2) ㉠ (3) ㉡ (4) ㉤ (5) ㉣ **4** 생장 호르몬 **5** ③ **6** (1) 호르몬 A: 인슐린, 호르몬 B: 글루카곤 (2) ㉠ 포도당, ㉡ 글리코젠 (3) 길항 작용 **7** (1) 낮아 (2) 길항 작용 (3) 글리코젠, 포도당 **8** ① **9** ④

**1** ㄱ. 호르몬은 표적 세포 또는 표적 기관에만 작용한다.

오답 풀이

ㄴ. 미량으로 생리 작용을 조절하며, 과다증과 결핍증이 있다.
ㄷ. 호르몬은 내분비샘에서 생성되어 혈액이나 조직액으로 분비된다.

**2** (가)는 호르몬, (나)는 신경에 의한 신호 전달을 나타낸 것이다.
ㄴ. 호르몬 (가)는 혈액을 통해 온몸으로 운반되지만, 각 호르몬에 대한 수용체가 있는 표적 세포(기관)에만 작용한다.
ㄷ. 신경 (나)는 신경 세포인 뉴런이 연결되는 좁은 범위에서만 신호가 전달되며, 효과가 빨리 사라지기 때문에 일시적이다.

오답 풀이

ㄱ. 신경 (나)는 세포인 뉴런을 통해 전기 화학적인 방식으로 신호를 전달하므로 신호 전달 속도가 호르몬 (가)보다 빠르다.

**3** (1) 뇌하수체 전엽에서는 생장 호르몬, 갑상샘 자극 호르몬, 생식샘 자극 호르몬, 부신 겉질 자극 호르몬, 여포 자극 호르몬, 황체 형성 호르몬 등이 분비되며, 뇌하수체 후엽에서는 항이뇨 호르몬과 옥시토신이 분비된다.
(2) 갑상샘에서는 티록신과 칼시토닌이 분비된다.
(4) 부신 속질에서는 에피네프린이 분비된다.
(5) 난소에서는 에스토로젠과 프로게스테론이 분비된다.

**4** 거인증이나 말단 비대증은 생장 호르몬이 과다하게 분비되어 나타나는 질환이다. 거인증은 키가 비정상적으로 크게 자라며, 말단 비대증은 코나 손과 발 등이 비정상적으로 커지는 질환이다. 생장 호르몬이 결핍되면 뼈의 발달이 미흡하여 키가 잘 자라지 않는 소인증이 나타난다.

**5** TRH와 TSH에 의해 분비가 촉진된 티록신은 시상 하부와 뇌하수체 전엽의 TRH와 TSH의 분비를 억제함으로써 티록신의 농도가 일정 수준 이상 높아지는 것을 막는다.

선택지 바로 보기

① TRH와 TSH은 티록신의 분비를 억제한다. (×)
→ TRH는 뇌하수체 전엽을 자극하여 TSH의 분비를 촉진하고, TSH는 갑상샘을 자극하여 티록신의 분비를 촉진한다.
② 티록신은 양성 피드백에 의해 분비가 조절된다. (×)
→ 티록신은 음성 피드백에 의해 분비가 조절된다.
③ 티록신이 많으면 TRH와 TSH의 분비가 억제된다. (○)
→ 혈액 내 티록신의 농도가 높아지면 시상 하부와 뇌하수체의 호르몬 분비를 억제하므로 TRH와 TSH의 분비가 억제된다.
④ 뇌하수체를 제거하면 TRH가 티록신의 분비를 촉진한다. (×)
→ TRH는 뇌하수체에서 분비되는 호르몬이다. 따라서 뇌하수체가 제거되면 TRH가 분비되지 않아 티록신은 분비되지 않는다.
⑤ 티록신은 TRH의 분비를 억제하고, TSH의 분비를 촉진한다. (×)
→ 티록신은 시상 하부와 뇌하수체 전엽을 모두 자극하여 TRH와 TSH의 분비를 모두 억제한다.

6 (1) 고혈당일 때 분비되는 호르몬은 인슐린(호르몬 A)이고, 저혈당일 때 분비되는 호르몬은 글루카곤(호르몬 B)이다.
(2) 인슐린은 간에서 포도당(㉠)을 글리코젠(㉡)으로 합성하며, 글루카곤은 글리코젠(㉡)을 포도당(㉠)으로 분해한다.

**자료 분석 + 혈당량 조절**

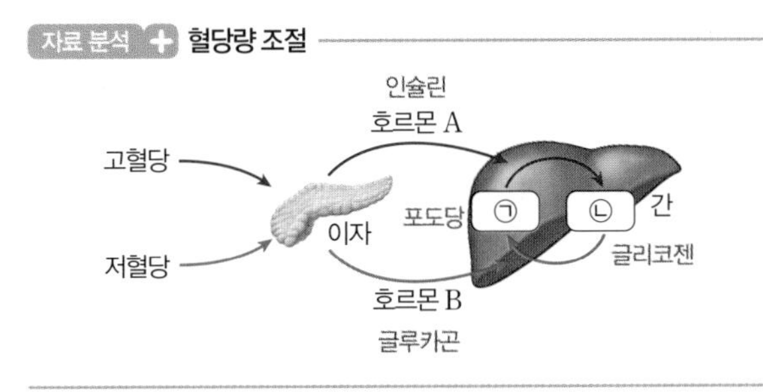


7 (1) 운동을 시작하면 혈당량이 정상 수준보다 낮아져 이를 높이기 위해 인슐린 분비가 감소하고 글루카곤 분비가 증가한다.
(2) 인슐린은 간에서 포도당이 글리코젠으로 전환되는 과정을 촉진하고, 글루카곤은 간에서 글리코젠이 포도당으로 분해되는 과정을 촉진한다. 이와 같이 서로 같은 기관에 대해 반대 작용을 하므로 인슐린과 글루카곤은 길항 작용을 한다.
(3) 운동을 하면 평소보다 많은 에너지가 필요하므로 세포 호흡의 에너지원인 포도당도 많이 필요하게 된다. 운동 시작 후 글루카곤이 증가하므로 글루카곤에 의해 간에서 글리코젠이 포도당으로 분해되는 과정이 촉진된다는 것을 알 수 있다.

8 ㄱ. 피부를 통한 열 발산량 증가, 간에서의 열 발생량 감소로 보아 더울 때의 체온 조절 과정이다.

**오답 풀이**
ㄴ. A는 교감 신경의 작용으로, 교감 신경의 작용이 완화되어 피부 근처 혈관이 이완되고 땀 분비가 증가한다.
ㄷ. B는 티록신과 에피네프린의 작용으로, 분비량이 감소하여 간에서 물질대사가 감소한다.

9 ㄴ. 삼투압을 조절하는 중추는 간뇌의 시상 하부로, 뇌하수체 후엽에서 분비되는 항이뇨 호르몬(ADH)을 통해 체액의 삼투압을 유지한다.
ㄷ. 항이뇨 호르몬은 콩팥에서 물의 재흡수를 촉진하므로 표적 기관은 콩팥이다.

**오답 풀이**
ㄱ, ㄹ. 물을 많이 마시면 체내 수분량이 증가하여 혈장 삼투압이 감소한다. 이에 따라 항이뇨 호르몬(ADH)의 분비량이 감소하여 오줌양이 증가하고, 혈장 삼투압이 증가한다.

## 4일 내신 기출 베스트 36~37쪽

•III. 항상성과 몸의 조절 ❷ 항상성

**1** ④ **2** A: 빠르다, B: 넓다, C: 일시적 **3** ㄱ, ㄷ **4** ③ **5** ㄴ **6** ㄱ, ㄴ **7** ④ **8** ⑤

1 ④ 부신 겉질에서는 당질 코르티코이드가 분비된다. 당질 코르티코이드는 혈당량을 증가시키는 호르몬이다.

**오답 풀이**
① 옥시토신은 분만 시 자궁 수축을 촉진하는 호르몬으로 뇌하수체 후엽에서 분비된다.
② 에스트로젠은 여성의 2차 성징을 발현하는 호르몬으로 난소에서 분비된다.
③ 티록신은 세포 호흡을 촉진하는 호르몬으로 갑상샘에서 분비된다.
⑤ 테스토스테론은 남성의 2차 성징을 발현하는 호르몬으로 정소에서 분비된다.

3 ㄱ. TSH는 갑상샘 자극 호르몬이다. 따라서 표적 기관은 갑상샘이다.
ㄷ. 티록신의 분비량이 부족하면 TRH(갑상샘 자극 호르몬 방출 호르몬)와 TSH(갑상샘 자극 호르몬)의 분비가 모두 촉진된다. TSH는 갑상샘을 자극하여 티록신 분비를 촉진한다.

**오답 풀이**
ㄱ. TRH(갑상샘 자극 호르몬 방출 호르몬)가 증가하면 뇌하수체 후엽에서 TSH(갑상샘 자극 호르몬)의 분비가 촉진되어 갑상샘에서 티록신 분비가 촉진된다.

4 Y는 글루카곤으로 글리코젠을 포도당으로 분해하는 것을 촉진하는 호르몬이다. 공복에는 글루카곤(Y)이 분비되어 혈당량이 낮아지는 것을 막는다.

**오답 풀이**
③ Y는 글루카곤이다.

**자료 분석 + 혈당량 조절**

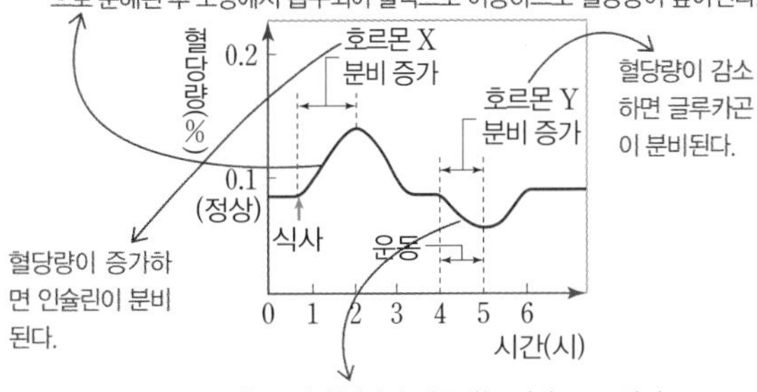

**5** ㄴ. 식사 후 분비량이 줄어드는 것으로 보아 호르몬 X는 글루카곤이다. 글루카곤은 간에서 글리코젠을 포도당으로 분해하는 것을 촉진시켜 혈당량을 증가시킨다.

오답 풀이

ㄱ. 호르몬 X는 글루카곤이다.
ㄷ. 글루카곤은 이자의 $\alpha$세포에서 분비된다.

**6** ㄱ, ㄴ. (가)는 더울 때, (나)는 추울 때의 피부 근처 모세 혈관의 모습이다. (가) 더울 때는 땀 분비가 촉진되고 열 발산량이 증가한다.

오답 풀이

ㄷ. 더울 때는 피부 근처 모세 혈관이 확장되어 피부 근처로 흐르는 혈액의 양이 늘어난다.

자료 분석 + **체온 조절**

피부 표면
모세 혈관
(가)
(나)

체온이 정상보다 높아지면 피부 근처 모세 혈관이 확장되어 피부 근처로 흐르는 혈액의 양이 많아진다. → 열 발산량이 증가한다.

체온이 정상보다 낮아지면 피부 근처 모세 혈관이 수축되어 피부 근처로 흐르는 혈액의 양이 적어진다. → 열 발산량이 감소한다.

**7** 오답 풀이

④ 간뇌의 시상 하부가 저온 자극을 감지하면 뇌하수체 전엽과 갑상샘의 작용을 촉진하여 티록신의 분비량을 증가시킨다. 티록신이 증가하면 물질대사가 촉진되어 열 발생량이 증가한다.

**8** ㄴ, ㄷ. 짠 음식을 많이 먹으면 ADH(항이뇨 호르몬)의 분비가 증가하여 콩팥에서의 수분 재흡수량이 증가한다. 따라서 오줌의 양이 감소하고, 혈장 삼투압이 낮아진다.

오답 풀이

ㄱ. 땀을 많이 흘리면 혈장 삼투압이 증가하여 ADH의 분비가 증가한다.

## 5일 기초 확인 문제 41, 43쪽

• Ⅲ. 항상성과 몸의 조절 ❸ 방어 작용

**1** (1) A: 당뇨병, B: 독감, C: 결핵 (2) C **2** (1) (가), (나) (2) (가) **3** 라이소자임 **4** (1) 비특이적 방어 작용 (2) 비특이적 방어 작용 (3) 특이적 방어 작용 (4) 비특이적 방어 작용 **5** ㄱ, ㄴ **6** (1) 구간 Ⅱ (2) 구간 Ⅲ **7** ⑤ **8** ㄱ, ㄴ, ㄷ **9** (1) B 림프구, 골수 (2) 형질 세포 (3) 형질 세포 **10** ③

**1** (1) 당뇨병은 인슐린 분비에 이상이 있는 대사성 질환으로 비감염성 질병이다. 독감을 일으키는 병원체는 바이러스이고, 결핵을 일으키는 병원체는 세균이다. 따라서 A는 당뇨병, B는 독감, C는 결핵이다.
(2) 세균에 의한 질병은 항생제로 치료한다.

**2** (가)는 세균, (나)는 바이러스이다.
(1) 세균과 바이러스 모두 핵산을 갖는다.
(2) 바이러스는 세포 분열이 아닌 숙주 내 조립을 통해 증식한다.

**3** 라이소자임은 항균 효소의 하나이며, 세균의 세포벽에 들어 있는 다당류를 가수 분해함으로써 세균을 죽인다.

**4** (1), (2), (4) 우리 몸의 방어 작용은 비특이적 방어 작용과 특이적 방어 박용으로 구분할 수 있다. 비특이적 방어 작용에는 물리적, 화학적 장벽 역할을 하는 피부와 점막, 백혈구에 의한 식균 작용, 염증 반응 등이 있다. 피부로 분비되는 땀이나 눈물, 콧물, 침 등에는 라이소자임이 있어 병원체의 종류를 구분하지 않고 병원체가 몸속으로 침입하지 못하게 막는 역할을 하므로 비특이적 방어 작용에 해당한다.
(3) 항원 항체 반응은 병원체를 인식하여 선별적으로 작용하는 특이적 방어 작용에 해당한다.

**5** ㄱ. (가)는 세포성 면역, (나)는 체액성 면역이다.
ㄴ. T 림프구와 B 림프구에 의한 면역은 특이적 방어 작용에 해당한다.

오답 풀이

ㄷ. 보조 T 림프구의 도움으로 B 림프구가 형질 세포와 기억 세포로 분화한다. 형질 세포는 이미 분화가 완료된 세포이므로 기억 세포로 분화하지 않는다.

**6** 구간 Ⅰ은 잠복기로, 이때 비특이적 면역 반응이 일어난다. 구간 Ⅱ에서는 항원 X에 대한 1차 면역 반응이, 구간 Ⅲ에서는 항원 X에 대한 2차 면역 반응이 일어난다.

**7** ㄱ. 비특이적 방어 작용은 항원에 감염된 직후부터 일어난다.
ㄴ. 1차 면역 반응이 일어나면 형질 세포와 기억 세포가 만들어진다.
ㄷ. 구간 Ⅲ에서 2차 면역 반응이 일어나므로 항원 항체 반응이 일어난다.

**8** ㄱ. 병원성을 제거한 병원체를 백신으로 주입하여 기억 세포의 형성을 유도하면 질병을 예방할 수 있다.
ㄴ. 백신은 감염성 질병을 예방하기 위해 접종하는 물질이다. 질병에 걸렸을 때 그 질병에 대한 치료 방법으로 사용되는 것은 면역 혈청이다.
ㄷ. 항체의 작용은 체액성 면역, 세포독성 T림프구의 작용은 세포성 면역이라고 한다.

**9** (1) ㉠은 B 림프구이다. B 림프구는 골수에서 성숙한다.
(2) 항체를 만드는 것은 형질 세포이다.
(3) 항원이 2차 침입하면 기억 세포는 빠르게 증식 및 형질 세포로 분화하여 다량의 항체를 신속하게 생성한다.

**10** ㄱ. 항 A 혈청에는 응집소 $\alpha$, 항 B 혈청에는 응집소 $\beta$가 있다. 항 A 혈청에만 응집 반응이 일어났으므로 철수는 응집원 A를 가진 A형이다.
ㄷ. 응집원과 응집소가 반응하는 것은 항원 항체 반응의 일종이다.

오답 풀이
ㄴ. A형인 철수는 A형과 O형으로부터 수혈을 받을 수 있다.

## 5일 내신 기출 베스트 44~45쪽

• Ⅲ. 항상성과 몸의 조절 ❸ 방어 작용

**1** ㄱ, ㄴ, ㄷ **2** ④ **3** (1) 히스타민 (2) 백혈구, 식균 작용
**4** ㄱ, ㄷ **5** (1) ㉠ 보조 T 림프구, ㉡ B 림프구, ㉢ 대식세포
(2) (나) → (다) → (가) → (라) **6** ㄱ, ㄷ, ㄹ **7** 해설 참조
**8** (1) 응집소 $\alpha$ (2) B형 (3) B형, AB형

**1** ㄱ. A는 병원체가 세포 구조가 아니므로 바이러스에 의한 질병인 독감이다.
ㄴ. B는 병원체가 스스로 물질대사를 하므로 세균에 의한 질병인 파상풍이다.
ㄷ. C는 병원체가 없으므로 비감염성 질병인 당뇨병이다.

**2** ㄱ. 피부는 감염에 대한 인체의 1차 방어벽으로 비특이적 방어 작용이다. 비특이적 방어 작용은 태어날 때부터 갖고 있는 선천적 면역이다.
ㄴ. 비특이적 방어 작용은 병원체의 종류를 구분하지 않고 동일한 방식으로 일어나기 때문에 신속하고 광범위하게 일어난다.

오답 풀이
ㄷ. 염증 반응 시 일어나는 백혈구의 식균 작용은 병원체의 종류를 가리지 않는 비특이적 방어 작용에 해당한다.

**3** (1) 병원체가 침입하면 비만 세포에서 히스타민(화학 물질 A)을 분비한다.
(2) 히스타민이 분비되면 모세 혈관이 확장되어 혈류량이 증가하고, 혈관벽의 투과성이 증가한다. 이에 따라 혈관 속 혈액에서 백혈구(세포 B)가 빠져나와 상처 부위로 모여 식균 작용으로 병원체를 제거한다. 상처 부위의 고름은 염증 반응 결과 백혈구의 사체와 세균 등이 모여 생긴 것이다.

**4** ㄱ. 대식세포는 식균 작용을 통해 보조 T 림프구에게 항원을 제시한다.
ㄷ. 형질 세포는 항체를 생성한다. 형질 세포에서 생성된 항체가 항원과 결합하여 병원체를 제거하는 것을 체액성 면역이라고 한다.

오답 풀이
ㄴ. 세포독성 T림프구는 항원에 감염된 세포를 직접 제거한다. 세포독성 T림프구가 항원에 감염된 세포나 암세포를 직접 파괴하는 것을 세포성 면역이라고 한다.

**5** (1), (2) (나)는 항원을 직접적으로 둘러싸고 세포 내에서 분해하는 식균 작용을 나타낸 것으로 세포 ㉢은 대식세포이다. 대식세포는 (다)와 같이 항원을 보조 T 림프구(세포 ㉠)에게 제시하여 면역 세포가 특이적 반응을 할 수 있도록 도와주는 역할을 한다. 활성화된 보조 T 림프구는 다시 (가) 과정처럼 B 림프구(세포 ㉡)와 결합하여 B 림프구를 활성화시킨다. 활성화된 B 림프구는 (라)와 같이 형질 세포로 분화되어 항체를 생산한다.

자료 분석 + 1차 면역 반응

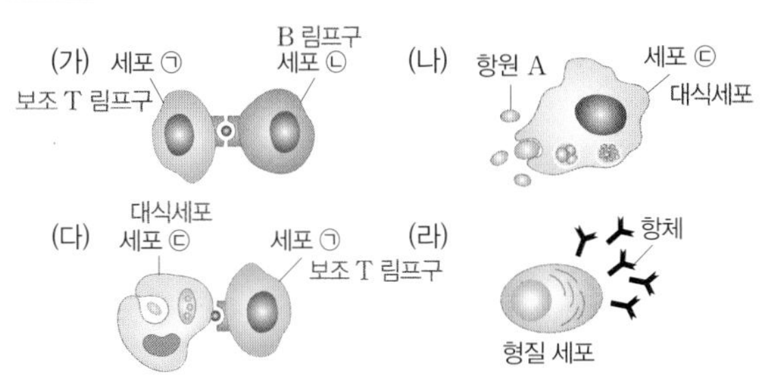


면역 반응이 일어나는 과정은 '(나) 비특이적 방어 작용 → (다) 대식세포가 보조 T 림프구에 항원 제시 → (가) 활성화된 보조 T 림프구가 B 림프구를 자극하면 B 림프구가 증식하여 형질 세포와 기억 세포로 분화 → (라) 분화된 형질 세포에서 항체 생성' 순이다.

**6** ㄱ. 항원이 처음 침입하면 보조 T 림프구의 도움으로 B 림프구가 항원의 종류를 인식하고 형질 세포로 분화하여 항체를 생성하여 항원을 제거하는 1차 면역 반응이 일어난다. 1차 면역 반응이 일어나 항체를 생성하기까지 약 5일~7일의 시간이 걸리는데, 이것을 잠복기라고 한다. 이것은 항원을 인식하고 이에 특이적으로 반응하는 B 림프구가 활성화하여 형질 세포로 분화하는 데 시간이 걸리기 때문이다.
ㄷ. 예방 주사에 사용하는 백신은 병원성을 제거하거나 질병을 일으키지 않을 정도로 약화시킨 병원체로 만든 것으로 백신을 접종하면 1차 면역 반응이 일어나 그 병원체에 대한 기억 세포를 형성한다. 기억 세포가 형성된 후 병원체가 침입하면 2차 면역 반응이 일어나 다량의 항체가 빠르게 생성되어 질병에 걸리지 않는다.
ㄹ. 항체는 항원 결합 부위에 맞는 입체 구조를 가진 특정 항원하고만 결합한다. 이를 항원 항체 반응의 특이성이라고 한다.

오답 풀이
ㄴ. 같은 항원이 재침입하면 2차 면역 반응이 일어난다. 2차 면역 반응에서도 항체는 형질 세포에서 만들어진다. 1차 면역 반응에서 생성된 기억 세포가 빠르게 증식하고 형질 세포로 분화하여 항체를 생성하므로 항체 생성까지 걸리는 시간이 짧고, 생성되는 항체의 양도 많으며, 비교적 오래 유지된다.

**7** 모범 답안 **항원 A를 두 번째 주사했을 때는 기억 세포가 빠르게 형질 세포로 분화하여 다량의 항체를 신속하게 생산하는 2차 면역 반응이 일어났기 때문이다.**

**8** (1) 응집원 A는 응집소 $\alpha$와 응집 반응이 일어나고, 응집원 B는 응집소 $\beta$와 응집 반응이 일어난다. ㉠은 철수의 응집원 B와 응집 반응이 일어나지 않았으므로 응집소 $\alpha$이다.
(2) 항 A 혈청에는 응집소 $\alpha$가 있고, 항 B 혈청에는 응집소 $\beta$가 있다. 철수의 혈액은 항 B 혈청에서만 응집 반응이 일어났으므로 혈액형은 B형이다.
(3) B형은 B형과 AB형에게만 수혈해 줄 수 있다.

자료 분석 + **혈액의 응집 반응**

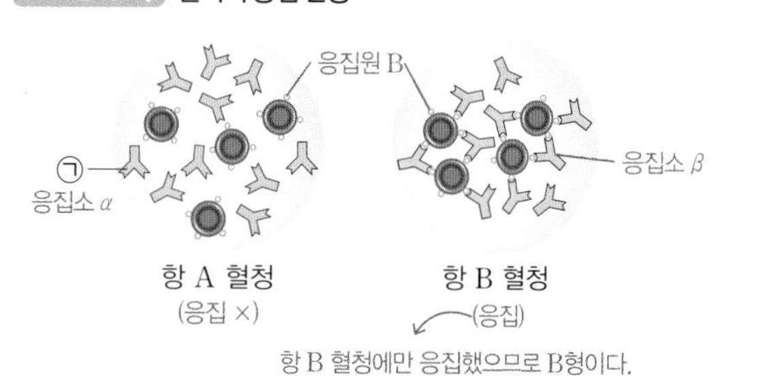

항 B 혈청에만 응집했으므로 B형이다.

## 6일 누구나 100점 테스트 1회 46~47쪽

• 범위 | I. 생명 과학의 이해 ~ III - [1] 자극의 전달과 근육 수축

**1** ④ **2** ⑤ **3** ② **4** ㄱ, ㄴ **5** A, B **6** ⑤ **7** ⑤ **8** ④ **9** ㄷ **10** ①

**1** 강아지 로봇과 살아 있는 강아지의 공통점에 해당하는 생물의 특성은 자극에 대한 반응이다. 생물은 빛, 소리, 접촉 등 다양한 환경 변화를 자극으로 받아들이고, 이에 대해 적절히 반응한다.
④ 지렁이가 빛이라는 자극에 어두운 곳으로 이동하는 반응을 하였으므로 자극에 대한 반응이다.

오답 풀이
① 생물이 자손을 남겨 보존하는 생식에 해당한다.
② 막걸리 속 효모의 호흡으로 이산화 탄소가 발생한 것이므로, 물질대사에 해당한다.
③ 어버이의 형질이 자손에게 전해지는 현상인 유전에 해당한다.
⑤ 발생과 생장에 해당한다.

**2** ㄱ. 가설을 세우고 실험적으로 검증하고 있으므로 연역적 탐구 방법이다.
ㄴ. 실험군과 대조군에 모두 완전히 멸균된 배지를 사용하고, 같은 온도에 두었으므로 변인 통제를 하고 있다.
ㄷ. 실험 조건을 인위적으로 변화시킨 집단이 실험군, 실험군과 비교하기 위해 실험 조건을 변화시키지 않은 집단이 대조군이므로 ㉠이 실험군이고, ㉡이 대조군이다.

**3** ㄴ. 물질대사에는 효소가 관여한다.

오답 풀이
ㄱ. (가)는 고분자 물질인 녹말이 저분자 물질인 포도당으로 분해되므로 이화 작용이다.
ㄷ. (나)는 에너지가 흡수되는 흡열 반응이므로 반응물보다 생성물이 가진 에너지양이 더 많다.

자료 분석 + **물질대사**

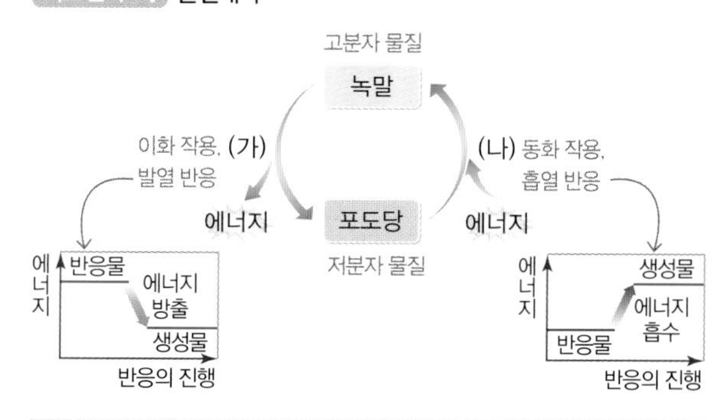

**4** ㄱ, ㄴ. 생명 과학은 생물의 특성과 생명 현상을 탐구하여 생명의 본질을 밝히고, 이를 질병 치료나 환경 문제 해결 등 인류의 생존과 복지에 응용하는 종합적인 학문이다.

오답 풀이

ㄷ. 생명 과학은 여러 학문 분야의 성과와 연계되어 발달하면서 학문 간의 경계가 허물어지고 융합되고 있다.

**5** • 학생 A: 대사성 질환은 비만과 밀접한 관계가 있으며, 특히 복부 비만인 사람은 대사성 질환의 발병 위험이 높다.
• 학생 B: 대사성 질환에는 고지혈증을 비롯하여 고혈압, 당뇨병, 지방간 등이 있다.

오답 풀이

• 학생 C: 대사성 질환은 우리 몸의 물질대사에 이상이 생겨 발생하는 병으로 주로 심혈관계 질환과 뇌혈관계 질환 등의 합병증을 일으킨다.

**6** (가) 과정은 ATP가 ADP와 무기 인산으로 분해되는 과정으로 에너지가 방출된다. 이때 방출된 에너지는 생장, 체온 유지, 발성, 정신 활동, 근육 운동 등 다양한 생명 활동에 이용된다.

오답 풀이

⑤ 폐에서의 기체 교환은 기체의 분압 차에 의한 확산에 의해 이루어진다. 확산은 에너지가 소모되지 않는다.

자료 분석 + ATP와 ADP

이때 방출된 에너지는 여러 가지 생명 활동에 이용된다.
ATP는 인산 한 분자를 떨어뜨리고 ADP가 되면서 에너지를 방출한다.
아데닌
리보스 P~P~P
ATP
고에너지 인산 결합
(가)
아데닌
리보스 P~P + $P_i$
ADP
무기 인산
세포 호흡 과정에서 에너지를 흡수하여 ADP가 인산 한 분자와 결합하여 ATP가 된다.
세포 호흡이 일어날 때 활발하게 일어난다.

ATP의 고에너지 인산 결합이 끊어져 ADP와 무기 인산으로 분해되면서 에너지가 방출된다. 이때 방출된 에너지는 다양한 생명 활동에 이용된다.

**7** A는 호흡계, B는 배설계, C는 소화계이다.
① A(호흡계)에서는 모세 혈관과 폐포 사이에서 기체 교환이 일어나 산소가 몸속으로 들어온다.
③ C(소화계)에서는 탄수화물, 단백질, 지방과 같이 고분자 물질이 포도당, 아미노산, 지방산과 모노글리세리드와 같은 저분자 물질로 분해되는 이화 작용(소화)이 일어난다.

오답 풀이

⑤ 암모니아는 조직 세포에서 아미노산을 이용하여 세포 호흡이 일어날 때 생성되며, 독성이 강해 간에서 독성이 약한 요소로 전환되어 배설계(B)의 콩팥을 통해 배설된다.

**8** 흥분은 한 뉴런 내에서는 양쪽 방향으로 전도되지만, 시냅스에서 일어나는 흥분의 전달은 신경 전달 물질이 들어 있는 시냅스 소포가 축삭 돌기 말단에만 있으므로 시냅스 이전 뉴런의 축삭 돌기 말단에서 시냅스 이후 뉴런의 신경 세포체 쪽으로만 일어난다.

자료 분석 + 흥분 전달의 방향성

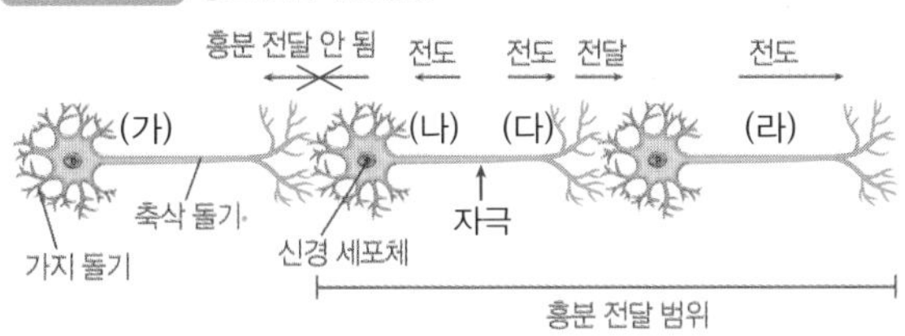


**9** ㄷ. (나)의 $t_1$ 시점은 재분극이 일어나는 시점으로, $K^+$이 $K^+$ 통로를 통해 세포 밖으로 확산된다.

오답 풀이

ㄱ. 구간 Ⅰ에서는 $Na^+-K^+$ 펌프를 통해 $Na^+$은 세포 밖으로, $K^+$은 세포 안으로 이동한다.
ㄴ. 구간 Ⅱ에서 $Na^+$의 이동은 세포 안팎의 농도 차이에 따른 확산으로 ATP를 소모하지 않는다.

**10** ① ⓐ는 액틴 필라멘트와 마이오신 필라멘트가 겹친 부분이다. 팔을 펴면 근육이 이완되어 ⓐ의 길이가 짧아진다.

오답 풀이

② ⓑ는 액틴 필라멘트이다.
③ ⓒ는 마이오신 필라멘트가 있어 어둡게 보이는 A대로 근육이 수축하거나 이완하는 것에 관계없이 길이가 변하지 않는다.
④ 팔을 구부리면 근육이 수축한다. 근육이 수축할 때는 액틴 필라멘트가 마이오신 필라멘트 사이로 미끄러져 들어가 근육 원섬유 마디(X)가 짧아진다.
⑤ H대는 A대 중 마이오신 필라멘트로만 이루어진 부분으로 근육이 이완하면 길이가 길어진다.

• 범위 | Ⅲ-[2] 신경계 ~ Ⅲ-[6] 우리 몸의 방어 작용 ❷

**1** ④ **2** ③ **3** A → B → C **4** ③ **5** A, C **6** ①, ③
**7** ④ **8** ⑤ **9** A **10** ⑤

1학기 중간·기말

**1** A는 간뇌, B는 중간뇌, C는 연수, D는 척수, E는 대뇌이다.

① 간뇌(A)는 시상과 시상 하부로 구분되며, 시상 하부는 항상성 유지의 중추로 체온, 삼투압 등을 조절한다.

② 중간뇌(B)와 뇌교, 연수를 뇌줄기라고 한다. 뇌줄기는 호흡, 혈압, 섭식 중추로 생명 유지에 관여한다.

③ 연수(C)는 호흡 운동과 심장 박동 조절 중추이다.

⑤ 대뇌(E)의 기능은 대부분 겉질에서 담당하는데, 겉질은 기능에 따라 감각령, 운동령, 연합령으로 구분한다.

오답 풀이

④ 척수(D)의 겉질은 백색질이고, 속질은 회색질이다.

**2** ㄱ. 자율 신경과 운동 신경은 모두 원심성 신경이다.

ㄷ. C는 골격근에 연결된 운동 뉴런으로 체성 신경계에 속한다.

오답 풀이

ㄴ. B는 심장에 연결된 교감 신경의 신경절 이후 뉴런이므로 축삭 돌기 말단에서 노르에피네프린이 분비된다.

자료 분석 + 말초 신경계

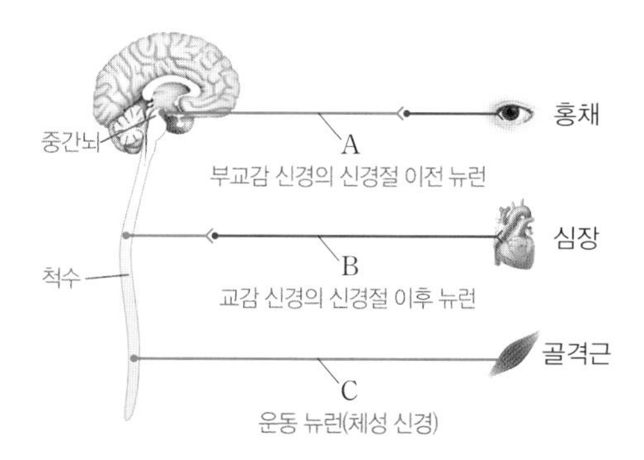


- 홍채에 연결된 자율 신경은 신경절 이전 뉴런이 길고, 신경절 이후 뉴런이 짧은 것으로 보아 부교감 신경이다.
- 심장에 연결된 자율 신경은 신경절 이전 뉴런은 짧고, 신경절 이후 뉴런이 긴 것으로 보아 교감 신경이다. 교감 신경은 신경절 이전 뉴런의 축삭 돌기 말단에서는 아세틸콜린이, 신경절 이후 뉴런의 축삭 돌기 말단에서는 노르에피네프린이 분비된다.
- 골격근에 연결된 신경은 운동 뉴런으로 하나의 뉴런으로 되어 있어 신경절을 거치지 않고 직접 반응기에 연결되며, 축삭 돌기 말단에서는 아세틸콜린이 분비된다. 운동 신경은 체성 신경계에 속한다.

**3** 무릎 반사의 경로는 자극 → 감각기 → 감각 신경(A) → 중추 신경(B) → 운동 신경(C) → 운동기 → 반응 순이다. 감각 신경은 신경 세포체가 축삭 돌기 옆에 있다.

자료 분석 + 무릎 반사

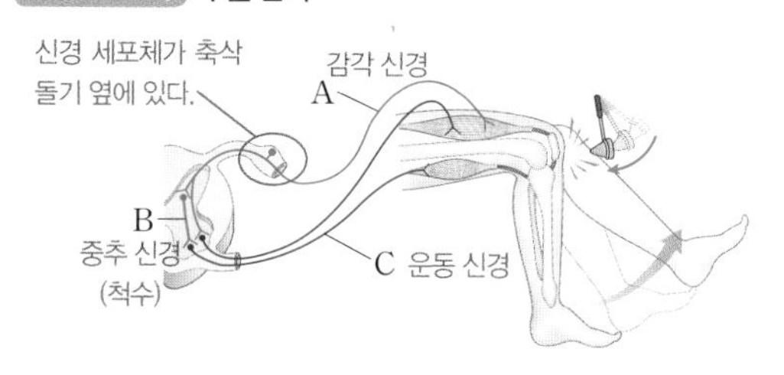


- 무릎 반사: 무릎 아래를 가볍게 쳤을 때 발이 들리는 것으로 척수가 중추이다.
- 경로: 자극(고무 망치) → 감각기 → 감각 신경(후근) → 중추 신경(척수) → 운동 신경(전근) → 반응기(근육) → 반응(발이 들림)

**4** • 학생 A: 호르몬은 체내에서 생성되어 특정 조직이나 기관의 생리 작용을 조절하는 화학 물질로, 혈액으로 분비되어 혈액을 따라 이동하다가 호르몬의 종류에 맞는 수용체를 가진 표적 세포나 표적 기관에 결합하여 작용한다. 따라서 특정 호르몬은 특정 표적 세포나 표적 기관에만 작용한다.

• 학생 B: 호르몬은 미량으로 효과를 나타내며, 분비량이 적절하지 못할 때 결핍증과 과다증이 나타난다.

오답 풀이

• 학생 C: 호르몬을 생산하고 분비하는 기관은 내분비샘이다.

**5** • 학생 A: 체온 변화를 감지하고 조절하는 중추는 간뇌의 시상 하부이며, 시상 하부는 체내의 열 발생량과 피부 표면을 통한 열 발산량을 변화시켜 체온을 조절한다.

• 학생 C: 추울 때는 교감 신경의 작용이 강화되어 피부 근처 혈관이 수축한다. 모세 혈관이 수축하면 피부 근처로 흐르는 혈액의 양이 줄어들어 열 발산량이 감소한다.

오답 풀이

• 학생 B: 땀 분비가 증가하는 것은 더울 때의 조절 작용이다.

**6** ①, ③ 물을 다량으로 마시면 혈장 삼투압이 낮아져 뇌하수체 후엽에서 항이뇨 호르몬(ADH)의 분비가 억제되어 콩팥에서 수분 재흡수가 감소한다. 따라서 오줌의 생성 속도가 빨라져 오줌의 양이 증가하고, 오줌의 농도는 묽어진다.

**7** ㄱ, ㄴ. 인슐린은 혈당량이 높을 때 간에서 포도당을 글리코젠으로 합성하는 반응을 촉진하여 혈당량을 낮추는 작용을, 글루카곤은 혈당량이 낮을 때 간에서 글리코젠을 포도당으로 분해하는 반응을 촉진하여 혈당량을 높이는 작용을 한다. 이와 같이 인슐린과 글루카곤은 길항 작용을 하여 혈당량을 일정하게 조절한다.

오답 풀이

ㄷ. 혈당량이 높으면 인슐린의 혈중 농도가 증가한다.

자료 분석 + 혈당량 조절

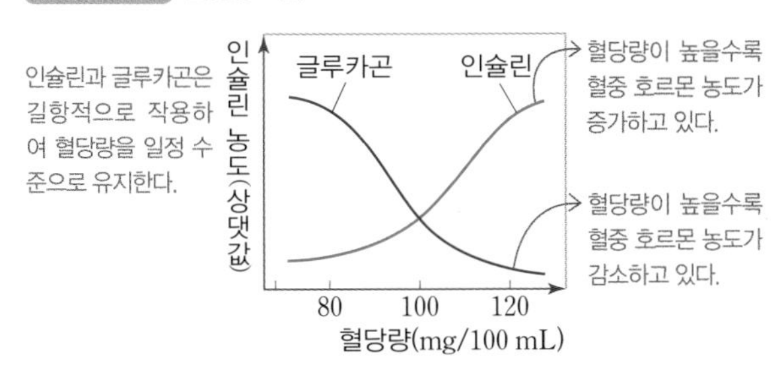


**8** 염증 반응은 피부나 점막이 손상되어 병원체가 침입했을 때 일어나는 방어 작용으로, 병원체의 종류와 상관없이 일어나는 비특이적 방어 작용이다.

**9** • 학생 A: 감기, 독감, 결핵 모두 병원체의 감염에 의해 발생하는 감염성 질병이다.

오답 풀이

- 학생 B: 세균 감염은 항생제로 치료하지만, 바이러스 감염은 항바이러스제로 치료한다.
- 학생 C: 감기와 독감의 병원체는 바이러스이며, 결핵의 병원체는 세균(결핵균)이다.

**10** ㄴ. 구간 Ⅰ은 1차 면역 반응, 구간 Ⅱ는 2차 면역 반응이 일어나는 구간으로 항원 항체 반응이 일어나는 체액성 면역 반응이 일어난다.

ㄷ. ㉠은 형질 세포, ㉡은 기억 세포이다. 구간 Ⅱ에서는 같은 항원이 재침입하여 1차 면역 반응에서 생성된 기억 세포가 빠르게 많은 형질 세포로 분화하여 신속하게 다량의 항체를 생성하여 효과적으로 항원을 제거한다.

오답 풀이

ㄱ. B 림프구는 골수에서 생성되어 성숙한다. 골수에서 생성되어 가슴샘에서 성숙하는 것은 T 림프구이다.

## 6일 서술형·사고력 테스트 50~51쪽

• **범위** | I. 생명 과학의 이해 ~ III. 항상성과 몸의 조절

**1** (1) 조작 변인: X의 첨가 여부, 종속변인: 대장균의 증식 여부 (2) 해설 참조 **2** 해설 참조 **3** (1) 영양소 X: 단백질, 물질 Y: ATP (2) 해설 참조 **4** 해설 참조 **5** 해설 참조 **6** (1) ㉠ 글루카곤, ㉡ 인슐린 (2) 해설 참조 **7** 해설 참조 **8** 해설 참조

**1** (1) 조작 변인은 원인, 종속변인은 결과에 해당한다.

(2) 모범 답안 **X가 대장균의 증식을 억제할 것이다.**

X가 대장균을 억제하는 물질일 것이라고 가정하고 실험을 설계하였다.

| 채점 기준 | 배점(%) |
|---|---|
| 모범 답안과 같이 가설을 옳게 서술한 경우 | 100 |

**2** 모범 답안 **(가) 신경 세포체, (나) 가지 돌기, (다) 축삭 돌기, (나)는 자극을 받아들이고 (다)는 자극을 전달한다.**

(가)는 핵이 존재하여 생명 활동이 활발하게 일어나는 신경 세포체이고, (나)는 인접한 뉴런으로부터 자극을 받아들이는 가지 돌기이며, (다)는 자극을 인접한 뉴런으로 전달하는 축삭 돌기이다.

| 채점 기준 | 배점(%) |
|---|---|
| (가), (나), (다)의 이름을 모두 옳게 쓰고, (나)와 (다)의 역할을 모범 답안과 같이 옳게 서술한 경우 | 100 |
| (가), (나), (다)의 이름을 모두 옳게 쓰고, (나)와 (다) 중 한 가지의 역할만 옳게 서술한 경우 | 50 |
| (가), (나), (다)의 이름만 옳게 쓴 경우 | 20 |

**3** (1) 세포 호흡에 이용되면 $NH_3$(암모니아)가 생성되는 영양소는 단백질이고, ADP에 무기 인산($P_i$)이 결합되면 ATP가 된다.

(2) 모범 답안 **분자량이 작은 ADP와 무기 인산($P_i$)이 분자량이 큰 ATP로 합성될 때 에너지가 흡수되므로 동화 작용에 해당한다.**

| 채점 기준 | 배점(%) |
|---|---|
| 분자량의 크기와 에너지 변화를 모두 포함하여 모범 답안과 같이 옳게 서술한 경우 | 100 |
| 분자량의 크기와 에너지 변화 중 한 가지만 포함하여 옳게 서술한 경우 | 50 |

**4** 모범 답안 **A대(㉠)는 그대로이고, H대(㉡)와 I대(㉢)는 짧아진다.**

근육이 수축할 때 A대(㉠)의 길이는 변하지 않고, H대(㉡)와 I대(㉢)의 길이는 짧아진다.

| 채점 기준 | 배점(%) |
|---|---|
| 모범 답안과 같이 그대로인 것과 짧아지는 것을 모두 옳게 서술한 경우 | 100 |

**5** 모범 답안 **(가) 대뇌, A → B → C → D → E, (나) 척수, A → F → E**

손이 시려 장갑을 끼는 것은 의식적인 반응이므로 중추가 대뇌이고, 뜨거운 것을 만졌을 때 팔을 움찔하는 것은 무조건 반사이므로 중추가 척수이다.

| 채점 기준 | 배점(%) |
|---|---|
| (가)와 (나) 반응의 중추와 반응 경로를 모두 옳게 서술한 경우 | 100 |
| (가)와 (나) 중 한 가지만 반응의 중추와 반응 경로를 모두 옳게 서술한 경우 | 50 |
| (가)와 (나) 반응의 중추만 옳게 쓴 경우 | 20 |

**6** (2) 모범 답안 **혈당량이 정상보다 높으면 이자의 $\beta$세포에서 인슐린이 분비되어 간에서 포도당을 글리코젠으로 합성하는 과정을 촉진하여 혈당량을 낮춘다.**

| 채점 기준 | 배점(%) |
|---|---|
| 호르몬의 이름, 호르몬이 분비되는 내분비샘, 호르몬의 작용을 모두 옳게 서술한 경우 | 100 |
| 호르몬의 이름과 호르몬의 작용만 옳게 서술한 경우 | 50 |
| 호르몬의 이름만 옳게 서술한 경우 | 20 |

**7** (2) 모범 답안 **(나), 노르에피네프린, 심장 박동이 촉진된다.**
(가)는 부교감 신경, (나)는 교감 신경이다. 긴장하면 교감 신경이 흥분하여 신경절 이후 뉴런 말단에서 노르에피네프린(아드레날린)이 분비된다. 노르에피네프린은 심장 박동을 촉진한다.

| 채점 기준 | 배점(%) |
|---|---|
| 신경의 기호와 신경 전달 물질, 심장 박동의 변화를 모두 옳게 서술한 경우 | 100 |
| 신경의 기호와 신경 전달 물질만 옳게 서술한 경우 | 50 |
| 신경의 기호와 심장 박동의 변화만 옳게 서술한 경우 | 50 |

**8** (1) 모범 답안 **1차 침입 때 형성된 기억 세포가 형질 세포로 신속하게 분화하여 다량의 항체를 생산한다.**
항원이 1차 침입했을 때 형성된 기억 세포는 동일한 항원이 2차 침입했을 때 형질 세포로 분화하여 다량의 항체를 신속하게 생산한다.
(2) 모범 답안 **항체는 항원 항체 반응의 특이성이 있으므로 항원 X, Y 투여 후에는 X에 대해 2차 면역 반응이, Y에 대해 1차 면역반응이 일어난다.**

| | 채점 기준 | 배점(%) |
|---|---|---|
| (1) | 기억 세포가 형질 세포로 분화한다는 내용을 포함하여 옳게 서술한 경우 | 100 |
| | 기억 세포 때문이라고만 서술한 경우 | 30 |
| (2) | 특정 항원에 대해 특정 항체가 생성된다는 내용을 포함하여 옳게 서술한 경우 | 100 |

## 6일 창의·융합·코딩 테스트 52~53쪽

• 범위 | I. 생명 과학의 이해 ~ III. 항상성과 몸의 조절

**1** 해설 참조 **2** ② **3** A, B **4** 해설 참조 **5** ③ **6** 해설 참조 **7** ㄱ, ㄴ **8** 해설 참조

**1** 모범 답안 **(가) '유전 물질(핵산)을 가지는가?', '단백질로 구성되어 있는가?', '증식할 수 있는가?' 등 (나) '세포 구조로 되어 있는가?', '스스로 물질대사를 할 수 있는가?' 등**

| 채점 기준 | 배점(%) |
|---|---|
| (가)와 (나)를 모두 모범 답안과 같이 옳게 서술한 경우 | 100 |
| (가)와 (나) 중 한 가지만 옳게 서술한 경우 | 50 |

**2** 육상 생활과 수중 생활을 겸하는 동물들은 눈과 콧구멍의 위치가 수면보다 높아 생활하는 데 지장이 없도록 적응하였다. 이와 같이 생물이 환경의 변화에 따라 몸의 구조와 기능 및 생활 습성 등이 변화된 것을 적응이라고 한다.

오답 풀이
② 땀을 흘리고 나면 갈증이 심해지는데, 이것은 체내 수분량이 부족하여 나타나는 현상이며, 그에 따라 물의 섭취량을 늘려 체내 수분량을 일정하게 유지하는 항상성과 관련이 있다.

**3** • 학생 A: 위에서는 단백질 소화 효소인 펩신에 의해 단백질이 작은 크기의 단백질로 분해되므로 이화 작용에 해당한다.
• 학생 B: 식물에서는 빛에너지를 흡수해 포도당을 합성하는 광합성이 일어난다. 광합성은 빛에너지를 화학 에너지 형태로 저장하는 과정이다.

오답 풀이
• 학생 C: ATP가 ADP와 무기 인산으로 분해될 때 에너지가 방출되므로 1분자당 저장된 화학 에너지는 ATP가 ADP보다 많다.

**4** 모범 답안 **파충류는 변온 동물이고 포유류는 정온 동물이다. 포유류는 체온을 일정하게 유지하기 위해 많은 에너지가 필요한 반면, 파충류는 체온 유지를 위한 에너지가 필요하지 않으므로 포유류에 비해 적은 양의 에너지로도 살 수 있다.**

| 채점 기준 | 배점(%) |
|---|---|
| 파충류는 포유류보다 체온 유지를 위한 에너지가 적게 들어간다는 의미를 포함하여 옳게 서술한 경우 | 100 |

**5** 뇌는 전달받은 자극에 대한 정보를 분석, 판단하여 운동 신경에 명령을 내린다. 운동 신경은 중추 신경의 명령을 반응

기에 전달한다. 자극에 대한 반응 경로는 '자극 → 감각 기 → 감각 신경 → 중추 신경 → 운동 신경 → 반응기 → 반응' 순이다.

**6** 모범 답안



물을 많이 마시면 혈장 삼투압이 감소하여 ADH 분비가 줄고 다량의 묽은 오줌을 배설하게 된다.

| 채점 기준 | 배점(%) |
|---|---|
| 그래프를 모범 답안과 같이 옳게 그린 경우 | 100 |

**7** ㄱ. A형, O형, AB형 중 항 A 혈청(응집소 $\alpha$ 존재)과 섞어서 응집되지 않는 ㉢은 O형이다.

ㄴ. A형은 AB형에게 소량 수혈을 할 수 있다.

오답 풀이

ㄷ. AB형은 혈액 내에 응집소를 가지지 않으므로 (가)가 '혈액 내에 응집소를 가지지 않는가?'라면 ㉠은 AB형이고, ㉡은 A형이다.

**8** 모범 답안 **감기를 일으키는 바이러스는 종류가 매우 많고 이들 바이러스에서는 돌연변이가 빈번히 일어난다. 따라서 모든 감기 바이러스에 효과적인 백신과 치료약의 개발이 매우 어렵다.**

| 채점 기준 | 배점(%) |
|---|---|
| 감기를 일으키는 바이러스에서는 돌연변이가 자주 일어나기 때문이라는 내용을 포함하여 옳게 서술한 경우 | 100 |

## 7일 학교시험 기본 테스트 1회 54~57쪽

• **범위** | I. 생명 과학의 이해 ~ III. 항상성과 몸의 조절

**1** ④ **2** ① **3** ⑤ **4** (1) ⓐ, ㉠ (2) ㉠ **5** ② **6** ④ **7** ㄱ, ㄴ, ㄷ **8** ① **9** ③ **10** ① **11** ③ **12** ㄱ, ㄷ **13** 해설 참조 **14** ⑤ **15** ⑤ **16** ③ **17** 핵이 있는가? **18** ④ **19** ⑤ **20** ③

**1** 오답 풀이

• 학생 A: 식후에 인슐린이 분비되어 혈당량을 낮추는 것은 항상성을 유지하기 위한 것이다.

**2** ① 탐구를 설계할 때는 대조군을 설정하여 실험군과 비교해야 하며, 변인 통제를 적절히 하는 것이 중요하다.

오답 풀이

②와 ③은 가설 설정 단계, ④는 결론 도출 단계, ⑤는 관찰 단계와 관련된 설명이다.

**3** 오답 풀이

⑤ 시공간에서 물질의 운동, 그와 관련된 에너지나 힘을 연구하는 학문은 물리학이다.

**4** (1) ⓐ는 광합성, ⓑ는 세포 호흡이며, ㉠은 ADP와 무기 인산이 에너지를 흡수하여 ATP가 생성되는 과정, ㉡은 ATP가 ADP와 무기 인산으로 분해되는 과정이다. 동화 작용은 저분자 물질이 고분자 물질로 합성되는 과정이므로 ⓐ(광합성)와 ㉠이 동화 작용이다.

(2) 세포 호흡(ⓑ) 과정에서 발생한 에너지의 일부는 ATP에 저장된다.

**5** A는 폐포에서 모세 혈관으로 이동하고 있으므로 산소, B는 이산화 탄소이다. (가)는 폐포에서의 기체 교환, (나)는 조직 세포에서의 기체 교환을 나타낸 것이다. 폐포와 조직 세포에서의 기체 교환의 원리는 기체의 분압 차에 의한 확산으로 ATP가 사용되지 않는다.

오답 풀이

② 이산화 탄소의 농도는 폐포가 모세 혈관보다 낮다.

**6** ㄱ. 근육 조직은 지방 조직보다 에너지 소비량이 많아 몸에 근육량이 많아지면 기초 대사량이 증가한다.

ㄴ. 활동 대사량은 기초 대사량 외에 신체 활동을 하는 데 필요한 에너지양이다. 따라서 계단 오르기 등 일상생활에서의 활동은 활동 대사량에 포함된다.

오답 풀이

ㄷ. 균형 잡힌 식사 요법이란 에너지 소비량과 에너지 섭취량 사이에 균형을 유지하는 것이다.

**7** A는 뉴런의 축삭 돌기가 말이집으로 싸여 있으므로 말이집 신경, B는 축삭 돌기가 말이집으로 싸여 있지 않으므로 민말이집 신경이다.

ㄱ, ㄷ. 말이집 신경은 랑비에 결절에서만 활동 전위가 형성되는 도약 전도가 일어나 흥분 전도 속도가 민말이집 신경보다 빠르다.

ㄴ. 한 뉴런의 축삭 돌기 말단과 다음 뉴런은 약 20 nm의 좁은 간격을 두고 접해 있는데, 이 접합 부위를 시냅스라고 한다. 그림에서 A와 B는 시냅스를 형성하고 있다.

**8** ② B는 탈분극 구간으로 역치 이상의 자극을 받아 $Na^+$ 통로가 열려 $Na^+$이 세포 안으로 유입된다.
③ C는 재분극 구간으로 $K^+$이 세포 밖으로 확산된다.
④ D는 분극 상태로 $Na^+-K^+$ 펌프에 의해 $Na^+$이 세포 밖으로 이동하고 있으므로 $Na^+$ 농도는 세포 안보다 밖이 더 높다.
⑤ A 구간에서는 $K^+$ 통로가 대부분 닫혀 있고, C(재분극) 구간에서는 $K^+$ 통로가 대부분 열리므로 $K^+$의 세포막 투과도는 A에서보다 C에서 더 크다.

오답 풀이
① A에서는 $Na^+-K^+$ 펌프에 의해 $K^+$이 세포 안으로 이동하고, $Na^+$이 세포 밖으로 이동한다.

**9** 오답 풀이
• 학생 C: 신경 전달 물질(아세틸콜린)이 시냅스 이후 뉴런의 세포막에 있는 수용체에 결합하면 $Na^+$ 통로(㉠)가 열리면서 $Na^+$이 유입되어 탈분극된다.

**10** ㄱ. $Na^+-K^+$ 펌프는 ATP를 소모하여 농도가 낮은 쪽에서 높은 쪽으로 이온을 이동시킨다.

오답 풀이
ㄴ. C는 $Na^+-K^+$ 펌프로, 자극을 받지 않은 상태에서도 작동한다.
ㄷ. $Na^+$ 통로를 통해 $Na^+$은 세포 안으로 이동한다.

**11** ③ 근육이 수축해도 마이오신 필라멘트의 길이는 달라지지 않으므로 A대의 길이는 변하지 않는다.

오답 풀이
① ㉠은 액틴 필라멘트이다.
② A대의 길이는 마이오신 필라멘트의 길이와 같다.
④ (나)는 근육이 이완하는 과정이다.
⑤ 근육이 수축하면 근육 원섬유 마디의 길이는 짧아진다.

**12** ㄱ, ㄷ. A는 후근을 구성하는 감각 신경, B는 전근을 구성하는 운동 신경, C는 척수의 연합 신경, D는 오금근이다. 다리가 올라갈 때 D는 이완한다.

오답 풀이
ㄴ. 운동 신경은 말초 신경계에 속하지만, 척수의 연합 신경은 중추 신경계에 속한다.

**13** 모범 답안 **㉡은 세포독성 T림프구이며, 병원체에 감염된 세포를 직접 파괴한다.**
세포독성 T림프구는 세포성 면역을 담당하며, B 림프구는 체액성 면역을 담당한다. 항원을 인식하고 세포독성 T림프구와 B 림프구를 활성화시키는 ㉠은 보조 T 림프구이다.

| 채점 기준 | 배점(%) |
| --- | --- |
| ㉡에 해당하는 세포 이름과 역할을 모두 옳게 서술한 경우 | 100 |
| ㉡의 이름만 옳게 쓴 경우 | 50 |
| ㉡의 역할만 옳게 서술한 경우 | 50 |

**14** A는 감각 신경, B는 부교감 신경, C는 교감 신경, D는 운동 신경이다.

오답 풀이
ㄱ. 부교감 신경은 대뇌의 직접적인 지배를 받지 않는 자율 신경계에 속한다.

**15** 오답 풀이
ㄱ. A는 ㉡ 과정을 촉진하는 글루카곤, B는 ㉠ 과정을 촉진하는 인슐린이다.

**16** 오답 풀이
③ 추울 때는 피부 근처 모세 혈관이 수축하여 열 발산량이 줄어든다.

**17** 세균, 곰팡이, 바이러스 중 세포 구조가 아닌 것은 바이러스이므로 B는 바이러스이다. 세균은 핵이 없는 원핵생물이고, 곰팡이는 다세포 진핵생물이므로 (가)에는 '핵이 있는가?'가 해당된다.

**18** 아버지는 A형, 철수는 O형, 여동생은 AB형이므로 어머니는 B형이다.

오답 풀이
ㄷ. AB형인 여동생의 혈장에는 응집소가 없으므로 아버지의 혈구와 응집 반응을 하지 않는다.

**19** ㄱ. ㉠은 보조 T 림프구, ㉡은 B 림프구이다. (가)는 비특이적 방어 작용에 해당하는 식균 작용이다.
ㄴ. 대식세포로부터 항원을 제시받아 B 림프구의 분화를 돕는 ㉠은 보조 T 림프구이다.
ㄷ. 형질 세포로 분화하는 ㉡은 골수에서 생성 및 성숙하는 B 림프구이다.

**20** ㄱ. 1차 면역 반응에서 B 림프구 중 일부가 기억 세포가 되므로 Ⅰ에는 항원 X에 대한 기억 세포가 존재한다.
ㄷ. 특정 항원에 특이적으로 반응하는 림프구가 항원의 종류를 인식하고 증식하므로 항체 X와 Y는 각기 다른 형질 세포에서 생성된다.

오답 풀이
ㄴ. Ⅱ에서 항원 X에 대한 기억 세포가 형질 세포로 빠르게 분화해 다량의 항체를 생성하여 항원을 제거한다.

## 7일 학교시험 기본 테스트 2회 58~61쪽

• 범위 | I. 생명 과학의 이해 ~ III. 항상성과 몸의 조절

**1** A, B **2** ⑤ **3** 해설 참조 **4** ③ **5** ③ **6** ⑤
**7** ㄴ, ㄷ **8** ③ **9** (1) 확산 (2) $K^+$ 통로 (3) $Na^+-K^+$ 펌프
**10** $d_2$ **11** ㄴ **12** ③ **13** 해설 참조 **14** ㄴ
**15** ㄱ, ㄴ **16** ㄴ, ㄷ **17** A **18** ④ **19** ① **20** ④

**1** 오답 풀이

• 학생 C: 생명 과학은 아주 짧은 시간 동안 일어나는 일부터 수십억 년에 걸쳐 일어나는 일까지 연구 대상이 된다.

**2** 바이러스는 효소가 없어 스스로 물질대사를 할 수 없으나 핵산을 가지고 있어 숙주 세포 내에서 숙주의 효소를 이용하여 증식할 수 있다.

**3** 모범 답안 (가)는 작은 분자로부터 큰 분자가 합성되는 동화 작용이며, (나)는 큰 분자가 작은 분자로 분해되는 이화 작용이다. (가)는 에너지를 흡수하는 흡열 반응이고, (나)는 에너지를 방출하는 발열 반응이다.

| 채점 기준 | 배점(%) |
|---|---|
| 두 가지 모두 옳게 서술한 경우 | 100 |
| 한 가지만 옳게 서술한 경우 | 50 |

**4** 조작 변인은 식물에 주는 물의 양이고, 통제 변인은 물의 양을 제외하고 식물의 생장에 영향을 줄 수 있는 모든 요인이다. 그러므로 통제 변인은 빛의 세기, 온도, 식물의 크기와 종류, 식물에 주는 비료의 양 등이다.

**5** (가)는 소화계, (나)는 호흡계, (다)는 배설계이다.
ㄱ. 물질 A는 단백질이다. 단백질은 질소 성분을 포함한다.
ㄴ. 동화 작용과 이화 작용은 물질대사이다. 물질대사는 모든 기관계에서 일어난다. 소화계에서는 소화와 같은 이화 작용이 일어날 뿐 아니라 소화 효소 합성과 같은 동화 작용도 일어난다.

오답 풀이
ㄷ. 호흡계에서의 기체 교환은 기체 분압 차에 의한 확산에 의해 일어나는 것으로 ATP가 사용되지 않는다.

**6** ①, ② 3대 영양소는 공통적으로 탄소(C), 수소(H), 산소(O)를 포함하므로 세포 호흡에 의해 분해되면 이산화 탄소($CO_2$)와 물($H_2O$)이 생성된다. 이산화 탄소는 폐를 통해 방출되고, 물은 폐와 콩팥을 통해 나가므로, A는 이산화 탄소이고, B는 물이다.
③ C는 암모니아($NH_3$)로부터 전환된 요소이며, 요소의 합성은 간에서 일어난다.
④ 단백질의 소화 산물은 아미노산이다. 아미노산은 질소(N)를 가지고 있어 아미노산이 세포 호흡을 통해 분해될 때 질소 노폐물인 암모니아가 생성된다.

오답 풀이
⑤ 포도당이 분해되면 이산화 탄소와 물이 생성된다. 이산화 탄소는 폐를 통해 방출되고, 물은 주로 폐와 콩팥을 통해 몸 밖으로 나간다.

**7** ㄴ. 역치 이상의 자극이 주어지면 $Na^+$이 세포 안으로 확산되어 들어오므로 자극 이후 세포 내 농도가 증가하는 ㉡이 $Na^+$이고, ㉠은 $K^+$이다.
ㄷ. 탈분극일 때($t_1$)는 $Na^+$ 통로가 열리면서 ㉡($Na^+$)의 막 투과도가 높아지고, 재분극일 때($t_2$)는 $Na^+$ 통로가 닫히면서 $Na^+$의 막 투과도가 낮아진다.

오답 풀이
ㄱ. Ⅰ은 탈분극, Ⅱ는 재분극, Ⅲ은 분극 상태이다.

**8** ㄱ, ㄴ. (가)는 감각 뉴런으로 구심성 신경, (나)는 연합 뉴런, (다)는 운동 뉴런으로 원심성 뉴런이다. 원심성 뉴런과 구심성 뉴런은 모두 말초 신경계에 속한다.

오답 풀이
ㄷ. ㉠은 랑비에 결절, ㉡은 말이집으로, 말이집에서는 흥분이 전도되지 않는다.

**9** 탈분극일 때 열리는 $Na^+$ 통로와 재분극일 때 열리는 $K^+$ 통로를 통한 이온의 이동은 각각 농도가 높은 쪽에서 낮은 쪽으로 확산에 의해 이동한다. 이때 ATP는 사용되지 않는다. 분극일 때는 $Na^+-K^+$ 펌프가 ATP를 사용하여 $Na^+$과 $K^+$을 각각 농도 기울기에 역행하여 농도가 낮은 쪽에서 농도가 높은 쪽으로 이동시키는 능동 수송이 일어난다.

**10** 절연체인 말이집으로 둘러싸인 $d_1$과, 시냅스 이전 뉴런의 축삭 돌기인 $d_3$에서는 활동 전위가 발생하지 않는다.

**11** ㄴ. ⓐ일 때 X의 길이에서 A대의 길이를 빼면 2×㉠의 길이가 나온다. 2×㉠ $=$ X $-1.6=2.2-1.6=0.6$ ($\mu$m), 따라서 ㉠의 길이는 0.3 $\mu$m이다.

오답 풀이
ㄱ. X의 길이가 긴 ⓐ가 근육이 이완할 때이고, ⓑ는 근육이 수축할 때이다.
ㄷ. A대는 마이오신 필라멘트의 길이이므로 근육이 수축할 때나 이완할 때 모두 길이가 같다.

**12** ㄱ, ㄴ. 뇌줄기는 중간뇌, 뇌교, 연수로 구성된다. 따라서 C는 대뇌이다. 심장 박동의 중추는 연수이므로 A는 연수이고, B는 중간뇌로 홍채의 크기를 조절한다.

오답 풀이

ㄷ. 대뇌(C)의 겉질은 회색질이며, 속질은 백색질이다.

**13** 모범 답안 **중간뇌, X, Y가 흥분하면 동공은 축소된다.**

동공 반사의 중추는 중간뇌이다. X와 Y는 신경절 이전 뉴런의 길이가 긴 것으로 보아 부교감 신경이다. 따라서 X와 Y가 흥분하면 동공은 축소된다.

| 채점 기준 | 배점(%) |
|---|---|
| 뇌의 부위와 동공의 반응을 모두 옳게 서술한 경우 | 100 |
| 동공의 반응만 옳게 서술한 경우 | 60 |
| 뇌의 부위만 옳게 쓴 경우 | 30 |

**14** ㄴ. (나) 알츠하이머병은 대뇌의 뉴런이 파괴되어 뇌 조직이 오므라들면서 지적 기능이 퇴화되는 중추 신경계 질환이다. 초기에는 기억력이 상실되며, 질환이 진행되면서 감정 변화가 심해지고, 방향 감각 장애, 우울증, 인지 장애 등이 나타난다.

오답 풀이

ㄱ. (가) 파킨슨병은 뇌에서 도파민을 분비하는 뉴런의 파괴에 의한 중추 신경계 질환이다. 질환이 진행되면서 온몸이 굳으며 통증이 나타나고 운동 장애가 나타난다.

ㄷ. (다) 근위축성 측삭 경화증은 운동 신경이 선택적으로 파괴되면서 발생하는 말초 신경계 질환으로, 루게릭병이라고도 한다. 질환이 진행되면서 기침, 호흡 곤란, 근육 약화, 근육 강직 등이 나타난다.

**15** 더울 때는 (가)와 같이 모세 혈관이 확장되어 열 발산량을 늘리고, 추울 때는 (나)와 같이 모세 혈관이 수축되어 열 발산량을 줄인다.

ㄱ. 더울 때는 땀 분비가 증가한다. 땀 속의 물이 증발하면서 피부의 열을 빼앗아가 체온을 낮춘다.

ㄴ. 추울 때는 티록신과 에피네프린의 분비가 증가하여 간과 근육에서의 물질대사가 촉진되어 열 발생량이 증가한다.

오답 풀이

ㄷ. 피부 근처 모세 혈관을 통해 흐르는 혈액의 양은 (가)에서보다 (나)에서가 많으므로, 피부 표면을 통한 열 발산량도 (가)에서가 (나)에서보다 많다.

**16** ㄴ, ㄷ. 갑상샘을 제거하거나 아이오딘이 부족하면 티록신이 분비되지 않아 ㉠과 ㉡이 계속 분비되어 혈중 농도가 높아진다.

오답 풀이

ㄱ. 호르몬 ㉠은 TRH(갑상샘 자극 호르몬 방출 호르몬)이고, 호르몬 ㉡이 TSH(갑상샘 자극 호르몬)이다.

**17** 오답 풀이

• 학생 B: 대식세포는 세균을 잡아먹은 후 세포내 소화를 한다.

• 학생 C: 염증 반응은 비특이적 방어 작용에 해당한다.

**18** 오답 풀이

④ 병원체 A에 대한 백신을 접종받으면 A에 대한 기억 세포가 생성되지만 B에 대한 기억 세포는 생성되지 않는다. 따라서 병원체 A에 대한 백신을 접종받는다고 해서 병원체 B에 대한 질병을 예방할 수 있는 것은 아니다.

**19** ㄱ. 식균 작용은 비특이적 방어 작용이다.

오답 풀이

ㄴ. ㉡은 모세 혈관을 확장시키는 히스타민이다.

ㄷ. 염증 반응이 일어나는 과정은 (다) → (가) → (나)이다. 손상된 조직 주변에 있는 비만 세포에서 히스타민을 분비해 모세 혈관을 확장시키면 혈류량이 증가하고 백혈구(대식세포)가 세균에 접근하여 식균 작용을 할 수 있다.

**20** ㄴ. 골수에서 생성되어 가슴샘에서 성숙한 세포 (가)는 T 림프구로, 일부는 세균에 감염된 세포를 직접 제거하는 세포독성 T림프구로 분화한다.

ㄷ. 골수에서 생성, 성숙한 세포 (나)는 B 림프구로, 항체를 생성하는 형질 세포와 항원의 정보를 저장하는 기억 세포로 분화한다.

오답 풀이

ㄱ. 형질 세포로 분화하는 것은 세포 (나)(B 림프구)이다.

# 중학에 나오는 과학 용어 풀이

## 01 단세포 | 하나 單, 가늘 細, 세포 胞 | 생물

몸이 한 개의 □로 이루어져 있는 생물

예 아메바, 유글레나, 대장균, 짚신벌레

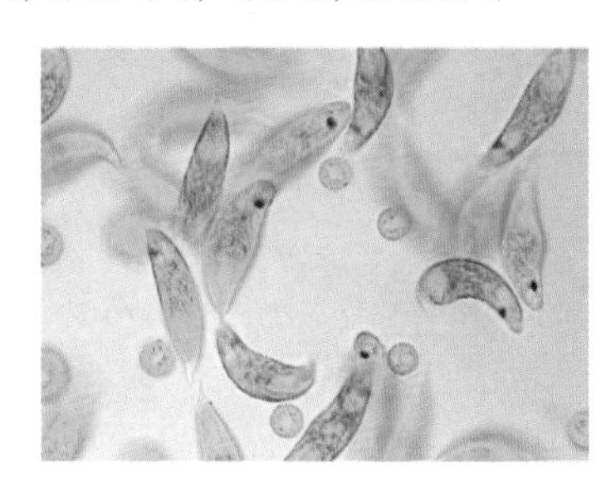

유글레나

답 세포

예1 모든 생물은 세포로 구성되어 있으며, 단세포 생물과 다세포 생물로 구분된다.

예2 단세포 생물은 세포가 하나의 개체가 되며, 세포 분열은 곧 자손을 번식시키는 생식이다.

## 02 적응 | 맞을 適, 응할 應

생물이 오랜 시간에 걸쳐 □에 맞추어 몸의 구조와 기능, 형태, 습성 등이 변화하는 현상

갈라파고스 군도의 핀치새

답 환경

예1 갈라파고스 군도의 핀치는 먹이 종류에 따라 서로 다른 모양의 부리를 갖도록 적응하였다.

예2 사막의 선인장은 건조한 환경에 적응하여 잎이 가시로 변했다.

## 03 광합성 | 빛 光, 합할 合, 이룰 成

식물이 ❶□에너지를 이용하여 엽록체에서 물과 ❷□를 원료로 양분(포도당)을 만드는 과정

엽록체

물 + 이산화 탄소 → 포도당 + 산소

빛에너지

물 + 이산화 탄소 → 포도당 + 산소

답 ❶ 빛 ❷ 이산화 탄소

예1 광합성에 필요한 요소에는 물, 이산화 탄소와 빛에너지가 있다.

예2 광합성 결과 생성되는 물질은 포도당과 산소이다.

## 04 세포 호흡 | 가늘 細, 세포 胞, 내쉴 呼, 들이쉴 吸

세포에서 ❶□를 이용해서 양분(포도당)을 분해하여 생명 활동에 필요한 ❷□를 얻는 과정

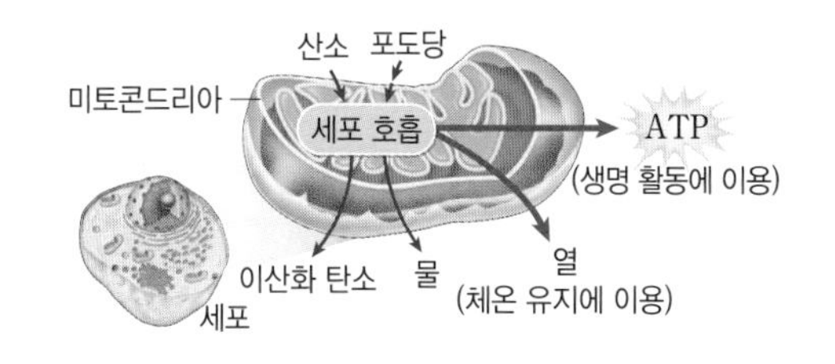


답 ❶ 산소 ❷ 에너지

예1 포도당이 산소와 반응하여 이산화 탄소와 물로 분해되면서 에너지가 방출된다.

예2 세포 호흡은 살아 있는 모든 세포의 미토콘드리아에서 일어난다.

과학 용어

# 중학에 나오는 과학 용어 풀이

## 05 발열 반응 일어날 發, 더울 熱, 돌이킬 反, 응할 應

열이나 에너지를 ☐하면서 일어나는 화학 반응

답 방출

예1 고분자 물질을 저분자 물질로 분해하는 이화 작용은 에너지가 방출되는 발열 반응이다.

예2 이화 작용에는 세포 호흡, 소화, 글리코젠이 포도당으로 분해되는 작용 등이 있다.

## 06 흡열 반응 들이쉴 吸, 더울 熱, 돌이킬 反, 응할 應

주위의 열이나 에너지를 ☐하여 일어나는 화학 반응

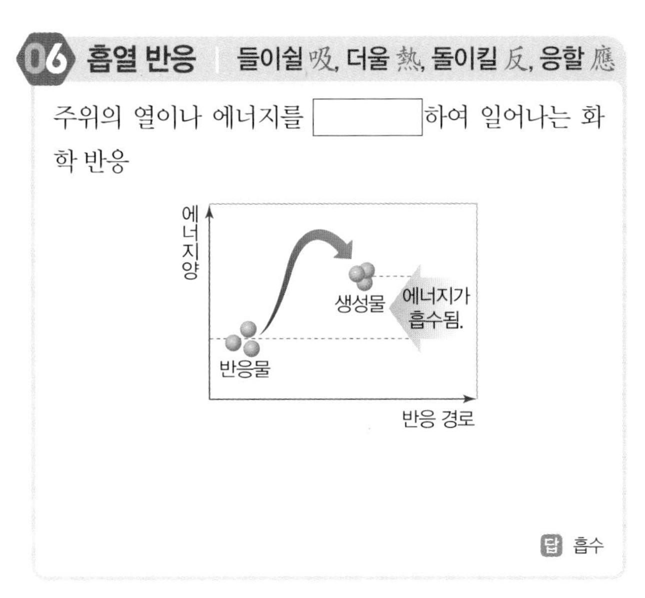


답 흡수

예1 저분자 물질을 고분자 물질로 합성하는 동화 작용은 에너지가 흡수되는 흡열 반응이다.

예2 동화 작용에는 광합성, 단백질 합성, 포도당이 글리코젠으로 합성되는 작용 등이 있다.

## 07 소화 사라질 消, 될 化

음식물 속 영양소를 ☐을 통과할 수 있는 작은 크기의 영양소로 분해하는 과정

답 세포막

예1 음식물 속의 단백질, 탄수화물, 지방과 같은 영양소는 너무 커서 세포막을 통과할 수 없으므로 체내로 흡수되기 위해서는 소화 과정을 거쳐 세포막을 통과할 수 있는 크기의 영양소로 분해되어야 한다.

## 08 폐순환 허파 肺, 돌 循, 고리 環

심장에서 나온 혈액이 폐를 지나면서 ❶☐를 내보내고 ❷☐를 얻어 심장으로 돌아오는 과정

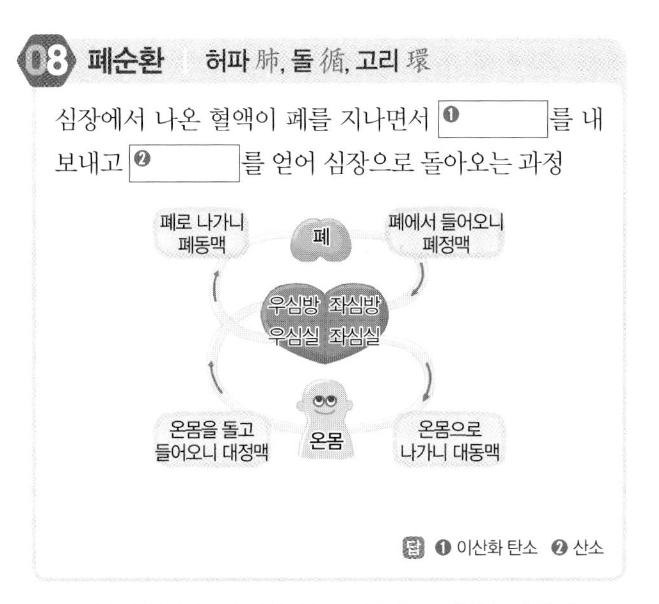


답 ❶ 이산화 탄소 ❷ 산소

예1 폐순환의 경로는 우심실 → 폐동맥 → 폐의 모세 혈관 → 폐정맥 → 좌심방이다.

예2 폐에서 산소를 받아 산소가 많은 혈액을 동맥혈이라고 한다.

## 09 기체 교환 | 기운 氣, 몸 體, 사귈 交, 바꿀 換

폐포와 모세 혈관, 조직 세포와 모세 혈관 사이에서는 [ ]와 이산화 탄소의 교환이 일어난다.

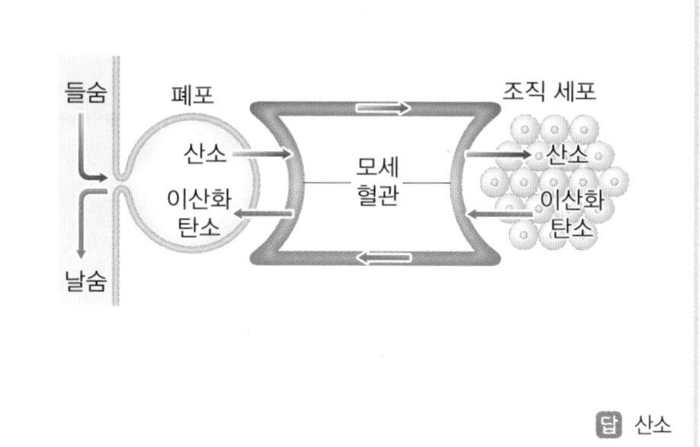


답 산소

예1 폐에서 산소는 폐포에서 모세 혈관으로, 이산화 탄소는 모세 혈관에서 폐포 쪽으로 이동한다.

예2 조직 세포에서 산소는 모세 혈관에서 조직 세포로, 이산화 탄소는 조직 세포에서 모세 혈관으로 이동한다.

## 10 확산 | 넓힐 擴, 흩을 散

물질을 이루는 입자가 농도가 ❶[ ] 쪽에서 농도가 ❷[ ] 쪽으로 스스로 운동하여 퍼져 나가는 현상

답 ❶ 높은 ❷ 낮은

예1 물속에 잉크를 떨어뜨리면 잉크가 물 전체로 퍼진다.

예2 폐포와 조직 세포에서는 기체의 분압 차에 의한 확산에 의해 산소와 이산화 탄소의 교환이 일어난다.

## 11 배설 | 밀칠 排, 샐 泄

세포에서 영양소가 분해되면서 만들어진 [ ]을 몸 밖으로 내보내는 작용

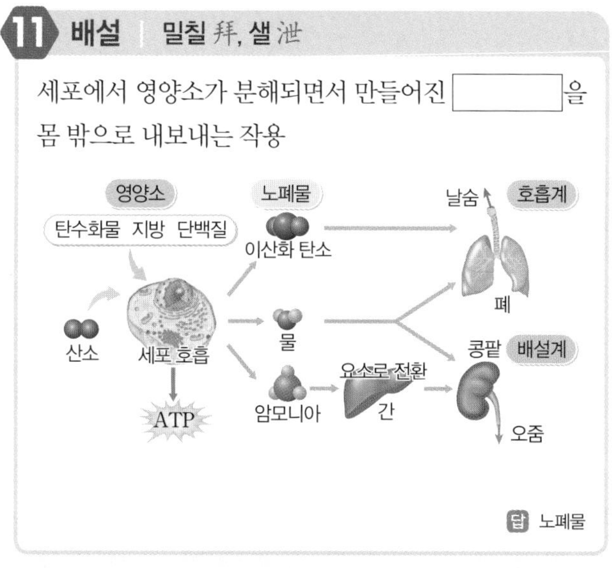


답 노폐물

예1 단백질이 분해될 때 생성된 암모니아는 간에서 요소로 전환된 후 콩팥에서 오줌을 통해 배설된다.

예2 배설 기관에는 콩팥, 오줌관, 방광, 요도 등이 있다.

## 12 뉴런(neuron)

신경계를 구성하는 [ ] 세포

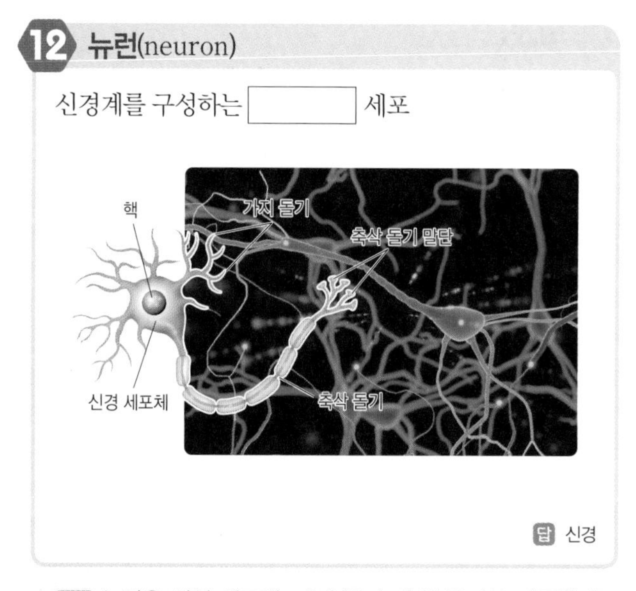


답 신경

예1 뉴런은 신경 세포체, 가지 돌기, 축삭 돌기로 이루어져 있다.

예2 뉴런은 기능에 따라 감각 뉴런, 연합 뉴런, 운동 뉴런으로 구분한다.

과학 용어

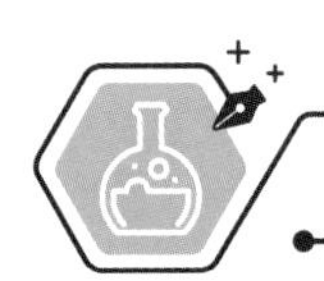

# 중학에 나오는 과학 용어 풀이

## 13 말초 끝 末, 나뭇가지 끝 梢 신경계

중추 신경계에서 뻗어 나와 [ ]에 퍼져 있는 신경



답 온몸

예1 사람의 신경계는 중추 신경계와 말초 신경계로 구분된다.

예2 중추 신경계는 뇌와 척수로 이루어져 있고, 말초 신경계는 감각 신경과 운동 신경으로 이루어져 있다.

## 14 체성 몸 體, 바탕 性 신경

대뇌의 명령을 팔이나 다리 등의 [ ]으로 전달하여 몸을 움직이는 데 관여하는 신경

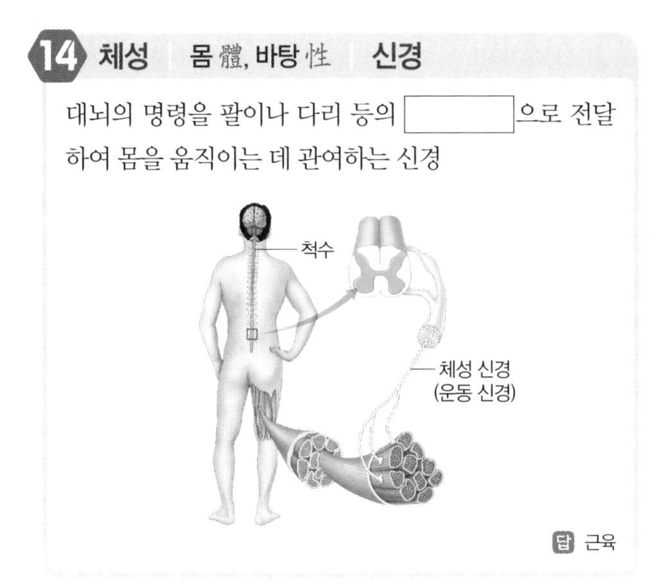


답 근육

예1 체성 신경은 대뇌에서 내린 명령을 운동 기관으로 전달하는 운동 신경으로 구성된다.

예2 체성 신경은 하나의 뉴런으로 되어 있다.

## 15 척수 등마루 脊, 골수 髓

뇌와 [ ] 신경 사이에서 신호를 전달하는 통로 역할을 하는 중추 신경

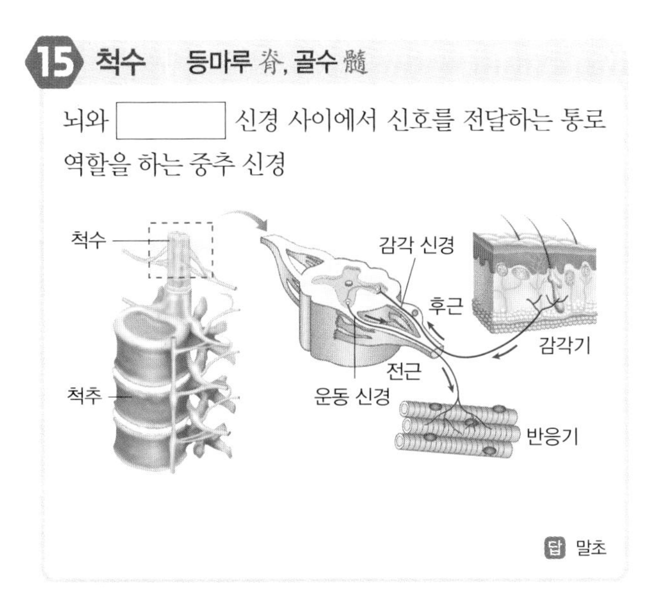


답 말초

예1 척수의 등 쪽으로는 감각 신경 다발이 배열되어 감각 기관에서 받아들인 자극을 뇌로 전달한다.

예2 척수의 배 쪽으로는 운동 신경 다발이 배열되어 뇌에서 보낸 신호를 반응 기관으로 전달한다.

## 16 의식 뜻 意, 알 識 적인 반응

대뇌의 판단과 그에 따른 [ ]에 의해 일어나는 반응

나비를 잡으려고 손을 뻗는다. 가시에 찔려 급히 손을 뗀다.

답 명령

예1 반응 경로: 자극 → 감각기 → 감각 신경 → 중추 신경(대뇌) → 운동 신경 → 반응기 → 반응

예2 신호등을 보고 건널목을 건너는 것이나 손이 시려 주머니에 손을 넣는 것 등은 의식적인 반응이다.

## 17 무조건 반사

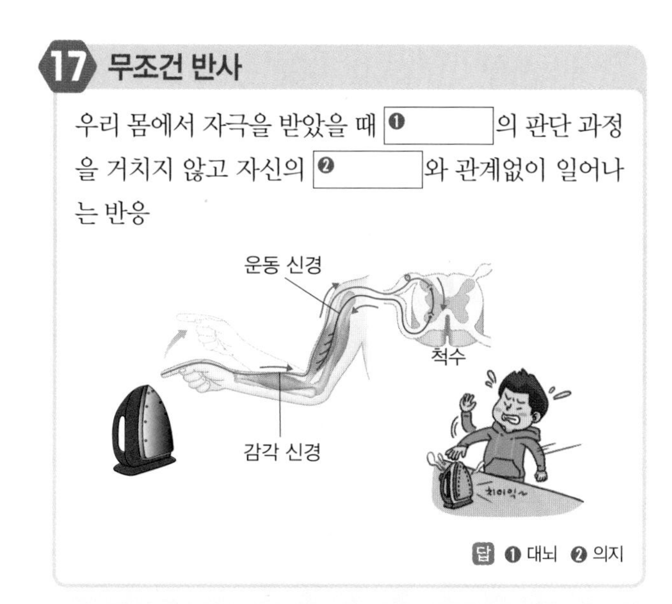

우리 몸에서 자극을 받았을 때 ❶ ______ 의 판단 과정을 거치지 않고 자신의 ❷ ______ 와 관계없이 일어나는 반응



답 ❶ 대뇌 ❷ 의지

예 1 무조건 반사는 대뇌를 거치지 않아 반응 경로가 짧다.

예 2 무조건 반사는 반응이 빠르게 일어나기 때문에 위험한 상황에서 우리 몸을 보호하는 데 중요한 역할을 한다.

## 18 호르몬(hormone)

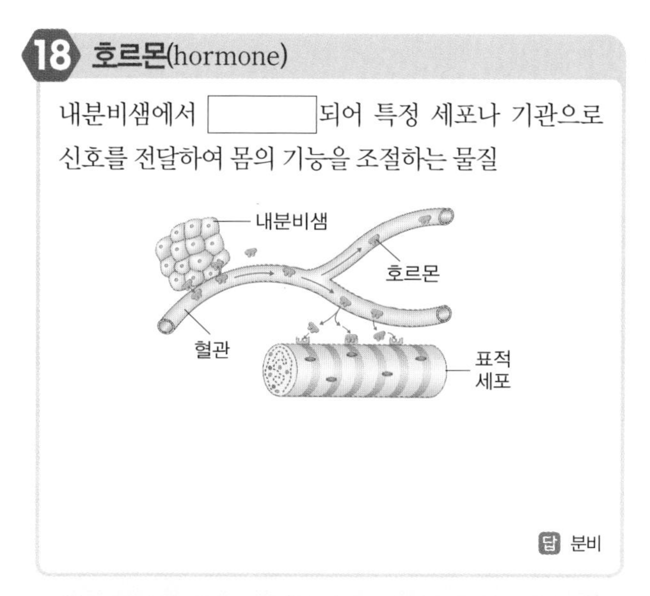

내분비샘에서 ______ 되어 특정 세포나 기관으로 신호를 전달하여 몸의 기능을 조절하는 물질



답 분비

예 1 호르몬은 특정 수용체를 가진 표적 세포 혹은 표적 기관에만 작용한다.

예 2 호르몬은 미량으로 생리 작용을 조절하며 부족하면 결핍증이, 많으면 과다증이 나타난다.

## 19 음성 피드백

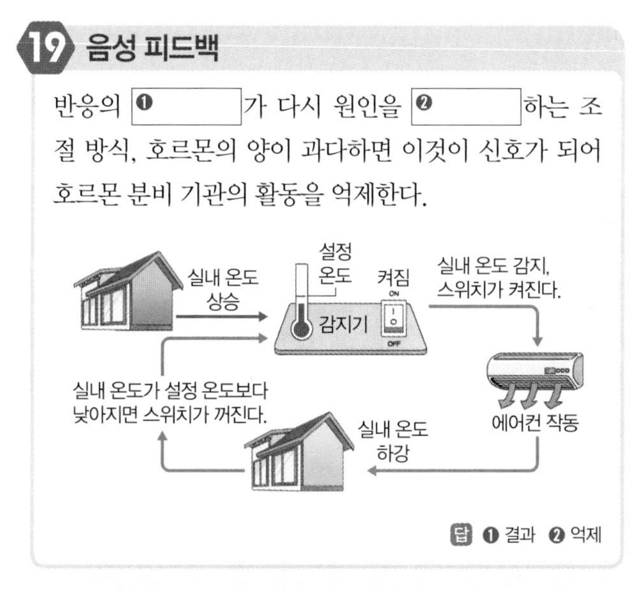

반응의 ❶ ______ 가 다시 원인을 ❷ ______ 하는 조절 방식, 호르몬의 양이 과다하면 이것이 신호가 되어 호르몬 분비 기관의 활동을 억제한다.



답 ❶ 결과 ❷ 억제

예 1 자동 온도 조절 장치는 설정 온도보다 실내 온도가 높아지면 감지기가 이를 감지하여 실내 온도를 낮추고, 실내 온도가 설정 온도보다 낮아지면 실내 온도를 높이는 음성 피드백으로 실내 온도를 일정하게 유지한다.

## 20 항상성 | 항상 恒, 항상 常, 성질 性

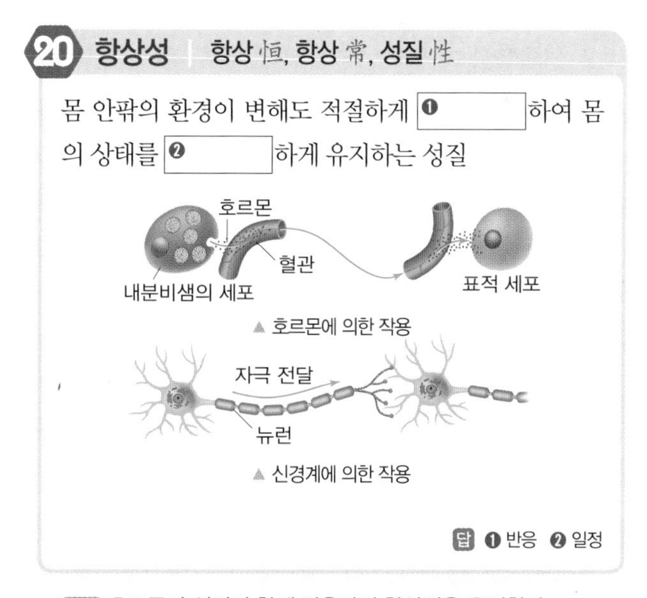

몸 안팎의 환경이 변해도 적절하게 ❶ ______ 하여 몸의 상태를 ❷ ______ 하게 유지하는 성질



▲ 호르몬에 의한 작용

▲ 신경계에 의한 작용

답 ❶ 반응 ❷ 일정

예 1 호르몬과 신경이 함께 작용하여 항상성을 유지한다.

예 2 우리 몸 내부에서 항상 일정하게 조절되는 것에는 체온, 혈당량, 수분량, 혈압, 혈액 내의 산성도(pH) 등이 있다.

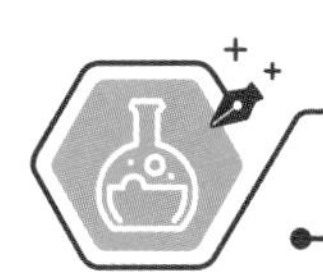



## 21 혈당량 | 피 血, 사탕 糖, 헤아릴 量

혈액 속에 포함되어 있는 [        ]의 양으로, 정상인은 약 0.1 %(약 100 mg/100 mL)로 유지된다.

혈당량 감소
정상 혈당량 → 혈당량 변화 → 이자 → 인슐린 / 글루카곤 → 간
혈당량 증가

답 포도당

예1 이자에서 분비하는 호르몬인 인슐린과 글루카곤의 작용으로 혈당량이 일정하게 유지된다.

예2 인슐린은 이자의 $\beta$세포에서 분비되며, 글루카곤은 이자의 $\alpha$세포에서 분비된다.

## 22 원핵생물 | 근원 原, 씨 核, 날 生, 만물 物

핵막이 없어 뚜렷한 [        ]이 없는 원핵세포로 이루어져 있는 단세포 생물

예 대장균, 폐렴균, 젖산균, 남세균

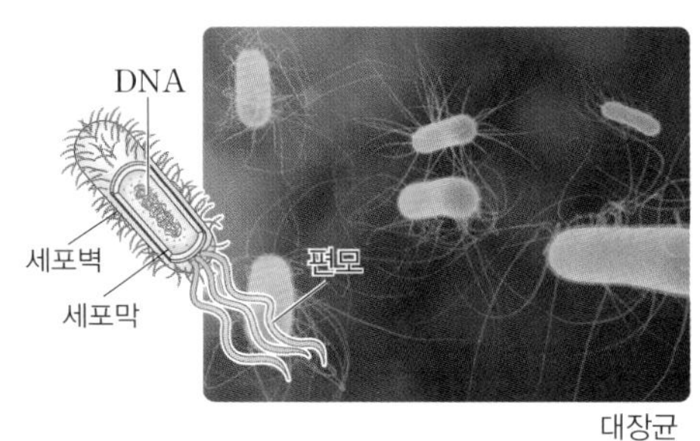


답 핵

예1 원핵생물은 유전 물질로 하나의 큰 DNA가 세포질에 퍼져 있으며, 효소가 있어 스스로 물질대사를 한다.

예2 몸속에 침입하여 빠르게 증식하거나 증식 과정에서 독소를 분비하여 생물 조직을 파괴시켜 질병을 일으킨다.

## 23 진핵생물 | 참 眞, 씨 核, 날 生, 만물 物

핵막으로 구분된 뚜렷한 [        ]이 있는 진핵세포로 이루어진 생물

예 원생생물계, 식물계, 균계, 동물계의 생물

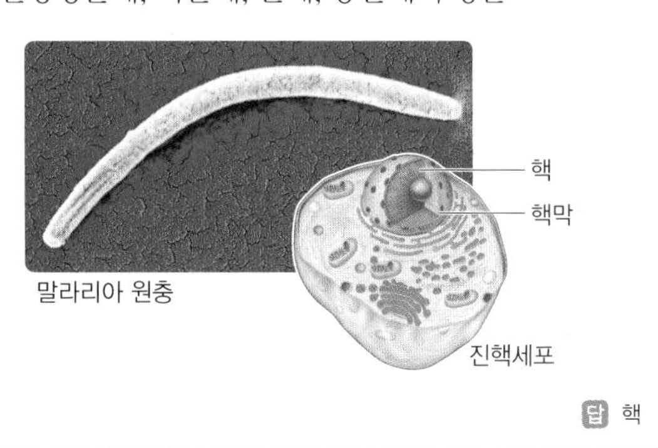


답 핵

예1 진핵생물 병원체에는 원생생물이나 곰팡이 등이 있다.

예2 말라리아를 일으키는 말라리아 원충은 모기를 매개로 사람에게 전파되며, 무좀은 곰팡이에 감염되어 발생한다.

## 24 혈장 | 피 血, 즙 漿

혈액에서 [        ]를 제외한 나머지 성분(혈액의 액체 성분)

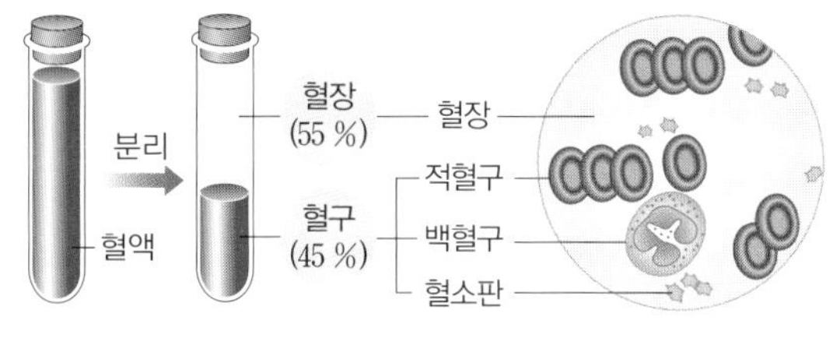


답 혈구

예1 혈액은 약 55 %의 혈장과 약 45 %의 혈구로 구성된다.

예2 혈장은 대부분 물이며 혈장 단백질이 일부 녹아 있고, 포도당, 무기 염류 등의 영양소를 세포로 전달하고, 세포에서 이산화 탄소와 노폐물을 받아서 운반한다.

## 핵심 정리 01 생물의 특성

### 생물의 특성

- 구조적 기능적 단위인 ❶ [    ] 로 구성되어 있다.
- 물질대사를 하여 필요한 물질 합성 및 에너지를 얻는다.
- 자극에 대해 적절히 반응한다.
- 외부 환경이 변하더라도 체내 상태를 일정하게 유지하려는 항상성이 있다.
- 하나의 수정란에서 발생하고 ❷ [    ]하여 성체가 된다.
- 생식과 유전을 통해 어버이의 형질을 닮은 자손을 남겨 종족을 유지한다.
- 환경에 적응하고, 적응 과정이 누적되어 진화한다.

### 바이러스의 특성

세균보다 크기가 작고, 단백질과 핵산으로 구성되며, 효소가 없어 살아 있는 숙주 세포 내에서만 물질대사와 증식이 가능하다. 증식 과정에서 돌연변이가 나타난다.

답 ❶ 세포 ❷ 생장

## 핵심 정리 02 생명 과학의 특성

### 생명 과학의 특성

- **생명 과학:** 생명체와 생명 현상을 탐구하여 생명의 본질을 밝히고, 이를 인류의 생존과 ❶ [    ]에 응용하는 종합적인 학문
- **생명 과학의 연구 대상:** 생물의 기원, 구조와 기능, 생식과 유전, 분류 및 분포 등을 분자 수준에서 생태계까지 다양한 범위에서 연구한다.
- **생명 과학의 통합적 특성:** 물리학, 화학 등과 연계되어 생화학, 생물 물리학 등의 통합적 학문으로 발달하였고, 현대는 컴퓨터 공학, 정보 기술 등과 연계되어 생물 정보학, 생물 기계 공학, 생물 통계학 등이 ❷ [    ]으로 발달하고 있다.

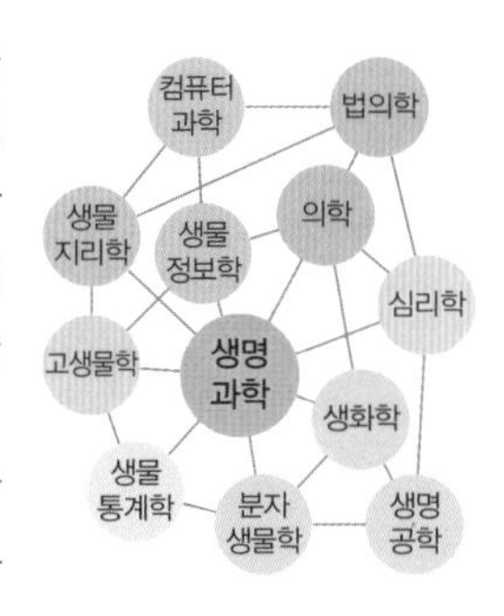


답 ❶ 복지 ❷ 통합적

## 핵심 정리 03 생명 과학의 탐구 방법

### 귀납적 탐구 방법

- 자연 현상을 관찰하여 얻은 자료를 종합하고 분석하는 과정에서 규칙성을 발견하여 일반적인 원리나 법칙을 이끌어 내는 탐구 방법

자연 현상 관찰 ▸ 관찰 주제 선정 ▸ 관찰 방법 고안 ▸ 관찰 수행 ▸ 규칙성 발견 및 결론 도출

### 연역적 탐구 방법

- 자연 현상에서 문제를 인식하고 가설(관찰을 통해 인식한 문제를 해결하기 위한 잠정적인 답)을 세워 이를 실험적으로 검증하는 탐구 방법

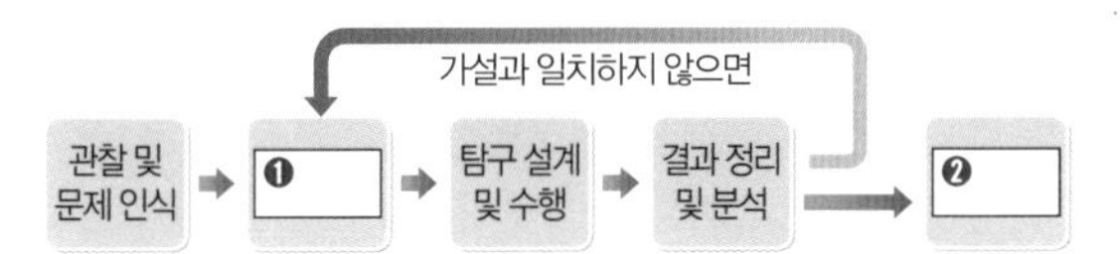


- 실험 결과의 타당성을 높이기 위해 대조 실험과 변인 통제를 해야 한다.

답 ❶ 가설 설정 ❷ 결론 도출

## 핵심 정리 04 생명 활동과 물질대사

- **물질대사:** 생명체에서 일어나는 모든 ❶ [    ] 반응
- **동화 작용:** 저분자 물질을 고분자 물질로 합성하는 과정
- **이화 작용:** 고분자 물질을 저분자 물질로 분해하는 과정

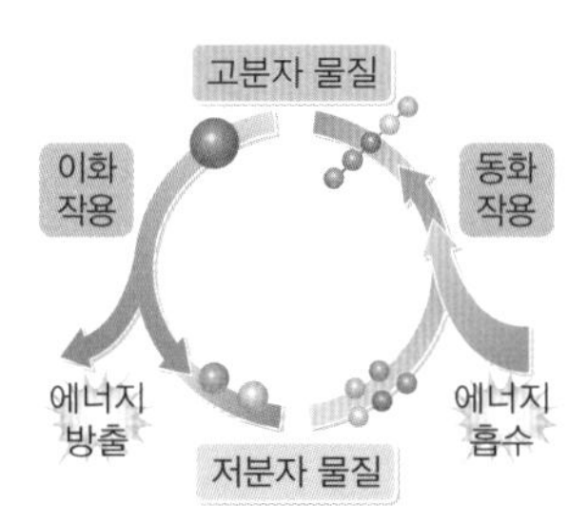


- **세포 호흡:** 세포에서 영양소를 분해하여 에너지를 얻는 과정
- **ATP:** ATP가 ❷ [    ]와 무기 인산($P_i$)으로 분해되면서 에너지가 방출되고, 이때 방출된 에너지는 다양한 생명 활동에 이용된다.

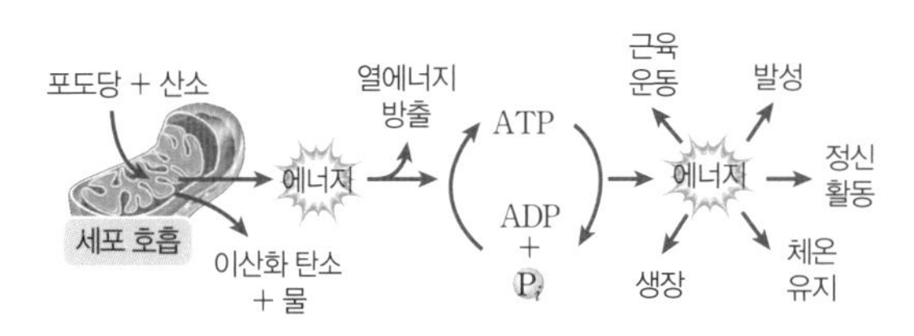


답 ❶ 화학 ❷ ADP

## 01 이것만은 꼭! 생물의 특성

예제 다음은 생물의 특성에 대한 예이다.

> 짚신벌레를 농도가 높은 곳에 넣으면 수축포의 수축 횟수가 점점 줄어들어 체액의 삼투압을 유지한다.

이 자료에 나타난 생물의 특성과 관련이 깊은 것은?

① 미모사에 손을 대면 잎이 접힌다.
✓② 추울 때는 근육이 떨리면서 열이 발생한다.
③ 식물은 빛에너지를 흡수하여 양분을 합성한다.
④ 수정란이 세포 분열을 거쳐 완전한 개체가 된다.
⑤ 초식 동물의 소화관 길이는 비슷한 몸집을 가진 육식 동물의 소화관 길이보다 길다.

★기억해요!

생물은 ______이 변하더라도 체온, 삼투압, 혈당량 등의 체내 상태를 일정하게 유지하려는 ______이 있다.

답 환경, 항상성

## 02 이것만은 꼭! 생명 과학의 특성

예제 생명 과학에 대한 설명으로 옳지 않은 것은?

① 정보 기술은 생물학에 활용되어 생물 정보학으로 확대되었다.
② 생명 과학은 다른 학문 분야와 영향을 주고받으며 통합적으로 발달하고 있다.
③ 컴퓨터 과학의 발달은 생물의 유전체를 빠르고 쉽게 분석할 수 있도록 하였다.
④ 생명 과학은 연구 성과를 인류의 생존과 복지에 응용하는 종합적인 학문이다.
✓⑤ 생명 과학의 성과는 여러 학문 분야와 연계되어 발달하면서 학문 간의 경계가 강화되고 있다.

★기억해요!

생명 과학의 성과는 공학 기술과 결합하여 농업, 의·약학 등 다양한 분야에 활용되며, 또한, 다른 과학 분야의 연구 성과와 연계하여 발전하면서 ______ 학문으로 발달하였다.

답 통합적

## 03 이것만은 꼭! 생명 과학의 탐구 방법

예제 생명 과학의 탐구 방법에 대한 설명으로 옳은 것은?

① 귀납적 탐구 방법은 가설을 설정한 후, 이 가설을 검증하는 것이다.
② 연역적 탐구 방법에서는 일반적으로 대조군을 설정하지 않는다.
③ 가설 검증을 위해 인위적으로 변화시키는 변인을 독립변인이라고 한다.
④ 독립변인에 따라 변화하는 변인으로 실험 결과에 해당하는 것은 조작 변인이다.
✓⑤ 수많은 관찰을 통해 결론을 이끌어 내는 탐구 방법은 귀납적 탐구 방법이다.

★기억해요!

자연 현상을 관찰하면서 생긴 의문의 답을 찾기 위해 ______을 세우고 이를 통해 검증하는 탐구 방법은 ______ 탐구 방법이다.

답 가설, 연역적

## 04 이것만은 꼭! 생명 활동과 물질대사

예제 세포 호흡에 대한 설명으로 옳지 않은 것은?

① 세포 호흡은 이화 작용이다.
② ATP는 생명 활동에 직접 사용되는 에너지원이다.
✓③ 세포 호흡 과정에서 방출된 에너지는 모두 ATP에 저장된다.
④ ATP에 저장된 에너지는 다른 형태의 에너지로 전환될 수 있다.
⑤ 세포 호흡은 포도당, 아미노산과 같은 영양소를 분해하여 생명 활동에 필요한 에너지를 얻는 과정이다.

★기억해요!

세포 호흡에 의해 포도당이 물과 ______로 분해되면서 에너지가 방출되는데, 이때 방출된 에너지의 일부는 ______에 저장되고, 나머지는 열로 방출된다.

답 이산화 탄소, ATP

자르는 선

## 핵심 정리 05 기관계의 통합적 작용

### 노폐물의 생성과 배설

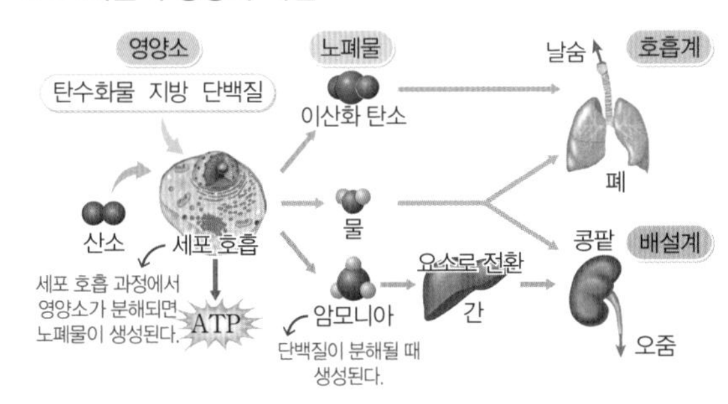


### 기관계의 통합적 작용

- 세포 호흡에 필요한 영양소는 ❶ [　　] 에서 소화·흡수되고, 세포 호흡에 필요한 산소는 호흡계에서 흡수된다. 순환계는 영양소와 산소를 조직 세포에 운반하고, 세포 호흡으로 생성된 노폐물을 호흡계나 배설계로 운반한다.
- 배설계는 요소와 같은 노폐물을 걸러 ❷ [　　] 의 형태로 몸 밖으로 내보낸다.

답 ❶ 소화계 ❷ 오줌

## 핵심 정리 06 대사성 질환과 에너지 대사

### 대사성 질환

- 물질대사에 이상이 생겨 발생하는 질환을 모두 일컬어 대사성 질환이라 하고, 여러 대사성 질환이 함께 발생하고 진행되는 것을 ❶ [　　] 이라고 한다.
- 고혈압, 고지혈증, 당뇨병, 지방간 등

### 에너지 대사

- 건강을 유지하려면 에너지 섭취량과 에너지 소비량이 균형을 이루어야 한다.
- **기초 대사량:** 심장 박동, 호흡 운동, 체온 유지 등 생명을 유지하는 데 필요한 최소한의 에너지양
- **활동 대사량:** 기초 대사량 외에 일상적인 신체 활동을 하는 데 필요한 에너지양
- **1일 대사량:** 하루에 필요한 총 에너지양(❷ [　　] + 활동 대사량 + 음식물의 소화·흡수에 필요한 에너지양)

답 ❶ 대사 증후군 ❷ 기초 대사량

## 핵심 정리 07 뉴런

- **뉴런:** 신경계를 구성하는 기본 단위가 되는 세포

|  |  |
|---|---|
| 신경 세포체 | 핵과 세포 소기관이 있어 물질대사를 담당 |
| 가지 돌기 | 다른 뉴런이나 세포에서 오는 신호를 받음 |
| 축삭 돌기 | 다른 뉴런이나 세포로 신호를 전달 |

- 말이집 유무에 따라 말이집 신경과 민말이집 신경으로 구분된다. 말이집 신경은 ❶ [　　] 가 일어나 흥분 전도 속도가 민말이집 신경보다 빠르다.

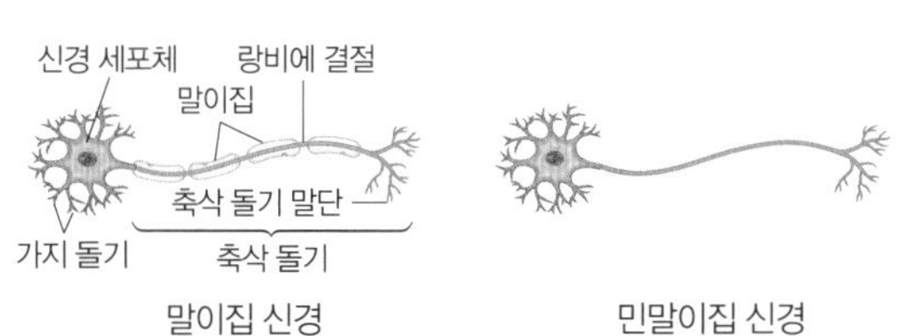


- 기능에 따라 구심성 뉴런(❷ [　　] 뉴런), 연합 뉴런(중추 신경 구성), 원심성 뉴런(운동 뉴런)으로 구분된다.

답 ❶ 도약 전도 ❷ 감각

## 핵심 정리 08 흥분의 전도와 전달

- **흥분의 발생:** 분극 → 탈분극 → 재분극 순으로 진행
- **분극(❶):** 휴지 전위가 나타나는 뉴런에서 세포막 안쪽은 음(−)전하, 바깥쪽은 양(+)전하를 띤다.

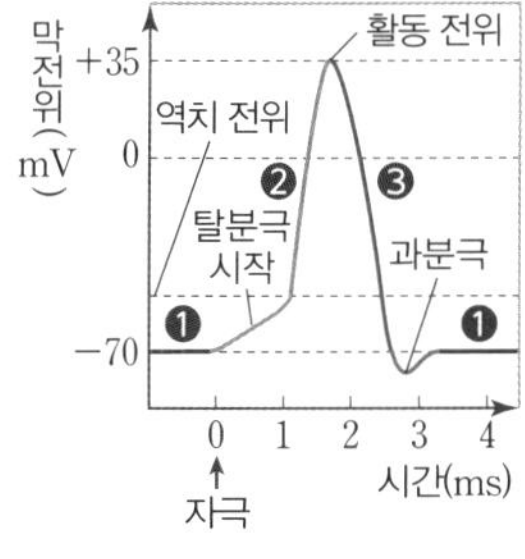


- **탈분극(❷):** 자극을 받은 뉴런에서 ❶ [　　] 통로가 열려 $Na^+$이 세포 안으로 확산하여 막전위가 상승하는 현상
- **재분극(❸):** $Na^+$ 통로가 닫히고, ❷ [　　] 통로가 열려 $K^+$이 세포 밖으로 확산하여 막전위가 하강하는 현상
- **흥분 전달 과정:** 활동 전위가 축삭 돌기 말단에 도달 → 시냅스 소포가 세포막과 융합 → 신경 전달 물질이 시냅스 틈으로 방출 → 신경 전달 물질이 시냅스 이후 뉴런을 탈분극시켜 활동 전위 발생

답 ❶ $Na^+$ ❷ $K^+$

자르는 선

## 06 이것만은 꼭! 대사성 질환과 에너지 대사

예제 에너지 대사에 대한 설명으로 옳지 않은 것은?

① 기초 대사량은 성별과 연령에 따라 다르다.
✓② 움직이지 않고 가만히 있을 경우에는 에너지 대사가 일어나지 않는다.
③ 과도한 영양 섭취, 운동 부족과 같은 생활 습관은 대사성 질환의 위험을 높인다.
④ 에너지 섭취량이 에너지 소비량보다 많은 상태가 지속되면 영양 과다가 된다.
⑤ 다른 조건이 같을 때, 기초 대사량이 낮은 사람은 기초 대사량이 높은 사람에 비해 비만이 될 위험이 높다.

★기억해요!

활동을 하지 않을 때도 ☐, 호흡 운동, 체온 유지 등에 에너지가 사용된다. 이렇게 생명을 유지하는 데 필요한 최소한의 에너지양을 ☐이라고 한다.

답 심장 박동, 기초 대사량

## 05 이것만은 꼭! 기관계의 통합적 작용

예제 기관계의 통합적 작용에 대한 설명으로 옳지 않은 것은?

① 소화계에서는 이화 작용이 일어난다.
② 소화계를 통해 세포 호흡에 필요한 영양소가 몸속으로 흡수된다.
③ 배설계는 세포 호흡 결과 생성된 질소 노폐물을 몸 밖으로 내보낸다.
✓④ 호흡계에서는 ATP를 이용하여 산소와 이산화 탄소의 기체 교환이 일어난다.
⑤ 순환계는 산소와 영양소를 조직 세포로 운반하고, 세포 호흡 결과 발생한 이산화 탄소와 노폐물을 폐와 콩팥으로 운반한다.

★기억해요!

폐포와 조직 세포에서는 기체의 분압 차에 의한 ☐에 의해 산소와 이산화 탄소의 교환이 일어난다. 이때 ☐가 사용되지 않는다.

답 확산, ATP

## 08 이것만은 꼭! 흥분의 전도와 전달

예제 그림은 뉴런의 축삭 돌기에 역치 이상의 자극을 주었을 때의 막전위 변화를 나타낸 것이다. 이에 대한 설명으로 옳지 않은 것은?

막전위(mV) +35 0 −70 Ⅰ Ⅱ Ⅲ $h$ 자극 $t_1$ $t_2$ 시간(ms)

① Ⅰ은 분극 상태이다.
② Ⅱ에서는 $Na^+$ 통로가 열려 $Na^+$이 세포 안으로 확산된다.
③ Ⅱ에서 막전위가 상승한다.
④ Ⅲ에서는 $K^+$ 통로가 열려 $K^+$이 세포 밖으로 확산된다.
✓⑤ $h$는 활동 전위로 자극의 크기가 크면 커진다.

★기억해요!

$Na^+$의 유입에 의해 나타나는 막전위 변화를 ☐라고 하며, 약 ☐ mV까지 상승하며, 자극의 크기와 상관없이 일정하다.

답 활동 전위, +35

## 07 이것만은 꼭! 뉴런

예제 그림은 뉴런의 구조를 나타낸 것이다.

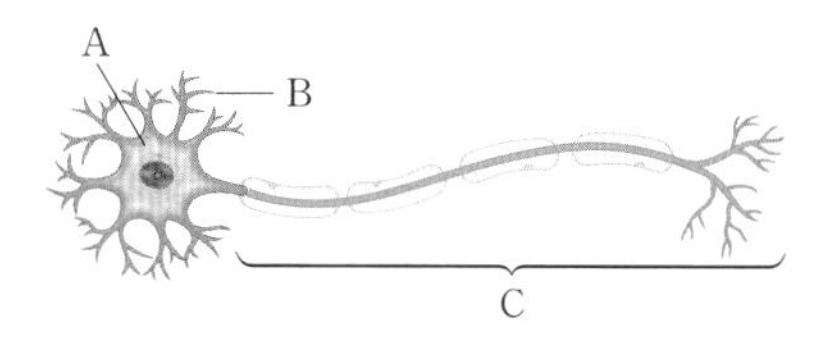


이에 대한 설명으로 옳지 않은 것은?

① A는 신경 세포체이다.
② B는 가지 돌기, C는 축삭 돌기이다.
✓③ B는 다른 뉴런이나 세포로 신호를 전달한다.
④ 이 뉴런은 말이집 신경이다.
⑤ 이 뉴런에서는 도약 전도가 일어난다.

★기억해요!

신경 세포체에서 뻗어 나온 짧은 돌기인 ☐는 다른 뉴런이나 세포에서 오는 신호를 받아들이고, 긴 돌기인 ☐는 다른 뉴런이나 세포로 신호를 전달한다.

답 가지 돌기, 축삭 돌기

자르는 선

부록 핵심 정리 총집합

## 핵심 정리 09 근육 수축의 원리

- **근육 원섬유 마디(근절):** 근육 수축이 일어나는 기본 단위

| A대(암대) | 마이오신 필라멘트가 있는 부분 |
|---|---|
| I대(명대) | 액틴 필라멘트만 있는 부분 |
| H대 | A대 중 마이오신 필라멘트만 있는 부분 |

- **활주설:** 액틴 필라멘트가 ❶ ______ 필라멘트 사이로 미끄러져 들어가 근육 원섬유 마디가 짧아지며, 이때 ATP가 소모된다. ➡ 근육 원섬유 마디, I대, H대는 짧아지며, ❷ ______ 의 길이는 변화 없다.

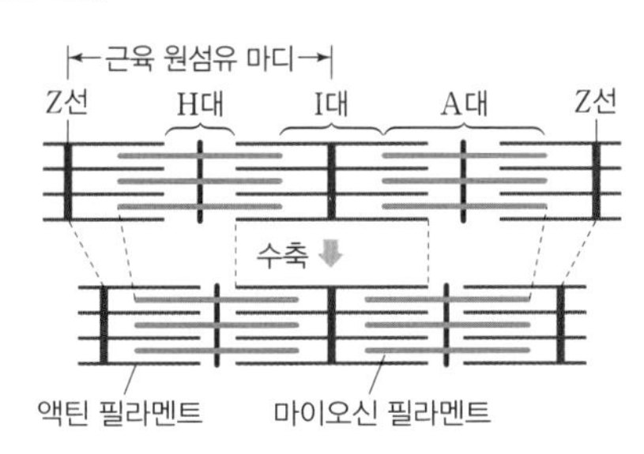


답 ❶ 마이오신 ❷ A대

## 핵심 정리 10 중추 신경계

- **중추 신경계:** 뇌와 ❶ ______ 로 구성
- **뇌:** 대뇌, 소뇌, 간뇌, 중간뇌, 뇌교, 연수 등으로 구성
  - **대뇌:** 감각, 수의 운동의 중추, 고등 정신 활동 담당 (겉질: 회색질, 속질: 백색질)
  - **소뇌:** 대뇌와 함께 수의 운동 조절, 몸의 평형 유지
  - **간뇌:** ❷ ______ 유지에 관여
  - **중간뇌:** 안구 운동과 홍채 운동 조절
  - **뇌교:** 대뇌와 소뇌 사이의 정보 전달 통로
  - **연수:** 심장 박동, 호흡 운동, 소화 운동 등 조절
  - **뇌줄기:** 중간뇌, 뇌교, 연수를 합하여 뇌줄기라고 한다.
- **척수:** 뇌와 말초 신경계를 연결하는 역할을 하며, 무릎 반사, 회피 반사 등의 중추(겉질: 백색질, 속질: 회색질)
  - **후근 :** 척수의 등 쪽에 배열된 감각 신경 다발
  - **전근 :** 척수의 배 쪽에 배열된 운동 신경 다발

답 ❶ 척수 ❷ 항상성

## 핵심 정리 11 말초 신경계

- **말초 신경계:** 중추 신경계와 몸의 각 부분을 연결하는 신경계
- **체성 신경계:** 운동 뉴런으로 구성, 대뇌의 지배를 받아 골격근의 반응 조절
- **자율 신경계:** 대뇌의 조절을 직접 받지 않고 간뇌, 중간뇌, 연수의 조절을 받아 몸의 기능 조절, 교감 신경과 부교감 신경이 ❶ ______ 작용으로 각 기관의 기능 조절

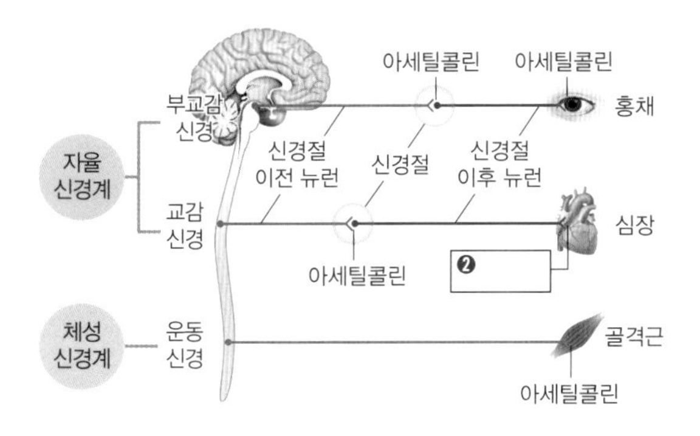


답 ❶ 길항 ❷ 노르에피네프린

## 핵심 정리 12 호르몬

- **호르몬:** 내분비샘에서 생성·분비되는 화학 물질로, 혈액을 따라 이동하며 ❶ ______ 세포(표적 기관)에만 작용
- **호르몬과 신경의 비교**

| 구분 | 전달 매체 | 효과 | 작용 범위 | 전달 속도 |
|---|---|---|---|---|
| 호르몬 | ❷ ______ | 길다 | 넓다 | 느리다 |
| 신경 | 뉴런 | 짧다 | 좁다 | 빠르다 |

- **사람의 주요 내분비샘과 호르몬**
  - **뇌하수체 전엽:** 생장 호르몬, 갑상샘 자극 호르몬, 생식샘 자극 호르몬, 부신 겉질 자극 호르몬
  - **뇌하수체 후엽:** 항이뇨 호르몬, 옥시토신
  - **갑상샘:** 티록신, 칼시토닌
  - **부신 겉질:** 당질 코르티코이드, 무기질 코르티코이드
  - **이자:** 인슐린, 글루카곤
  - **정소:** 테스토스테론
  - **난소:** 에스트로젠, 프로게스테론

답 ❶ 표적 ❷ 혈액

자르는 선

## 10 이것만은 꼭! 중추 신경계

예제 중추 신경계에 대한 설명으로 옳지 않은 것은?

① 사고, 판단, 기억 등의 중추는 대뇌이다.
② 척수의 겉질은 백색질, 속질은 회색질이다.
③ 뇌줄기는 중간뇌, 연수, 뇌교로 이루어진다.
④ 간뇌는 자율 신경계의 중추로 항상성을 유지한다.
✓⑤ 모든 감각기에서 받아들인 자극은 척수를 거쳐 대뇌로 전달된다.

★기억해요!

척수는 뇌와 말초 신경 사이의 흥분 전달 통로로 대부분의 자극은 척수를 지나지만 눈, 코, 등 얼굴 부위의 감각기에서 받아들인 자극은 [ ]를 거치지 않고 [ ]로 전달된다.

답 척수, 대뇌

## 09 이것만은 꼭! 근육 수축의 원리

예제 그림은 근육 원섬유 마디의 구조를 나타낸 것이다.

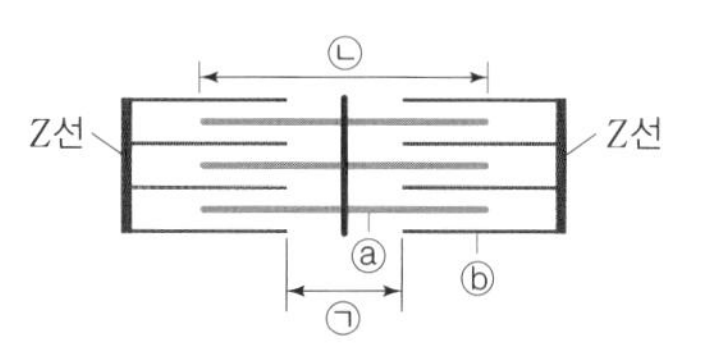


이에 대한 설명으로 옳지 않은 것은?

① ⓐ는 마이오신 필라멘트이다.
② ⓑ는 액틴 필라멘트이다.
③ 근육이 수축될 때 ATP가 소모된다.
④ 근육이 수축되면 ㉠의 길이가 짧아진다.
✓⑤ 근육이 수축될 때 ⓐ가 ⓑ 사이로 미끄러져 들어간다.

★기억해요!

활동 전위가 근육 원섬유에 전달되면 [ ]가 액틴 필라멘트와 결합하여 액틴 필라멘트를 끌어당겨 [ ]가 마이오신 필라멘트 사이로 미끄러져 들어가 근육이 수축된다.

답 마이오신 필라멘트, 액틴 필라멘트

## 12 이것만은 꼭! 호르몬

예제 사람의 내분비샘과 각 내분비샘에서 분비되는 호르몬과 기능을 잘못 짝지은 것은?

| | 내분비샘 | 호르몬 | 기능 |
|---|---|---|---|
| ① | 이자 | 글루카곤 | 혈당량 증가 |
| ② | 갑상샘 | 티록신 | 물질대사 촉진 |
| ③ | 부신 속질 | 에피네프린 | 혈당량 증가 |
| ✓④ | 뇌하수체 전엽 | 옥시토신 | 자궁 수축 촉진 |
| ⑤ | 뇌하수체 후엽 | 항이뇨 호르몬 | 혈장 삼투압 감소 |

★기억해요!

뇌하수체 [ ]에서 분비되는 호르몬 중 옥시토신은 자궁 수축을 촉진하며, [ ]은 수분 재흡수를 촉진하여 혈장 삼투압을 낮춘다.

답 후엽, 항이뇨 호르몬

## 11 이것만은 꼭! 말초 신경계

예제 말초 신경계에 대한 설명으로 옳지 않은 것은?

① 뇌신경 12쌍과 척수 신경 31쌍이 있다.
② 원심성 뉴런과 구심성 뉴런으로 구성된다.
③ 중추 신경계와 온몸의 말단 부위를 연결해 준다.
✓④ 자율 신경계는 대뇌의 조절을 받아 내장 기관의 기능을 조절한다.
⑤ 교감 신경과 부교감 신경은 서로 반대되는 길항 작용으로 내장 기관의 기능을 조절한다.

★기억해요!

말초 신경계 중 체성 신경계는 [ ]의 지배를 받지만, 자율 신경계는 [ ]의 조절을 받지 않고 간뇌, 중뇌, 연수 등의 조절을 받는다.

답 대뇌, 대뇌

자르는 선

## 핵심 정리 13 항상성 조절 원리와 혈당량 조절

### ○ 항상성 조절 원리

- 음성 피드백과 길항 작용으로 조절된다.
- **티록신 분비 조절:** ❶ [ ]에 의해 조절된다.

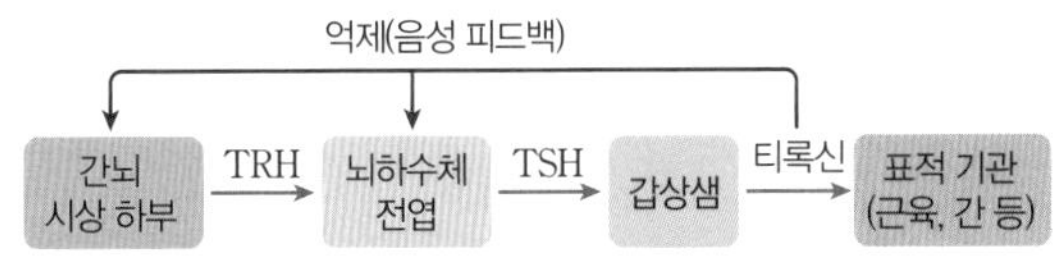

(TRH: TSH 방출 호르몬, TSH: 갑상샘 자극 호르몬)

### ○ 혈당량 조절

- **혈당량이 높을 때:** ❷ [ ]의 분비가 촉진되어 혈당량을 낮춘다. 인슐린은 이자의 $\beta$세포에서 분비되며, 간에서 포도당을 글리코젠으로 합성하는 반응을 촉진한다.
- **혈당량이 낮을 때:** 글루카곤과 에피네프린의 분비가 촉진되어 혈당량을 높인다. 글루카곤은 이자의 $\alpha$세포에서 분비되며, 간에서 글리코젠을 포도당으로 분해하는 반응을 촉진한다.

답 ❶ 음성 피드백 ❷ 인슐린

## 핵심 정리 14 체온 조절과 삼투압 조절

### ○ 체온 조절

- 간뇌의 ❶ [ ]에서 체온의 변화 감지, 열 발생량과 열 발산량을 조절하여 체온을 일정하게 유지한다.
- **추울 때:** 열 발생량 증가(티록신과 에피네프린 분비 증가 → 물질대사 촉진, 골격근 수축에 의한 몸의 떨림), 열 발산량 감소(교감 신경 작용 강화 → 피부 근처 혈관 수축)
- **더울 때:** 열 발생량 감소(티록신과 에피네프린 분비 감소 → 물질대사 억제), 열 발산량 증가(교감 신경 작용 완화 → 피부 근처 혈관 ❷ [ ], 땀 분비 증가)

### ○ 삼투압 조절

- **혈장 삼투압이 높을 때:** ADH(항이뇨 호르몬, 콩팥에서 수분 재흡수 촉진) 분비 증가 → 콩팥에서 물의 재흡수량 증가 → 오줌양 감소, 체내 수분량 증가
- **혈장 삼투압이 낮을 때:** ADH 분비 감소 → 콩팥에서 물의 재흡수 억제 → 오줌양 증가, 체내 수분량 감소

답 ❶ 시상 하부 ❷ 확장

## 핵심 정리 15 우리 몸의 방어 작용

- **비특이적 방어 작용:** 감염 즉시 병원체의 종류를 가리지 않고 일어난다. 피부, 점막, 식균 작용, 염증 반응 등
- **특이적 방어 작용:** 병원체의 종류를 인식한 후 이에 반응하는 방어 작용, 세포성 면역과 체액성 면역이 있다.
- **세포성 면역:** 병원체를 삼킨 ❶ [ ]가 항원을 제시하면 보조 T림프구가 이를 인식하여 활성화되고 세포독성 T림프구를 활성화시킨다. 활성화된 세포독성 T림프구가 병원체(항원)에 감염된 세포를 직접 제거한다.
- **체액성 면역:** 항체를 생성하여 항원을 제거한다. 1차 면역 반응과 2차 면역 반응으로 구분된다.
- **1차 면역 반응:** 항원의 종류를 인식한 보조 T 림프구의 도움으로 B 림프구가 형질세포와 기억 세포로 분화하고, 형질 세포가 항체를 생성한다. 잠복기가 있다.
- **2차 면역 반응:** 항원의 1차 침입 때 생성된 ❷ [ ]가 빠르게 형질 세포로 분화하여 다량의 항체를 생성하여 잠복기 없이 항체가 1차 침입 때보다 빠르게 증가한다.

답 ❶ 대식세포 ❷ 기억 세포

## 핵심 정리 16 혈액의 응집 반응

- **혈액의 응집 반응:** 사람의 적혈구 세포막에 있는 응집원(항원)과 혈장에 있는 응집소(항체)가 반응하는 항원 항체 반응의 일종
- **ABO식 혈액형의 응집원과 응집소**

| 구분 | A형 | B형 | AB형 | O형 |
|---|---|---|---|---|
| 응집원 | A | B | A, B | 없음 |
| 응집소 | ❶ [ ] | ❷ [ ] | 없음 | $\alpha$, $\beta$ |

- **ABO식 혈액형의 판정:** 항 A 혈청(B형 표준 혈청)과 항 B 혈청(A형 표준 혈청)에 대한 응집 반응으로 판정

| 구분 | A형 | B형 | AB형 | O형 |
|---|---|---|---|---|
| 항 A 혈청 (응집소 $\alpha$ 포함) | 응집 ○ | 응집 × | 응집 ○ | 응집 × |
| 항 B 혈청 (응집소 $\beta$ 포함) | 응집 × | 응집 ○ | 응집 ○ | 응집 × |

답 ❶ $\beta$ ❷ $\alpha$

## 14 이것만은 꼭! 체온 조절과 삼투압 조절

예제 수분이 대부분을 차지하는 수박을 많이 먹고 난 후 체내의 상태를 설명한 것으로 옳지 않은 것은?

① 오줌의 양이 많아진다.
② 오줌의 농도가 묽어진다.
③ 체액의 삼투압이 낮아진다.
④ 콩팥에서 수분의 재흡수가 억제된다.
✓⑤ 혈액 속 항이뇨 호르몬의 농도가 증가한다.

★기억해요!

물을 많이 마셔 체내 수분량이 증가하여 혈장 삼투압이 감소하면 뇌하수체 후엽에서 [ ]의 분비가 감소하여 콩팥에서 수분 재흡수가 [ ]되어 혈장 삼투압을 높인다.

답 항이뇨 호르몬, 억제

## 13 이것만은 꼭! 항상성 조절 원리와 혈당량 조절

예제 그림은 정상인의 혈중 포도당 농도에 따른 ㉠과 ㉡의 혈중 농도를 나타낸 것이다. ㉠과 ㉡은 각각 인슐린과 글루카곤 중 하나이다. 이에 대한 설명으로 옳지 않은 것은?

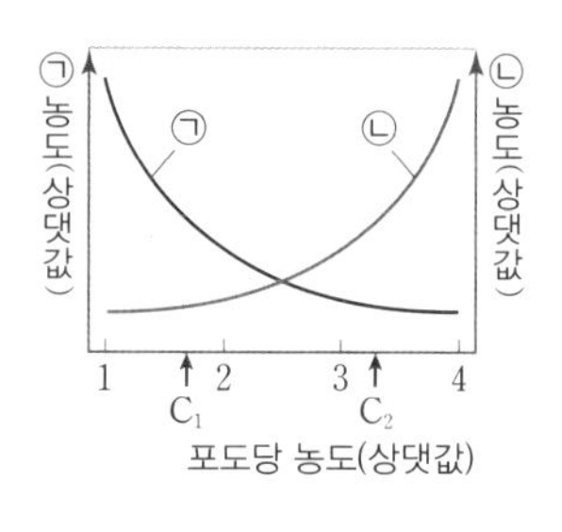


① ㉠은 혈당량을 증가시킨다.
✓② ㉡은 이자의 $\alpha$ 세포에서 분비된다.
③ ㉠과 ㉡의 표적 기관은 모두 간이다.
④ 공복 시에는 혈중 ㉠의 농도가 증가한다.
⑤ 혈중 인슐린의 농도는 $C_1$일 때 보다 $C_2$일 때 높다.

★기억해요!

혈당량이 높을 때는 이자의 $\beta$세포에서 [ ]이 분비되어 혈당량을 감소시키고, 혈당량이 낮을 때는 이자의 $\alpha$ 세포에서 [ ]이 분비되어 혈당량을 증가시킨다.

답 인슐린, 글루카곤

## 16 이것만은 꼭! 혈액의 응집 반응

예제 그림은 어떤 사람의 혈액형 판정 실험 결과를 나타낸 것이다. 이에 대한 설명으로 옳지 않은 것은?

(+: 응집됨, −: 응집 안 됨)

① 이 사람의 혈액형은 A형이다.
② 항 B 혈청에는 응집소 $\beta$가 들어 있다.
③ 이 사람의 적혈구에는 응집원 A가 있다.
④ 이 사람의 혈장에는 응집소 $\beta$가 들어 있다.
✓⑤ 이 사람은 A형과 O형에게 수혈할 수 있다.

★기억해요!

같은 혈액형끼리는 다량 수혈이 가능하며, O형은 [ ]이 없어 모든 혈액형에게 소량 수혈할 수 있고, AB형은 [ ]가 없어 모든 혈액형으로부터 소량 수혈받을 수 있다.

답 응집원, 응집소

## 15 이것만은 꼭! 우리 몸의 방어 작용

예제 우리 몸의 방어 작용에 대한 설명으로 옳지 않은 것은?

① 피부와 점막은 비특이적 방어 작용이다.
② 특이적 방어 작용은 병원체의 종류에 따라 선별적으로 일어난다.
③ 활성화된 B 림프구는 항체를 생성·분비하는 형질세포와 기억 세포로 분화된다.
✓④ 특이적 방어 작용은 병원체에 감염된 즉시 일어나므로 감염 초기에 질병을 막는 데 유리하다.
⑤ 병원체가 체내로 침입하면 대식세포가 식균 작용으로 병원체를 분해하고 항원을 세포 표면에 제시한다.

★기억해요!

병원체를 감지하고 이에 맞는 림프구가 작용하는 [ ] 방어 작용은 시간이 걸리기 때문에 감염 초기에는 [ ] 방어 작용이 질병으로부터 몸을 보호하는 데 매우 중요하다.

답 특이적, 비특이적

자르는 선

book.chunjae.co.kr

교재 내용 문의 ··························· 교재 홈페이지 ▸ 고등 ▸ 교재상담
교재 내용 외 문의 ······················· 교재 홈페이지 ▸ 고객센터 ▸ 1:1문의
발간 후 발견되는 오류 ·················· 교재 홈페이지 ▸ 고등 ▸ 학습지원 ▸ 학습자료실

# 7일 끝

# 중간고사 기말고사

**7일 끝**으로 끝내자!

## 고등 생명과학 I

## BOOK 2

천재교육

언제나 만점이고 싶은 친구들

# Welcome!

숨 돌릴 틈 없이 찾아오는 시험과 평가,
성적과 입시 그리고 미래에 대한 걱정.
중·고등학교에서 보내는 6년이란 시간은
때때로 힘들고, 버겁게 느껴지곤 해요.

그런데 여러분, 그거 아세요?
지금 이 시기가 노력의 대가를
가장 잘 확인할 수 있는 시간이라는 걸요.

안 돼, 못하겠어, 해도 안 될 텐데–
어렵게 생각하지 말아요. 천재교육이 있잖아요.
첫 시작의 두려움을 첫 마무리의 뿌듯함으로 바꿔줄게요.

펜을 쥐고 이 책을 펼친 순간
여러분 앞에 무한한 가능성의 길이 열렸어요.

우리와 함께 꽃길을 향해 걸어가 볼까요?

#시험대비
#핵심정복

# 7일 끝
# 중간고사
# 기말고사

Chunjae
Makes
Chunjae

▼


개발총괄 김은숙
편집개발 김은송, 김용하, 박준우, 박유미
제작 황성진, 조규영

발행일 2021년 3월 15일 초판 2021년 3월 15일 1쇄
발행인 (주)천재교육
주소 서울시 금천구 가산로9길 54
신고번호 제2001-000018호
고객센터 1577-0902
교재 내용문의 (02)3282-8739



※ 정답 분실 시에는 천재교육 홈페이지에서 내려받으세요.

**7일 끝**으로 끝내자!

# 고등 생명과학 I

## BOOK 2

2학기 중간·기말 대비

# 이 책의 구성과 활용

## 일차별 시험 공부

### 생각 열기

공부할 내용을 그림과 퀴즈로 가볍게 살펴보며 학습을 준비해 보세요.

❶ **그림으로 개념 잡기** | 학습할 개념을 그림과 만화로 재미있게 알아보세요.

❷ **Quiz** | 공부할 기초 내용을 그림과 관련된 퀴즈 문제로 확인해 보세요.

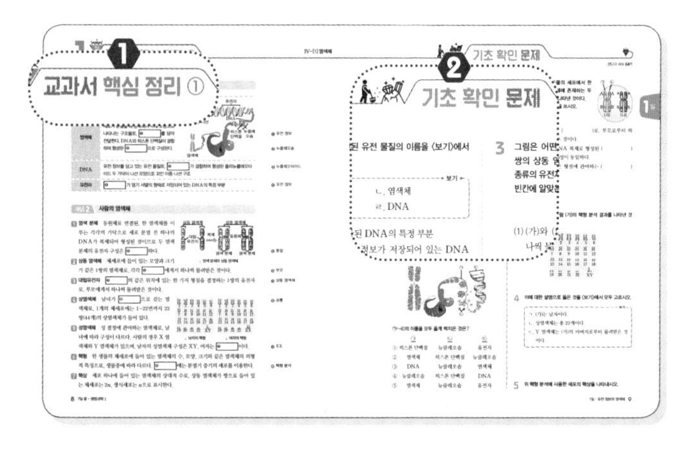

### 교과서 핵심 정리 + 기초 확인 문제

꼭 알아야 할 교과서 핵심 내용을 익히고 기초 확인 문제를 풀며 제대로 이해했는지 확인해 보세요.

❶ **교과서 핵심 정리** | 빈칸을 채워 보며 교과서 핵심 개념을 다시 한번 체크해 보세요.

❷ **기초 확인 문제** | 교과서 핵심 정리와 관련된 문제를 풀며 공부한 내용을 확인해 보세요.

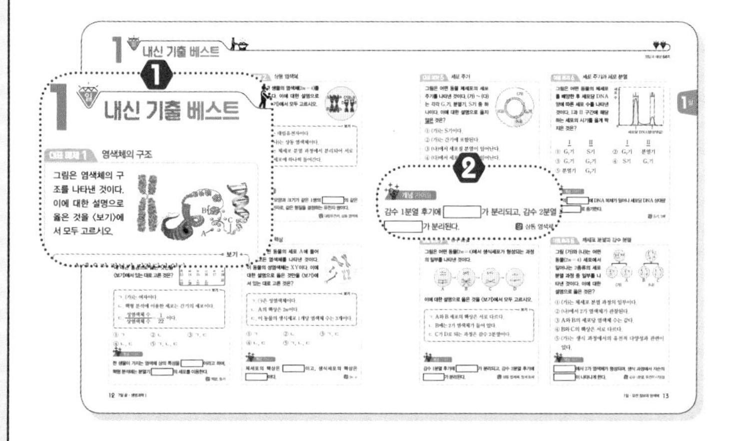

### 내신 기출 베스트

다양한 유형의 문제를 풀어 보며 공부한 내용을 점검해 보세요.

❶ **대표 예제** | 시험에 자주 나오는 빈출 유형 필수 문제를 풀어 보세요.

❷ **개념 가이드** | 대표 예제와 관련된 핵심 개념을 익혀 보세요.

## 시험 공부 마무리 테스트

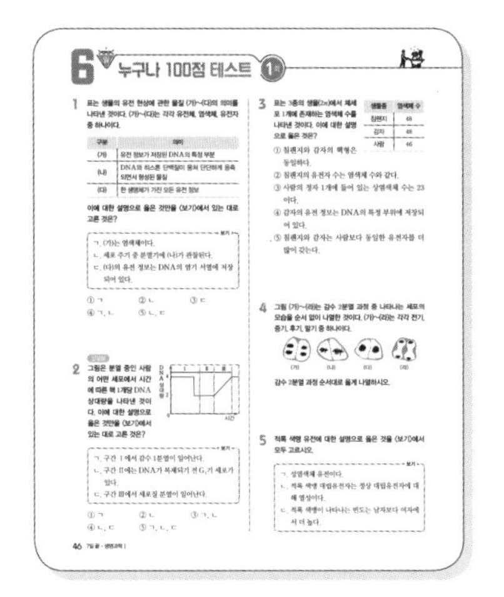

### 누구나 100점 테스트

5일 동안 공부한 내용을 바탕으로 기초 이해력을 점검해 보세요.

### 서술형·사고력 테스트
### 창의·융합·코딩 테스트

서술형·사고력 문제와 창의·융합·코딩 문제를 풀어 보면서 창의력과 문제 해결력을 높여 보세요.

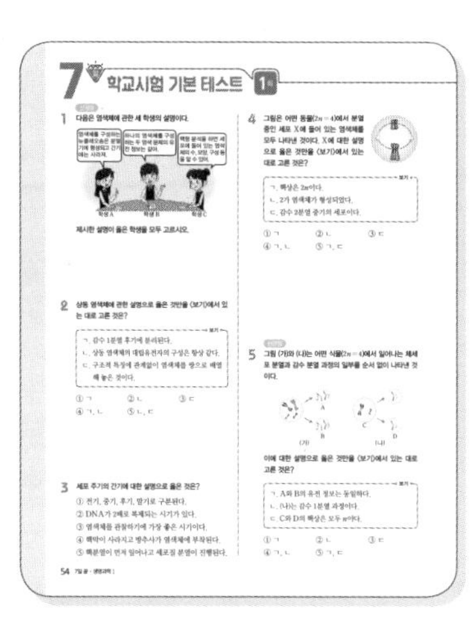

### 학교시험 기본 테스트

중간·기말고사 예상 문제를 최종으로 풀며 실전에 대비해 보세요.

## 시험 직전까지 챙겨야 할 부록

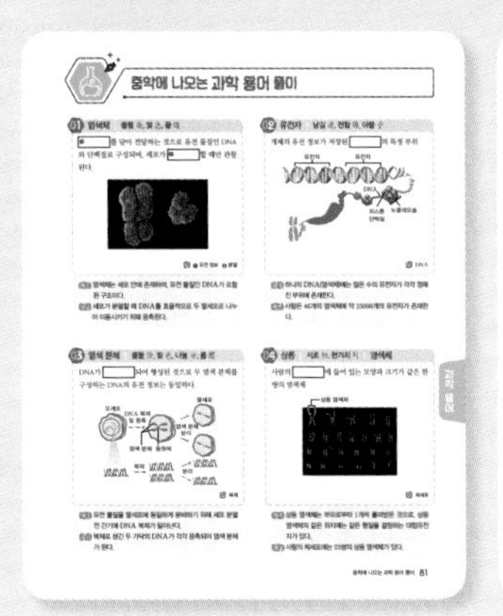

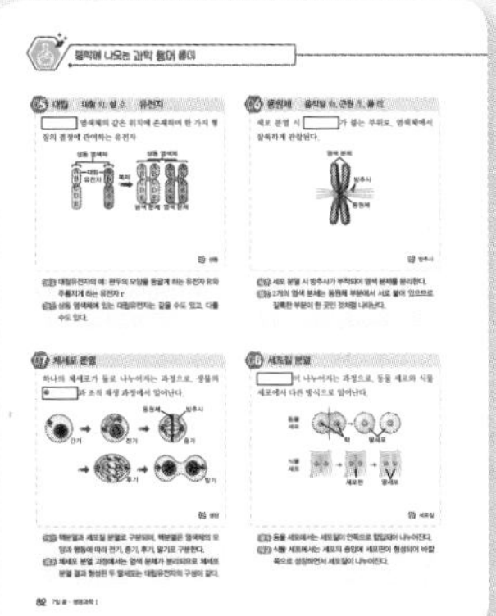

### 중학에 나오는 과학 용어 풀이

중학교에서 배운 과학 용어로 선수 학습을 확인할 수 있어요.

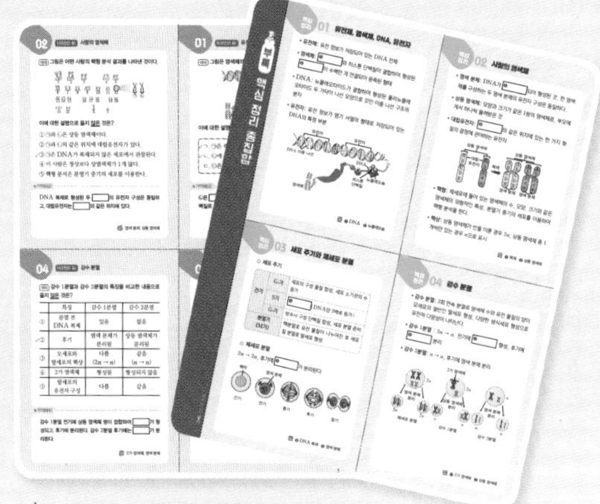

### 핵심 정리 총집합 카드

시험 직전이나 틈틈이 암기 카드를 휴대하여 활용해 보세요.

# 이 책의 차례

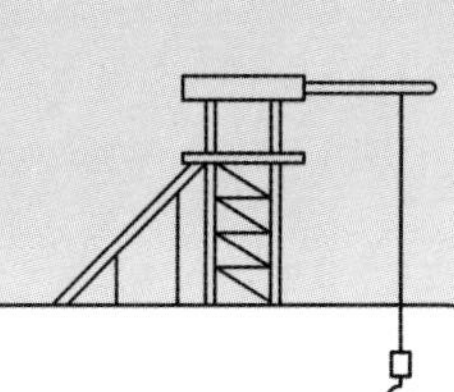

BOOK
2

# 1일

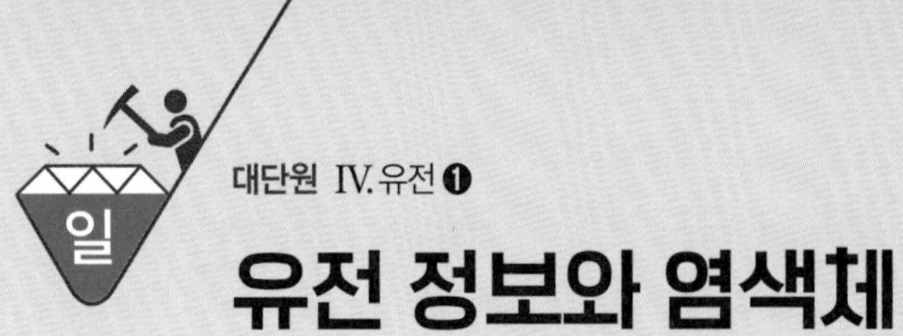


대단원 IV. 유전 ❶

## 유전 정보와 염색체

공부할 핵심 개념이 무엇인지 퀴즈를 통해 알아보자.

**Quiz** 염색체는 유전 정보를 저장하고 있는 □□□와 단백질로 구성된다.

답 DNA

배울 내용

❶ 유전체, 염색체, DNA, 유전자
❷ 사람의 염색체
❸ 세포 주기
❹ 세포 분열

Quiz 세포 주기의 간기에 DNA가 ㅂㅈ 된 후 세포 분열이 일어난다.

답 복제

Quiz ㄱㅅㅂㅇ이 일어날 때 염색체 수가 반감된다.

답 감수 분열

# 1일 교과서 핵심 정리 ①

## 개념 1 유전체, 염색체, DNA, 유전자

| | |
|---|---|
| 유전체 | 한 생명체의 유전 정보가 저장되어 있는 DNA 전체 - 한 개체가 가지고 있는 모든 유전 정보 |
| 염색체 | 세포가 분열할 때 응축되어 막대 모양으로 나타나는 구조물로, ❶ ______를 담아 전달한다. DNA와 히스톤 단백질이 결합하여 형성된 ❷ ______으로 구성된다. |
| DNA | 유전 정보를 담고 있는 유전 물질로, ❸ ______가 결합하여 형성된 폴리뉴클레오타이드 두 가닥이 나선 모양으로 꼬인 이중 나선 구조 |
| 유전자 | ❹ ______가 염기 서열의 형태로 저장되어 있는 DNA의 특정 부분 |

유전자 / 유전자 / DNA 이중 나선 / DNA / 히스톤 단백질 / 뉴클레오솜 / 염색체

❶ 유전 정보
❷ 뉴클레오솜
❸ 뉴클레오타이드
❹ 유전 정보

## 개념 2 사람의 염색체

**1 염색 분체** 동원체로 연결된, 한 염색체를 이루는 각각의 가닥으로 세포 분열 전 하나의 DNA가 복제되어 형성된 것이므로 두 염색 분체의 유전자 구성은 ❺ ______하다.

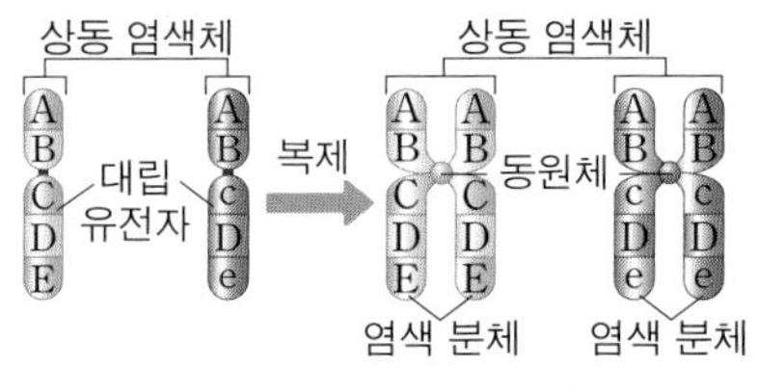


▲ 염색 분체와 상동 염색체

**2 상동 염색체** 체세포에 들어 있는 모양과 크기가 같은 1쌍의 염색체로, 각각 ❻ ______에게서 하나씩 물려받은 것이다.

**3 대립유전자** ❼ ______의 같은 위치에 있는 한 가지 형질을 결정하는 1쌍의 유전자로, 부모에게서 하나씩 물려받은 것이다.

**4 상염색체** 남녀가 ❽ ______으로 갖는 염색체로, 1개의 체세포에는 1~22번까지 22쌍(44개)의 상염색체가 들어 있다.

**5 성염색체** 성 결정에 관여하는 염색체로, 남녀에 따라 구성이 다르다. 사람의 경우 X 염색체와 Y 염색체가 있으며, 남자의 성염색체 구성은 XY, 여자는 ❾ ______이다.

▲ 남자의 핵형 ▲ 여자의 핵형

**6 핵형** 한 생물의 체세포에 들어 있는 염색체의 수, 모양, 크기와 같은 염색체의 외형적 특징으로, 생물종에 따라 다르다. ❿ ______에는 분열기 중기의 세포를 이용한다.

**7 핵상** 세포 하나에 들어 있는 염색체의 상대적 수로, 상동 염색체가 쌍으로 들어 있는 체세포는 $2n$, 생식세포는 $n$으로 표시한다.

❺ 동일
❻ 부모
❼ 상동 염색체
❽ 공통
❾ XX
❿ 핵형 분석

# 기초 확인 문제

정답과 해설 64쪽

**1** 다음 각 설명과 관련된 유전 물질의 이름을 〈보기〉에서 골라 기호로 쓰시오.

> **보기**
> ㄱ. 유전체 ㄴ. 염색체
> ㄷ. 유전자 ㄹ. DNA

(1) 유전 정보가 저장된 DNA의 특정 부분
(2) 한 생명체의 유전 정보가 저장되어 있는 DNA 전체
(3) 세포가 분열할 때 DNA와 단백질이 강하게 응축하여 나타나는 막대 모양 구조물
(4) 뉴클레오타이드가 결합하여 형성된 이중 나선 구조의 분자

**2** 그림은 사람의 세포에 있는 염색체의 구조를 나타낸 것이다.

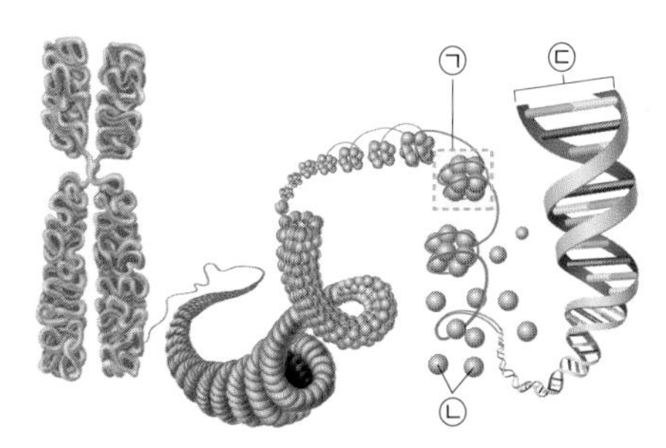


㉠~㉢의 이름을 모두 옳게 짝지은 것은?

| | ㉠ | ㉡ | ㉢ |
|---|---|---|---|
| ① | 히스톤 단백질 | 뉴클레오솜 | 유전자 |
| ② | 염색체 | 히스톤 단백질 | 뉴클레오솜 |
| ③ | DNA | 뉴클레오솜 | 염색체 |
| ④ | 뉴클레오솜 | 히스톤 단백질 | DNA |
| ⑤ | 염색체 | 뉴클레오솜 | 유전자 |

**3** 그림은 어떤 동물의 세포에서 한 쌍의 상동 염색체에 존재하는 두 종류의 유전자를 나타낸 것이다. 빈칸에 알맞은 말을 쓰시오.

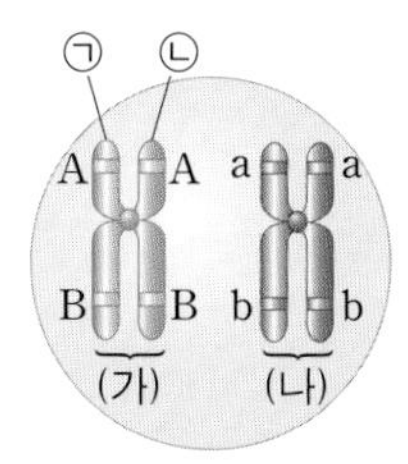


(1) (가)와 (나)는 (          )로, 부모로부터 하나씩 물려받은 것이다.
(2) ㉠과 ㉡은 DNA 복제로 형성된 (          )로, 유전자 구성이 동일하다.
(3) A와 a는 같은 형질에 관여하는 (          )이다.

[4~5] 그림은 어떤 사람 (가)의 핵형 분석 결과를 나타낸 것이다.

**4** 이에 대한 설명으로 옳은 것을 〈보기〉에서 모두 고르시오.

> **보기**
> ㄱ. (가)는 남자이다.
> ㄴ. 상염색체는 총 22개이다.
> ㄷ. Y 염색체는 (가)의 아버지로부터 물려받은 것이다.

**5** 위 핵형 분석에 사용한 세포의 핵상을 나타내시오.

1일

# 1일 교과서 핵심 정리 ②

## 개념 3 세포 주기

분열 결과 만들어진 딸세포가 생장 과정을 거쳐 다시 분열하기까지의 기간

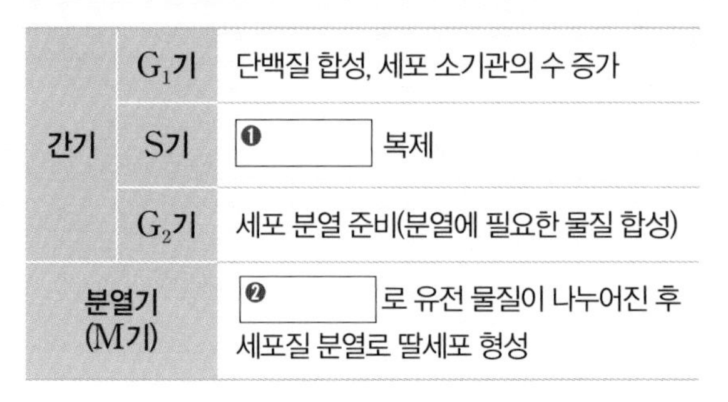

| | | |
|---|---|---|
| 간기 | $G_1$기 | 단백질 합성, 세포 소기관의 수 증가 |
| | S기 | ❶ ( ) 복제 |
| | $G_2$기 | 세포 분열 준비(분열에 필요한 물질 합성) |
| 분열기 (M기) | | ❷ ( )로 유전 물질이 나누어진 후 세포질 분열로 딸세포 형성 |

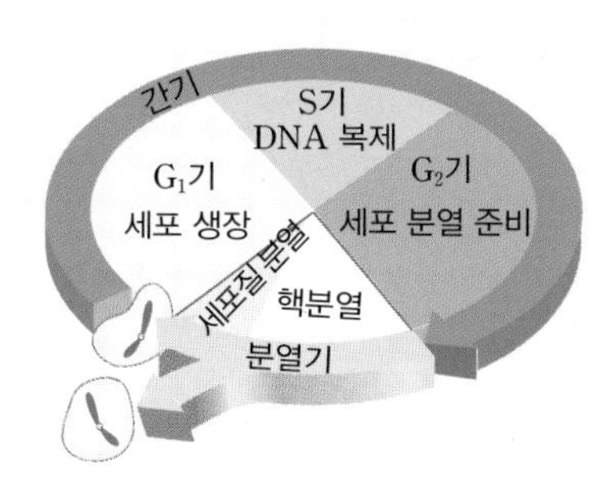


❶ DNA

❷ 핵분열

## 개념 4 세포 분열

**1 체세포 분열($2n \rightarrow 2n$)** 생물의 생장과 조직의 재생 과정에서 일어나며, 염색체 수와 DNA양이 모세포와 같은 2개의 딸세포가 형성된다.

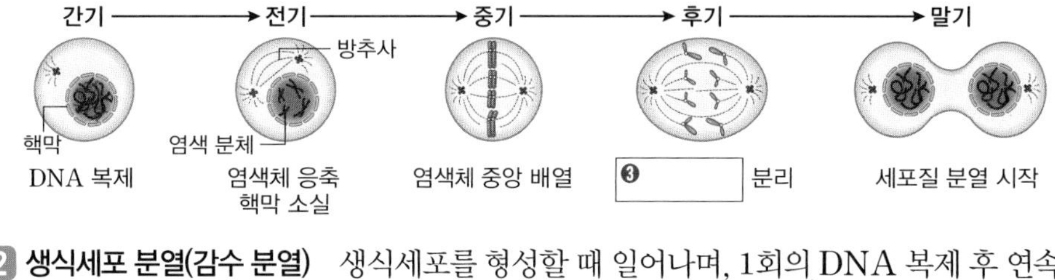


❸ 염색 분체

**2 생식세포 분열(감수 분열)** 생식세포를 형성할 때 일어나며, 1회의 DNA 복제 후 연속 2회의 핵분열과 세포질 분열로 염색체 수와 DNA의 양이 모세포의 ❹ ( )인 4개의 딸세포가 형성된다. 생식 과정에서 자손의 ❺ ( )이 나타나게 한다.

└같은 부모로부터 다양한 자녀가 나올 수 있다.

❹ 절반

❺ 유전적 다양성

**감수 1분열(상동 염색체의 분리 : $2n \longrightarrow n$)**

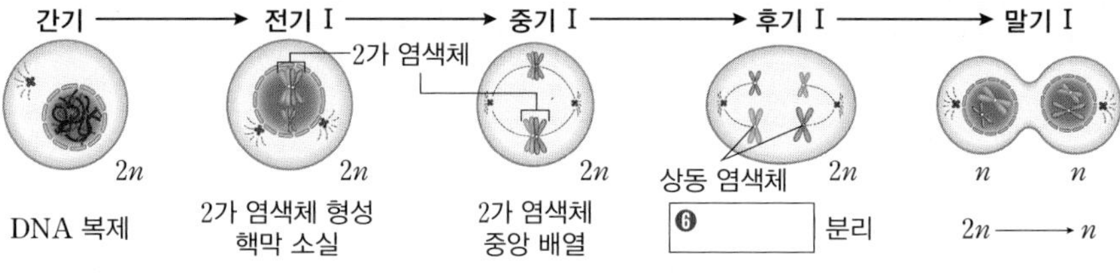


❻ 상동 염색체

**감수 2분열(염색 분체의 분리 : $n \longrightarrow n$)**

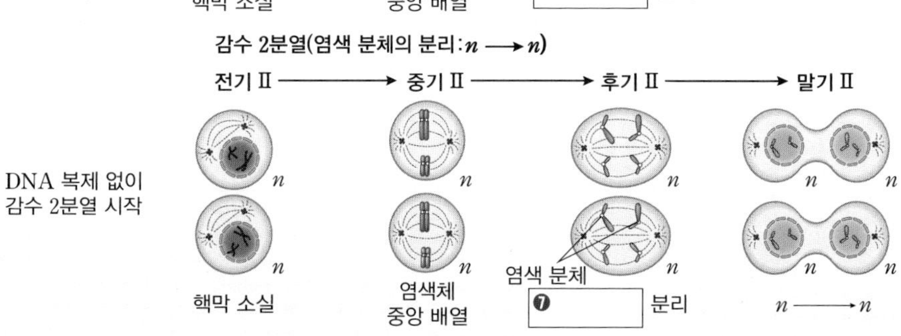


❼ 염색 분체

정답과 해설 64쪽

**6** 다음은 세포 주기의 각 시기에 대한 설명이다. 설명에 알맞은 시기의 이름을 쓰시오.

(1) 간기에 해당하며, DNA가 복제되는 시기이다.
(2) 핵분열로 유전 물질이 나누어지고 세포질 분열로 딸세포가 형성된다.
(3) 간기에 해당하며, 세포의 구성 물질을 합성하고 세포 소기관의 수가 증가하는 시기이다.
(4) 간기에 해당하며, 방추사를 구성하는 단백질을 합성하고 세포 분열을 준비하는 시기이다.

**7** 다음은 체세포 분열에 대한 학생 A~C의 설명이다.



옳게 설명한 학생을 모두 고르시오.

**8** 그림은 어떤 생물($2n=4$)의 체세포 분열 과정을 순서 없이 나타낸 것이다.

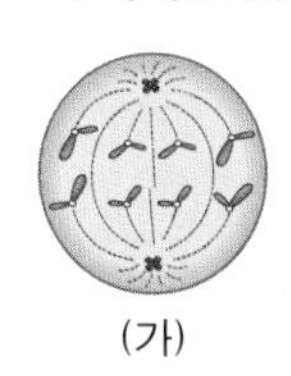
(가)

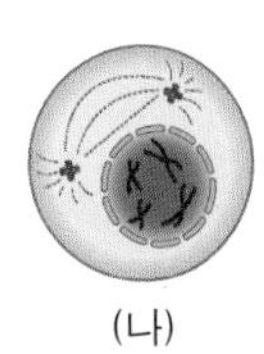
(나)

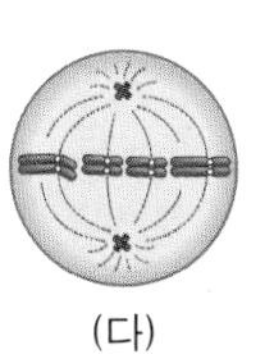
(다)

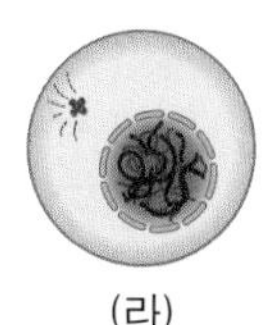
(라)

(가)~(라)를 체세포 분열의 과정에 맞게 순서대로 나열하시오.

[9~10] 그림은 어떤 생물($2n=4$)의 분열 중인 세포 (가)~(다)에 존재하는 염색체를 모두 나타낸 것이다.

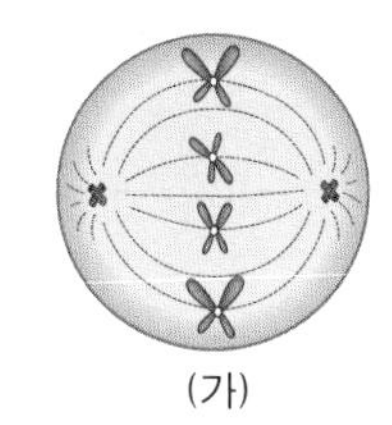
(가)

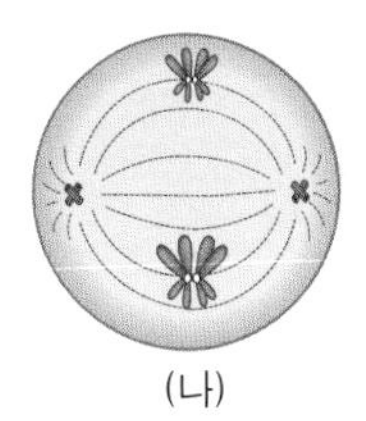
(나)

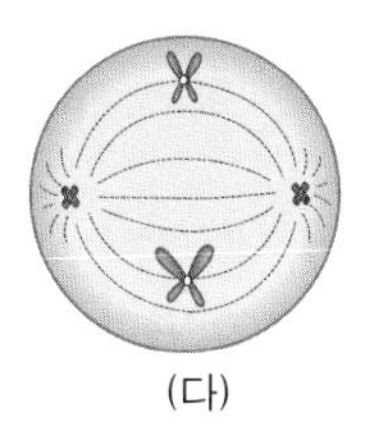
(다)

**9** (가)~(다) 중 감수 분열 중인 세포를 모두 쓰시오.

**10** 이에 대한 설명으로 옳은 것을 〈보기〉에서 모두 고르시오.

보기
ㄱ. (가)와 (나)의 핵상은 $2n$이다.
ㄴ. (가)에 2가 염색체가 있다.
ㄷ. (다)에 상동 염색체 쌍이 있다.

# 1일 내신 기출 베스트

## 대표 예제 1 염색체의 구조

그림은 염색체의 구조를 나타낸 것이다. 이에 대한 설명으로 옳은 것을 〈보기〉에서 모두 고르시오.

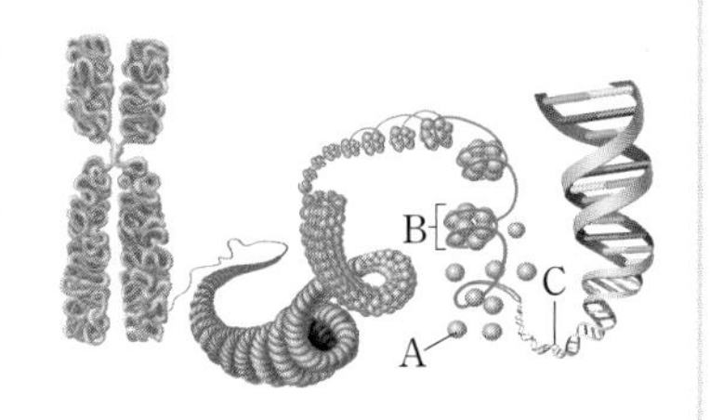


**보기**

ㄱ. A에 유전 정보가 저장되어 있다.
ㄴ. B는 뉴클레오솜이다.
ㄷ. C는 이중 나선 구조로 되어 있다.

**개념 가이드**

[　　　]는 [　　　]와 히스톤 단백질로 구성된 수많은 뉴클레오솜으로 구성되어 있다.

답 염색체, DNA

## 대표 예제 2 상동 염색체

그림은 어떤 생물의 염색체($2n=4$)를 나타낸 것이다. 이에 대한 설명으로 옳은 것을 〈보기〉에서 모두 고르시오.

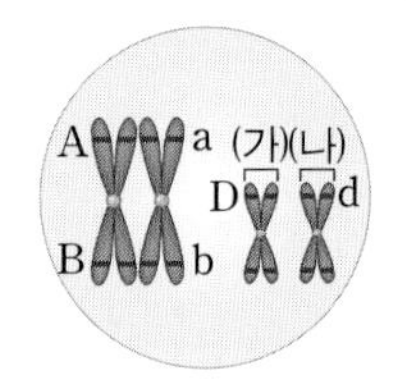


**보기**

ㄱ. A와 a는 대립유전자이다.
ㄴ. (가)와 (나)는 상동 염색체이다.
ㄷ. B와 b는 체세포 분열 과정에서 분리되어 서로 다른 딸세포에 하나씩 들어간다.

**개념 가이드**

[　　　]는 모양과 크기가 같은 1쌍의 [　　　]의 같은 위치에 있는 유전자로, 같은 형질을 결정하는 유전자 쌍이다.

답 대립유전자, 상동 염색체

## 대표 예제 3 핵형 분석

그림은 사람 (가)의 핵형을 분석한 결과를 나타낸 것이다. 이에 대한 설명으로 옳은 것만을 〈보기〉에서 있는 대로 고른 것은?

| 1 | 2 | 3 | 4 | 5 | 6 |
|---|---|---|---|---|---|
| 7 | 8 | 9 | 10 | 11 | 12 |
| 13 | 14 | 15 | 16 | 17 | 18 |
| 19 | 20 | 21 | 22 | | |

**보기**

ㄱ. (가)는 여자이다.
ㄴ. 핵형 분석에 이용한 세포는 간기의 세포이다.
ㄷ. $\frac{\text{성염색체 수}}{\text{상염색체 수}}=\frac{1}{22}$ 이다.

① ㄱ　② ㄴ　③ ㄱ, ㄷ　④ ㄴ, ㄷ　⑤ ㄱ, ㄴ, ㄷ

**개념 가이드**

한 생물이 가지는 염색체 상의 특성을 [　　　]이라고 하며, 핵형 분석에는 분열기 [　　　]의 세포를 이용한다.

답 핵형, 중기

## 대표 예제 4 핵상

그림은 어떤 동물의 세포 A에 들어 있는 모든 염색체를 나타낸 것이다. 이 동물의 성염색체는 XY이다. 이에 대한 설명으로 옳은 것만을 〈보기〉에서 있는 대로 고른 것은?

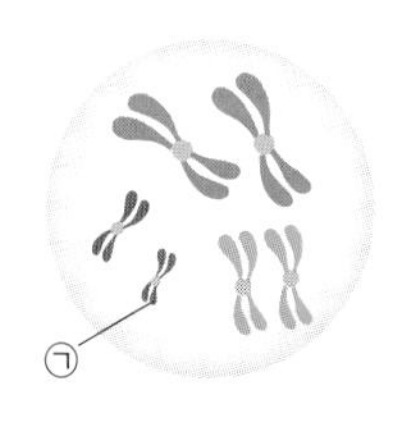


**보기**

ㄱ. ㉠은 성염색체이다.
ㄴ. A의 핵상은 $2n$이다.
ㄷ. 이 동물의 생식세포 1개당 염색체 수는 3개이다.

① ㄱ　② ㄴ　③ ㄱ, ㄷ　④ ㄴ, ㄷ　⑤ ㄱ, ㄴ, ㄷ

**개념 가이드**

체세포의 핵상은 [　　　]이고, 생식세포의 핵상은 [　　　]이다.

답 $2n$, $n$

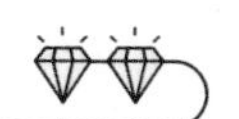

정답과 해설 64쪽

## 대표 예제 5 세포 주기

그림은 어떤 동물 체세포의 세포 주기를 나타낸 것이다. (가) ~ (다)는 각각 $G_1$기, 분열기, S기 중 하나이다. 이에 대한 설명으로 옳지 않은 것은?

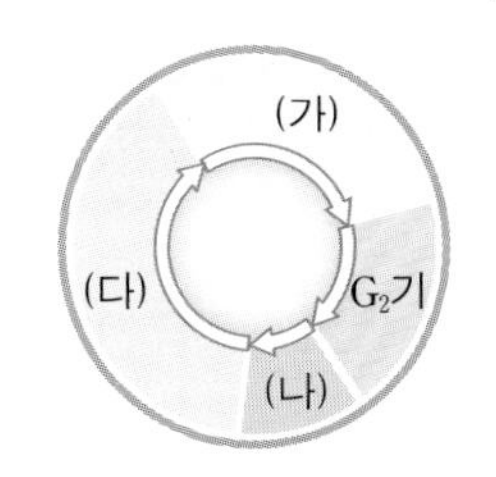


① (가)는 S기이다.
② (가)는 간기에 포함된다.
③ (나)에서 세포질 분열이 일어난다.
④ (다)에서 세포의 생장이 일어난다.
⑤ (다) 시기의 세포당 DNA양은 $G_2$기의 2배이다.

개념 가이드

세포 주기는 간기와 [　　　] 로 구분되며, 간기는 $G_1$기, [　　　], $G_2$기의 순서로 진행된다.

답 분열기, S기

## 대표 예제 6 세포 주기와 세포 분열

그림은 어떤 동물의 체세포를 배양한 후 세포당 DNA양에 따른 세포 수를 나타낸 것이다. I과 II 구간에 해당하는 세포의 시기를 옳게 짝지은 것은?

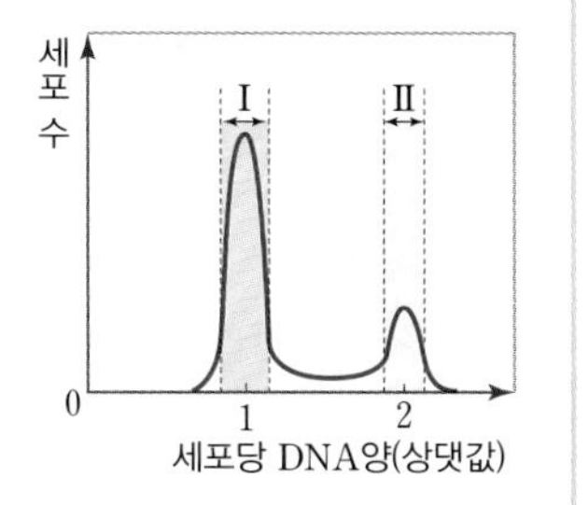


| | I | II |
|---|---|---|
| ① | $G_1$기 | S기 |
| ② | $G_2$기 | 분열기 |
| ③ | $G_1$기 | $G_2$기 |
| ④ | S기 | $G_1$기 |
| ⑤ | 분열기 | $G_2$기 |

개념 가이드

간기의 [　　　] 에 DNA 복제가 일어나 세포당 DNA 상대량이 [　　　] 로 증가한다.

답 S기, 2배

## 대표 예제 7 감수 분열

그림은 어떤 동물($2n=4$)에서 생식세포가 형성되는 과정의 일부를 나타낸 것이다.

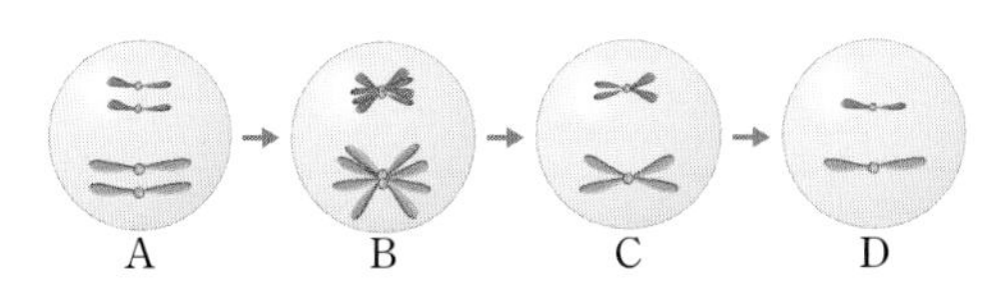


이에 대한 설명으로 옳은 것을 〈보기〉에서 모두 고르시오.

보기
ㄱ. A와 B 세포의 핵상은 서로 다르다.
ㄴ. B에는 2가 염색체가 들어 있다.
ㄷ. C가 D로 되는 과정은 감수 2분열이다.

개념 가이드

감수 1분열 후기에 [　　　] 가 분리되고, 감수 2분열 후기에 [　　　] 가 분리된다.

답 상동 염색체, 염색 분체

## 대표 예제 8 체세포 분열과 감수 분열

그림 (가)와 (나)는 어떤 동물($2n=4$) 세포에서 일어나는 2종류의 세포 분열 과정 중 일부를 나타낸 것이다. 이에 대한 설명으로 옳은 것은?

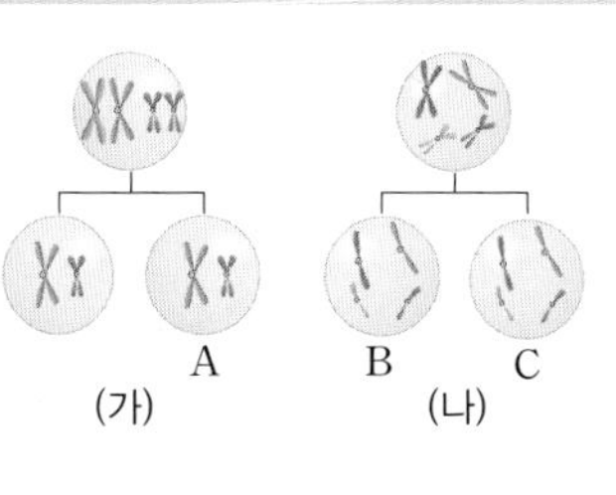


① (가)는 체세포 분열 과정의 일부이다.
② (나)에서 2가 염색체가 관찰된다.
③ A와 B의 세포당 염색체 수는 같다.
④ B와 C의 핵상은 서로 다르다.
⑤ (가)는 생식 과정에서의 유전적 다양성과 관련이 있다.

개념 가이드

[　　　] 에서 2가 염색체가 형성되며, 생식 과정에서 자손의 [　　　] 이 나타나게 한다.

답 감수 1분열, 유전적 다양성

대단원 IV. 유전 ❷

# 2일 사람의 유전

공부할 핵심 개념이 무엇인지 퀴즈를 통해 알아보자.

**Quiz** ㄷ ㅇ ㅇ ㅈ 유전은 부모로부터 각각 물려받은 한 쌍의 대립유전자에 의해 결정된다.

엄마와 나는 쌍꺼풀이 없는데 여동생과 아빠는 쌍꺼풀이 있어. 또, 우리 가족은 모두 ABO식 혈액형이 달라.

이런 형질들이 유전되는 원리는 무엇일까?

답 단일 인자

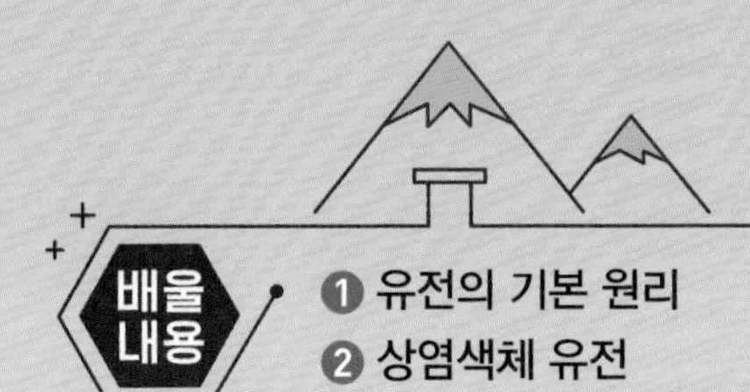

배울 내용
❶ 유전의 기본 원리
❷ 상염색체 유전
❸ 성염색체 유전
❹ 다인자 유전

**Quiz** 적록 색맹 대립유전자는 X 염색체에 있으며 정상에 대해 ㅇㅅ이다.

답 열성

**Quiz** 여러 쌍의 대립유전자가 관여하는 ㄷㅇㅈㅇㅈ은 표현형이 다양하게 나타난다.

답 다인자 유전

# 2일 교과서 핵심 정리 ①

## 개념 1 유전의 기본 원리

### 1 유전의 기본 용어

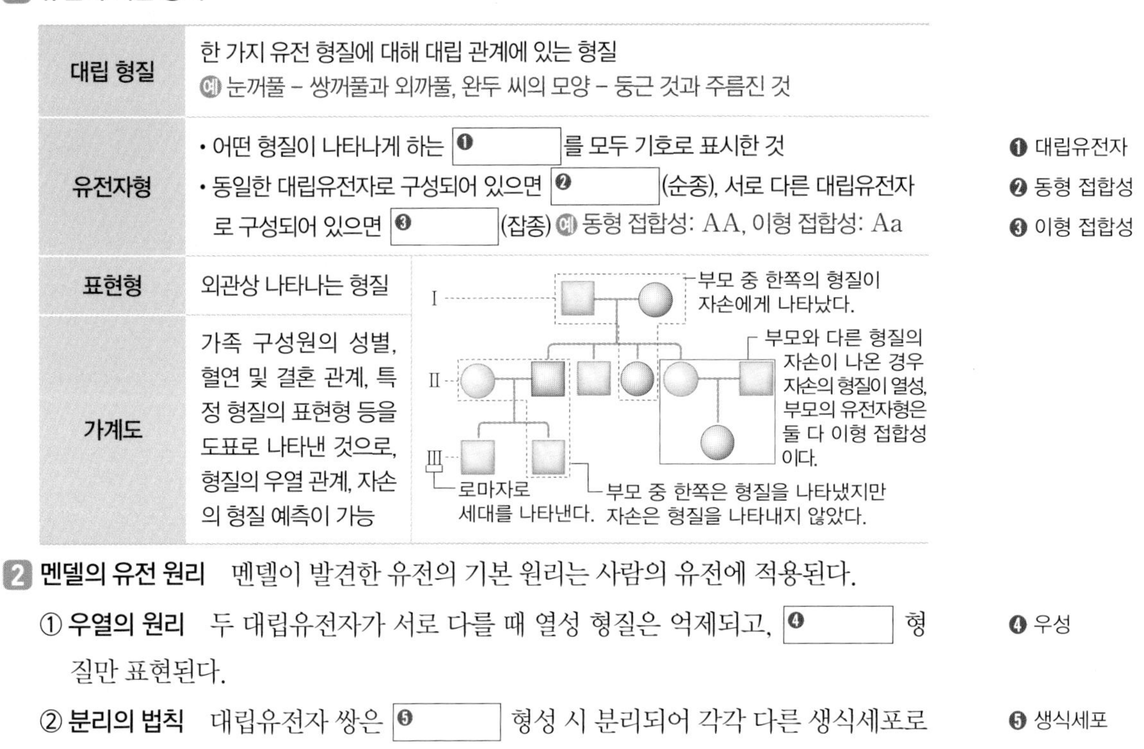

| | |
|---|---|
| 대립 형질 | 한 가지 유전 형질에 대해 대립 관계에 있는 형질<br>예 눈꺼풀 - 쌍꺼풀과 외까풀, 완두 씨의 모양 - 둥근 것과 주름진 것 |
| 유전자형 | • 어떤 형질이 나타나게 하는 ❶ ______ 를 모두 기호로 표시한 것<br>• 동일한 대립유전자로 구성되어 있으면 ❷ ______ (순종), 서로 다른 대립유전자로 구성되어 있으면 ❸ ______ (잡종) 예 동형 접합성: AA, 이형 접합성: Aa |
| 표현형 | 외관상 나타나는 형질 |
| 가계도 | 가족 구성원의 성별, 혈연 및 결혼 관계, 특정 형질의 표현형 등을 도표로 나타낸 것으로, 형질의 우열 관계, 자손의 형질 예측이 가능 |



❶ 대립유전자
❷ 동형 접합성
❸ 이형 접합성

### 2 멘델의 유전 원리

멘델이 발견한 유전의 기본 원리는 사람의 유전에 적용된다.

① **우열의 원리** 두 대립유전자가 서로 다를 때 열성 형질은 억제되고, ❹ ______ 형질만 표현된다.

② **분리의 법칙** 대립유전자 쌍은 ❺ ______ 형성 시 분리되어 각각 다른 생식세포로 들어가 자손에서 표현형이 일정한 비율로 나타난다.

❹ 우성
❺ 생식세포

## 개념 2 상염색체 유전

### 1 상염색체 유전

형질을 나타내는 유전자가 ❻ ______ 에 있는 유전 현상

### 2 단일 인자 유전

❼ ______ 의 대립유전자에 의해 형질이 결정되는 유전 현상

① **대립유전자의 종류가 두 가지인 경우** 멘델의 유전 원리에 따라 유전되며, 일반적으로 우성과 열성이 뚜렷이 구분된다. 예 귓불 모양, 눈꺼풀, 보조개, 혀 말기, 이마선 모양

② **복대립 유전** 형질을 결정하는 대립유전자의 종류가 세 가지 이상인 단일 인자 유전으로, 대립유전자의 종류가 두 가지인 경우에 비해 유전자형과 표현형의 종류가 다양하다.

예 ABO식 혈액형: 상염색체에 존재하는 ❽ ______ 개의 대립유전자 $I^A$, $I^B$, $i$가 관여한다. $I^A$와 $I^B$는 $i$에 대해 ❾ ______ 이며, $I^A$와 $I^B$ 사이에는 우열이 구분되지 않는다.

$I^AI^A$, $I^Ai$ — A형; $I^BI^B$, $I^Bi$ — B형; $I^AI^B$ — AB형; $ii$ — O형

▲ ABO식 혈액형 대립유전자의 구성과 위치

❻ 상염색체
❼ 1쌍
❽ 3(세)
❾ 우성

# 기초 확인 문제

정답과 해설 65쪽

**1** 다음 각 설명과 관련된 유전 용어를 〈보기〉에서 골라 기호로 쓰시오.

보기

ㄱ. 대립 형질　　ㄴ. 유전자형

ㄷ. 표현형　　ㄹ. 가계도

(1) 외관상 나타나는 유전 형질

(2) 동형 접합성과 이형 접합성이 있다.

(3) 한 가지 유전 형질에 대해 대립 관계에 있는 형질

(4) 가족 구성원의 성별, 혈연 및 결혼 관계, 특정 형질의 표현형 등을 도표로 나타낸 것

**2** 표는 사람의 3가지 상염색체 유전 형질의 우열 관계를 나타낸 것이다. (단, 제시된 형질은 모두 우열 관계가 분명한 2가지 대립유전자에 의해 결정되며, 돌연변이는 고려하지 않는다.)

| 형질 | 혀 말기 | 귓불 모양 | 이마선 모양 |
|---|---|---|---|
| 우성 | 가능 | 분리형 | V자형 |
| 열성 | 불가능 | 부착형 | 일자형 |

이에 대한 설명으로 옳은 것을 〈보기〉에서 모두 고르시오.

보기

ㄱ. 혀 말기가 가능한 사람 중에 열성 대립유전자를 가진 사람이 있다.

ㄴ. 귓불 모양에 대한 유전자형이 이형 접합성인 사람은 분리형 귓불을 가진다.

ㄷ. 일자형 이마선인 부모 사이에서 V자형 이마선인 자녀가 태어날 수 있다.

[3~4] 그림은 어떤 집안의 보조개 유전에 대한 가계도를 나타낸 것이다. 보조개 유전의 대립유전자는 T와 T*로 나타내며 상염색체에 있고, T는 T*에 대해 우성이다.

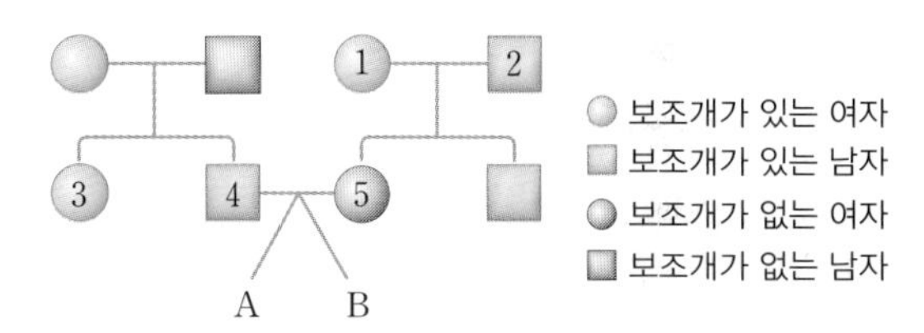


**3** 이에 대한 설명으로 옳은 것을 〈보기〉에서 모두 고르시오.

보기

ㄱ. 보조개가 있는 것이 없는 것에 대해 우성 형질이다.

ㄴ. 1~4의 보조개 유전자형은 모두 TT*이다.

ㄷ. 5의 보조개 유전자형은 동형 접합성이다.

**4** A가 보조개가 있는 남자일 확률을 구하시오.

**5** 표는 철수네 가족의 ABO식 혈액형을 나타낸 것이다.

| 구성원 | 어머니 | 아버지 | 철수 |
|---|---|---|---|
| 혈액형 | AB형 | B형 | A형 |

어머니, 아버지, 철수 중 ABO식 혈액형에 대한 유전자형이 이형 접합성인 사람을 모두 쓰시오.

## 개념 3 성염색체 유전

**1 사람의 성 결정** 사람의 성은 ❶ ______ 의 구성에 의해 결정된다. ➡ 정자는 X 염색체를 가진 것과 Y 염색체를 가진 것이 있고, 난자는 모두 X 염색체를 가지고 있다.

난자 22+X 22+X
정자 22+X 22+Y
수정 수정
딸 44+XX
아들 44+XY

❶ 성염색체

**2 성염색체 유전** 형질을 결정하는 유전자가 성염색체에 있어 형질이 발현되는 빈도가 ❷ ______ 에 따라 다른 유전 현상 ➡ 반성유전 예 적록 색맹, 혈우병

❷ 성(성별)

**3 적록 색맹 유전** 빨간색과 초록색을 구별하지 못하는 색각 이상으로, 유전자는 X 염색체에 있다. 정상 대립유전자(X)가 우성, 적록 색맹 대립유전자(X′)가 열성이다.

정상 대립유전자를 $X^R$, 적록 색맹 대립유전자를 $X^r$로 표시하기도 한다.

| 구분 | 남자 | | 여자 | | |
|---|---|---|---|---|---|
| 유전자형 | XY | X′Y | XX | XX′ | X′X′ |
| 표현형 | 정상 | 적록 색맹 | 정상 | 정상(보인자) | 적록 색맹 |

- 여자는 적록 색맹 대립유전자가 2개인 경우에만 적록 색맹이 되며, 남자는 1개만 있어도 적록 색맹이 된다. ➡ 여자보다 남자에서 더 ❸ ______ 나타난다. 예 어머니가 적록 색맹이면 ❹ ______ 은 반드시 적록 색맹이고, 아버지가 정상이면 ❺ ______ 은 반드시 정상이다.

❸ 많이
❹ 아들
❺ 딸

## 개념 4 다인자 유전

**1 다인자 유전** 형질을 결정하는 데 ❻ ______ 의 대립유전자가 관여하는 유전 현상으로, 표현형이 다양하며 우성과 열성이 뚜렷하지 않고, 환경의 영향을 많이 받는다. ➡ 형질이 ❼ ______ 형태의 연속적인 변이로 나타나는 경우가 많다. 예 키, 피부색, 몸무게

❻ 여러 쌍
❼ 정규 분포 곡선

**2 사람의 피부색 유전 모델**

① 서로 다른 상염색체에 있는 3쌍의 대립유전자(A와 a, B와 b, C와 c)에 의해 결정되고 피부색을 검게 만드는 대립유전자 A, B, C의 개수가 많을수록 검다고 가정한다. 환경의 영향은 없다고 가정한다.

② 유전자형이 AaBbCc인 두 사람 사이에서 자손이 태어날 경우 피부색은 대립유전자 A, B, C의 개수에 따라 다양하게 나타난다. ➡ 자손에게 나타날 수 있는 피부색의 표현형은 7가지이다.

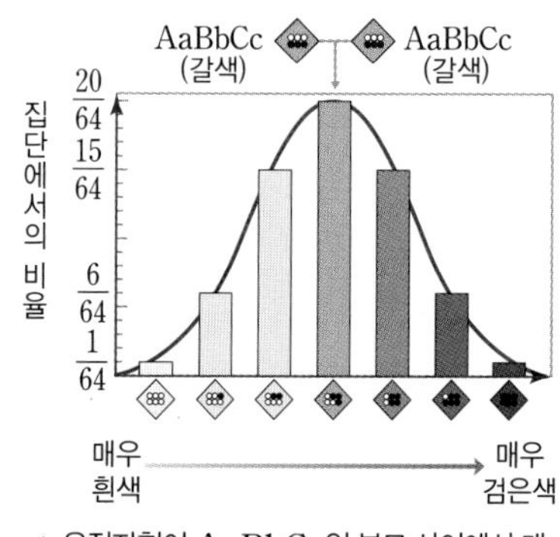

▲ 유전자형이 AaBbCc인 부모 사이에서 태어나는 자녀의 피부색 분포

정답과 해설 65쪽



**6** 다음은 어떤 유전병에 대한 자료이다.

(가) 대립유전자가 X 염색체에 있다.
(나) 정상 남자와 ㉠ 유전병 여자 사이에서 태어난 자녀 중 ㉡ 딸은 모두 정상이고, 아들은 모두 유전병이다.

이에 대한 설명으로 옳은 것을 〈보기〉에서 모두 고르시오.

보기

ㄱ. 유전병은 정상에 대해 열성이다.
ㄴ. ㉠의 유전자형은 이형 접합성이다.
ㄷ. ㉡은 유전병 대립유전자를 가지고 있다.

**7** 다음은 사람에게서 나타나는 유전 현상에 대한 설명이다. (가)~(다)는 각각 반성유전, 복대립 유전, 다인자 유전 중 하나에 해당하는 유전 현상이다.

(가) 3가지 대립유전자가 1쌍의 대립유전자를 구성하여 4가지 대립 형질이 결정된다.
(나) 3쌍의 대립유전자에 의해 7가지 대립 형질이 결정된다.
(다) 2가지 대립 형질이 성염색체에 있는 1쌍의 대립유전자에 의해 결정된다.

이에 대한 설명으로 옳은 것을 〈보기〉에서 모두 고르시오.

보기

ㄱ. ABO식 혈액형 유전은 (가)에 해당한다.
ㄴ. (나)는 복대립 유전이다.
ㄷ. (다)는 성별에 따라 형질이 나타나는 빈도가 다르다.

**8** 그림은 민수네 집안의 적록 색맹 유전에 대한 가계도를 나타낸 것이다.

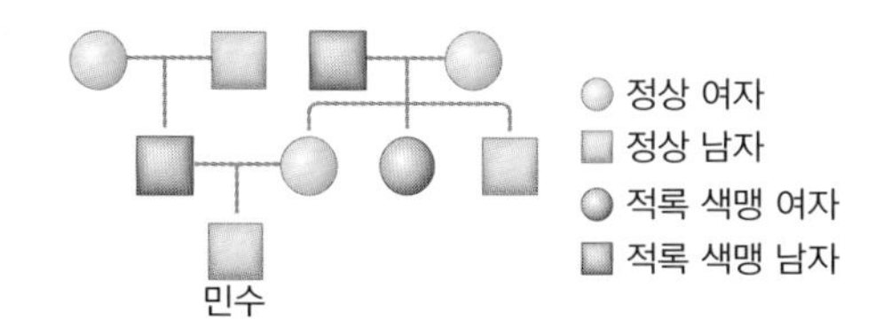


가계도에 나타난 구성원 중 적록 색맹 보인자인 사람은 총 몇 명인지 쓰시오. (단, 돌연변이는 고려하지 않는다.)

[9 ~ 10] 다음은 사람의 피부색 유전 모델에 관한 자료이다.

- A, B, C는 피부색을 검게 하는 대립유전자이고 a, b, c는 피부색을 희게 하는 대립유전자이다. A~C는 서로 다른 상염색체에 존재한다.
- 피부색은 3쌍의 대립유전자 중 피부색을 검게 하는 대립유전자의 수에 의해서만 결정되며, A~C 이외의 다른 유전자는 피부색을 결정하지 않는다.
- 매우 검은색 피부(AABBCC)의 남자와 매우 흰색 피부(aabbcc)의 여자 사이에서 ㉠ 갈색 피부의 딸이 태어났다.

**9** 피부색 유전 모델에서 나타날 수 있는 표현형은 최대 몇 가지인지 쓰시오.

**10** ㉠이 aabbcc인 유전자형을 갖는 남자와 결혼하였을 때 자손에서 나타날 수 있는 피부색의 종류는 최대 몇 가지인지 쓰시오.

# 2일 내신 기출 베스트

## 대표 예제 1 유전의 기본 원리

유전의 기본 원리에 대한 설명으로 옳지 않은 것은?

① 표현형이 열성일 때 유전자형은 동형 접합성이다.
② 유전자형이 다른 두 개체의 표현형이 같을 수 있다.
③ 대립유전자 쌍은 생식세포 형성 시 분리되어 각각 다른 생식세포로 들어간다.
④ 우성 형질을 나타내는 부모 사이에서 열성 형질을 나타내는 자손이 나올 수 없다.
⑤ 하나의 형질을 결정하는 두 대립유전자가 서로 다를 때 우성인 대립유전자만 표현형으로 나타난다.

**개념 가이드**

부모와 다른 형질의 자손이 나온 경우 자손의 형질은 [ ]이고, 부모의 유전자형은 둘 다 [ ]이다.

답 열성, 이형 접합성

## 대표 예제 2 상염색체 유전

다음은 사람의 유전 형질 (가)에 대한 자료이다.

- (가)를 결정하는 대립유전자는 상염색체에 있고, (가) 발현 대립유전자 A와 (가) 비발현 대립유전자 a에 의해 결정된다.
- A는 a에 대해 우성이다.

유전자형이 Aa인 부모에게서 아이가 한 명 태어날 때, 이 아이가 (가)가 발현되는 아들일 확률은 얼마인지 쓰시오. (단, 돌연변이는 고려하지 않는다.)

**개념 가이드**

정자와 난자의 (가)에 대한 유전자형 비는 각각 A와 a가 [ ]이고, 이들이 무작위 수정을 하여 태어난 아이의 유전자형 비는 AA, Aa, aa가 [ ]이다.

답 1 : 1, 1 : 2 : 1

## 대표 예제 3 상염색체 유전 가계도 분석

그림은 어떤 집안의 귓불 모양 유전에 대한 가계도를 나타낸 것이다. 귓불 모양 대립유전자는 상염색체에 있다. 이에 대한 설명으로 옳은 것을 〈보기〉에서 모두 고르시오. (단, 돌연변이는 고려하지 않는다.)

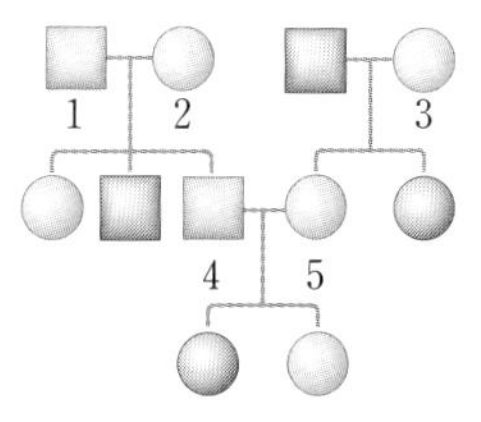


보기

ㄱ. 귓불 모양 유전은 단일 인자 유전이다.
ㄴ. 부착형이 분리형에 대해 우성 형질이다.
ㄷ. 1~5의 유전자형은 모두 이형 접합성이다.

**개념 가이드**

하나의 형질에 1쌍의 [ ]가 관여하는 유전 현상은 [ ] 유전이다.

답 대립유전자, 단일 인자

## 대표 예제 4 복대립 유전

그림은 어떤 집안의 ABO식 혈액형 유전에 대한 가계도를 나타낸 것이다. 1과 2 사이에서 아이가 태어날 때 이 아이의 혈액형이 A형일 확률은 얼마인가? (단, 돌연변이는 고려하지 않는다.)

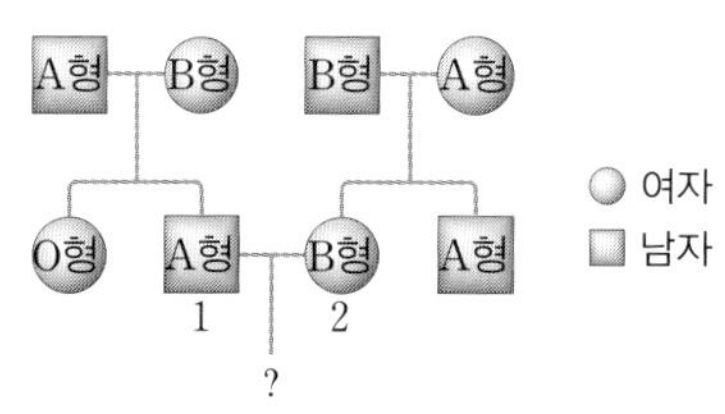


① $\frac{1}{4}$ ② $\frac{1}{3}$ ③ $\frac{3}{8}$
④ $\frac{1}{2}$ ⑤ $\frac{3}{4}$

**개념 가이드**

대립유전자를 $I^A$, $I^B$, $i$라고 할 때 1은 아버지로부터 대립유전자 [ ]를, 어머니로부터 [ ]를 물려받았다.

답 $I^A$, $i$

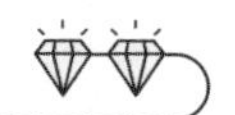





## 대표 예제 5 성염색체 유전

사람의 성염색체 유전에 대한 설명으로 옳은 것만을 〈보기〉에서 있는 대로 고른 것은?

보기

ㄱ. 아들의 X 염색체는 어머니로부터 받은 것이다.
ㄴ. 성염색체 유전은 모두 대립유전자가 X 염색체에 있다.
ㄷ. 적록 색맹과 혈우병 유전은 성염색체 유전의 예에 해당한다.

① ㄱ ② ㄴ ③ ㄱ, ㄷ
④ ㄴ, ㄷ ⑤ ㄱ, ㄴ, ㄷ

개념 가이드

딸은 아버지로부터 [ ] 염색체를 물려받고, 아들은 [ ] 염색체를 물려받는다.

답 X, Y

## 대표 예제 6 적록 색맹 유전

표는 어떤 가족의 적록 색맹 유전에 대한 표현형을 나타낸 것이다. 이에 대한 설명으로 옳은 것을 〈보기〉에서 모두 고르시오. (단, 돌연변이는 고려하지 않는다.)

| 구성원 | 표현형 |
|---|---|
| 어머니 | 정상 |
| 아버지 | ? |
| 아들 | 정상 |
| 딸 | 적록 색맹 |

보기

ㄱ. 아버지는 적록 색맹이다.
ㄴ. 어머니는 적록 색맹 보인자이다.
ㄷ. 딸의 적록 색맹 유전자형은 동형 접합성이다.

개념 가이드

적록 색맹 대립유전자는 [ ] 염색체에 있고, 정상에 대해 [ ]이다.

답 X, 열성

## 대표 예제 7 성염색체 유전 가계도 분석

그림은 어떤 집안의 적록 색맹 유전에 대한 가계도를 나타낸 것이다. 1과 2 사이에서 아이가 태어날 때 이 아이가 정상 딸일 확률은 얼마인가? (단, 돌연변이는 고려하지 않는다.)

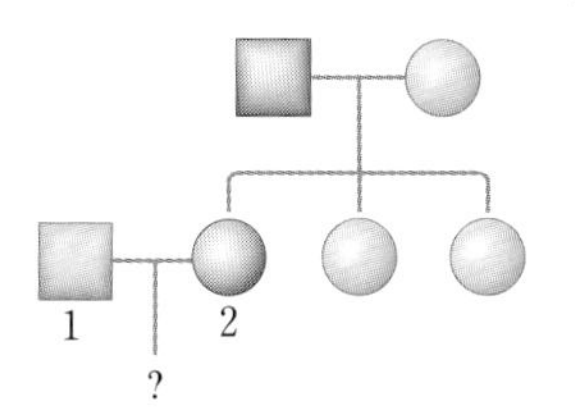


① $\frac{1}{4}$ ② $\frac{1}{3}$ ③ $\frac{3}{8}$
④ $\frac{1}{2}$ ⑤ $\frac{3}{4}$

개념 가이드

1은 아들에게 [ ] 염색체를, 딸에게 [ ] 대립유전자가 있는 X 염색체를 물려준다.

답 Y, 정상

## 대표 예제 8 다인자 유전

그림은 창수네 반 학생들의 키를 조사하여 나타낸 것이다. 이에 대한 설명으로 옳은 것을 〈보기〉에서 모두 고르시오.

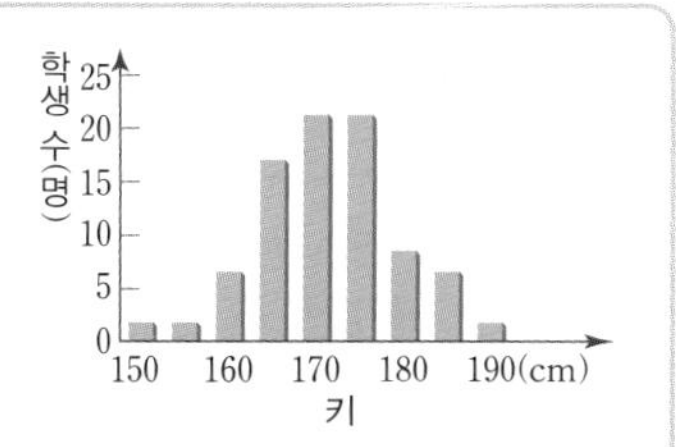


보기

ㄱ. 키는 다인자 유전이다.
ㄴ. 표현형이 연속적인 변이를 보인다.
ㄷ. 키의 유전에는 '큰 키'와 '작은 키'의 두 가지 대립유전자가 관여한다.

개념 가이드

[ ]은 형질이 여러 쌍의 대립유전자에 의해 결정되며, 우성과 열성이 뚜렷하지 않고, 표현형이 [ ]하다.

답 다인자 유전, 다양

대단원 IV. 유전 ❸

# 3일 사람의 유전병

**Quiz** 감수 분열 중 [ㅇ][ㅅ][ㅊ] [ㅂ][ㅂ][ㄹ]가 일어나면 염색체 수 이상 돌연변이가 발생한다.

답 염색체 비분리

배울 내용

❶ 돌연변이와 유전병
❷ 염색체 수 이상에 의한 유전병
❸ 염색체 구조 이상에 의한 유전병
❹ 유전자 이상에 의한 유전병

**Quiz** 결실, 중복, 역위, 전좌 등은 염색체의 ㄱ ㅈ에 이상이 있는 것이다.

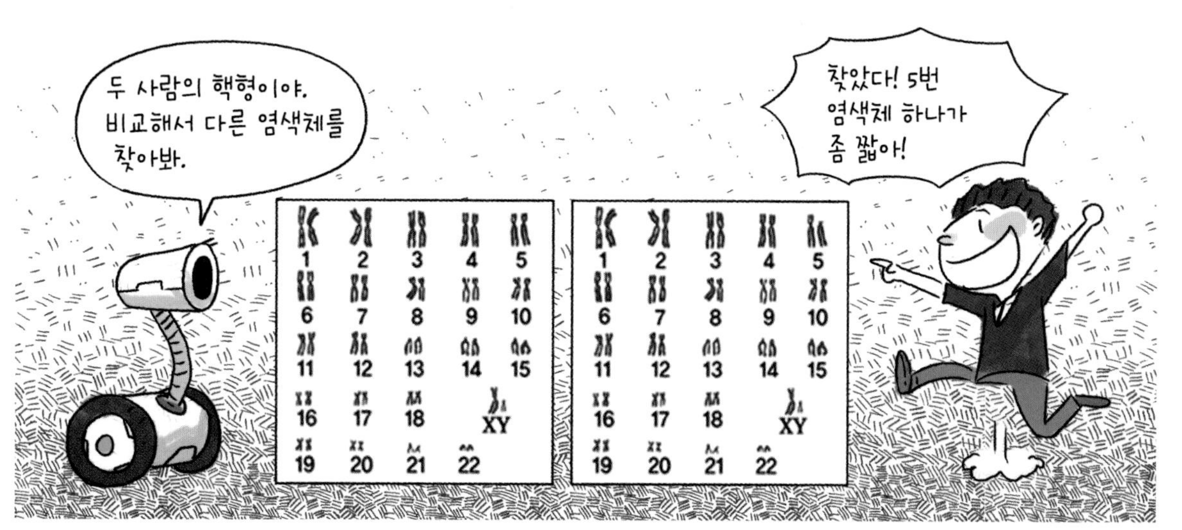


답 구조

**Quiz** ㅇ ㅈ ㅈ 돌연변이는 DNA의 염기 서열 이상으로 나타난다.

답 유전자

## 개념 1 돌연변이와 유전병

**1 돌연변이** 유전 정보가 있는 염색체나 유전자에 변화가 일어나는 것 ➡ 생식세포에 생긴 돌연변이는 다음 세대에 유전되어 유전병의 원인이 된다.

└ 염색체나 유전자의 이상으로 몸의 형태나 기능에 이상이 나타나는 병

**2 돌연변이의 종류**

① **염색체 돌연변이** 염색체 ❶ [ ] 이상과 염색체 ❷ [ ] 이상이 있으며, ❸ [ ]을 통해 확인할 수 있다.

② **유전자 돌연변이** 유전자를 구성하는 DNA 염기 서열에 이상이 있는 것으로, 핵형 분석으로는 확인할 수 없다.

❶ 수
❷ 구조
❸ 핵형 분석

## 개념 2 염색체 수 이상에 의한 유전병

**1 원인** 감수 분열 과정에서 ❹ [ ]가 일어나 염색체 수에 이상이 있는 생식세포가 형성되고, 그 결과 염색체 수에 이상이 있는 자손이 태어난다.

❹ 염색체 비분리

| 감수 1분열에서 염색체 비분리가 1회 일어났을 때 | 감수 2분열에서 염색체 비분리가 1회 일어났을 때 |
|---|---|

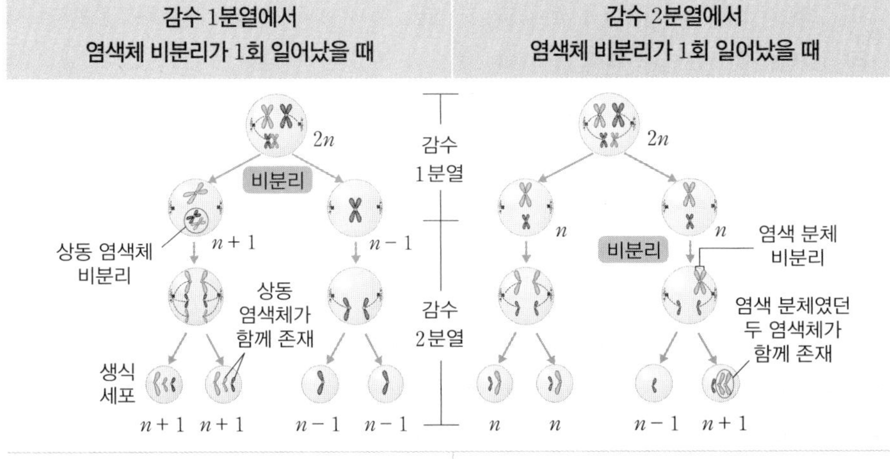


| | |
|---|---|
| • ❺ [ ]가 비분리된다.<br>• 염색체 수가 2개는 정상보다 1개 많고, 2개는 정상보다 1개 적은 생식세포 형성 ➡ 모든 생식세포에 이상이 나타난다. | • ❻ [ ]가 비분리된다.<br>• 염색체 수가 2개는 정상이고, 1개는 정상보다 1개 많으며, 1개는 정상보다 1개 적은 생식세포 형성 |

❺ 상동 염색체
❻ 염색 분체

**2 염색체 수 이상에 의한 유전병의 예**

| 구분 | 다운 증후군 | 터너 증후군 | 클라인펠터 증후군 |
|---|---|---|---|
| 염색체 구성 | 45+XX, 45+XY | 44+X(여자) | 44+XXY(남자) |
| 염색체 이상 | 상염색체 비분리, 21번 염색체가 3개 | ❼ [ ] 비분리, 성염색체가 X 1개 | 성염색체 비분리, 성염색체가 XXY |

❼ 성염색체

# 기초 확인 문제

정답과 해설 66쪽

**1** 돌연변이와 유전병에 대한 설명으로 옳지 않은 것은?

① 모든 돌연변이는 다음 세대에 유전된다.
② 염색체 이상이나 유전자 이상에 의해 나타난다.
③ 염색체 돌연변이는 핵형 분석을 통해 알아낼 수 있다.
④ 염색체의 수나 구조에 이상이 있는 것을 염색체 돌연변이라고 한다.
⑤ 유전자를 구성하는 DNA 염기 서열에 이상이 있는 것을 유전자 돌연변이라고 한다.

**2** 염색체 비분리 현상에 대한 설명으로 옳은 것만을 〈보기〉에서 있는 대로 고른 것은?

보기

ㄱ. 감수 분열 중 염색체들이 분리되지 않고 하나의 딸세포에 함께 들어가는 경우가 있다.
ㄴ. 감수 분열 중 염색체 비분리는 성염색체에서만 일어난다.
ㄷ. 염색체 비분리가 일어난 생식세포의 수정으로 염색체 수에 이상이 있는 유전병이 나타날 수 있다.

① ㄱ ② ㄴ ③ ㄷ
④ ㄱ, ㄷ ⑤ ㄴ, ㄷ

**3** 정자 형성 과정 중 감수 2분열에서 성염색체의 비분리가 1회 일어났다. 이때 생성될 수 있는 정자의 성염색체 구성으로 옳은 것을 〈보기〉에서 모두 고르시오.

보기

ㄱ. X 염색체 1개
ㄴ. X 염색체 2개
ㄷ. X 염색체 1개+Y 염색체 1개

[4~5] 그림은 (가)와 (나) 두 사람의 핵형 분석 결과를 나타낸 것이다.

(가)
1 2 3 4 5 6 7 8 9 10 11 12
13 14 15 16 17 18 19 20 21 22 X

(나)
1 2 3 4 5 6 7 8 9 10 11 12
13 14 15 16 17 18 19 20 21 22 X Y

**4** (가)와 (나)의 유전병은 각각 무엇인지 쓰시오.

**5** (가)와 (나)의 유전병이 갖는 공통점으로 옳은 것을 〈보기〉에서 모두 고르시오.

보기

ㄱ. 정상인과 핵형이 다르다.
ㄴ. 성염색체에 이상이 생긴 돌연변이이다.
ㄷ. 감수 분열 중 염색체 비분리 현상에 의해 나타난다.

# 교과서 핵심 정리 ②



## 개념 3 염색체 구조 이상에 의한 유전병

**1 염색체 구조 이상** 세포 분열 과정 중 염색체 일부가 절단되어 염색체 ❶ [ ] 에 이상이 생긴 것으로, 결실, 중복, 역위, 전좌로 구분된다. - 핵형 분석으로 확인할 수 있다.

| 결실 | 중복 | 역위 | 전좌 |
|---|---|---|---|
| 염색체의 일부가 떨어져 없어짐 | 염색체의 일부분과 같은 부분이 삽입되어 반복됨 | 염색체의 일부가 떨어졌다가 ❷ [ ] 붙음 | 한 염색체의 일부가 상동 염색체가 아닌 다른 염색체에 붙음 |
| ABCDEFGH<br>E 결실 ↓<br>ABCDFGH | ABCDEFG<br>↓<br>ABCDEEFG | ABCDEFGH<br>↓<br>ABCDGFEH | ABCDEFGH<br>ORTUVW<br>↓<br>ABCDEFUVW<br>ORTGH |

**2 염색체 구조 이상에 의한 유전병의 예**

① **만성 골수성 백혈병** 9번과 22번 염색체 끝부분의 ❸ [ ] 로 발생한다.

② **고양이 울음 증후군** 5번 염색체의 특정 부분이 ❹ [ ] 되어 나타난다.

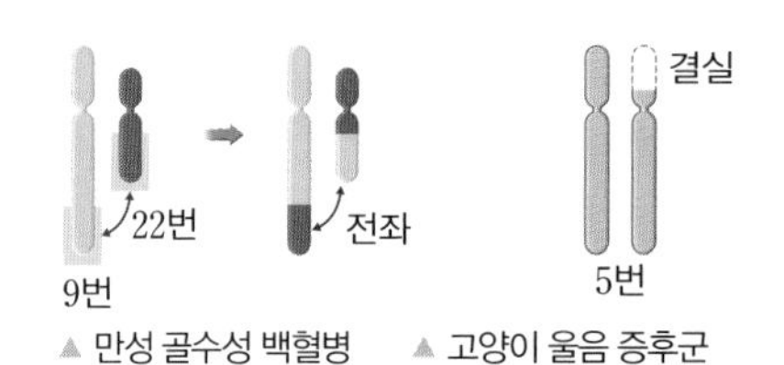

▲ 만성 골수성 백혈병 ▲ 고양이 울음 증후군

❶ 구조
❷ 거꾸로
❸ 전좌
❹ 결실

## 개념 4 유전자 이상에 의한 유전병

**1 유전자 돌연변이** 유전자를 구성하는 DNA의 염기 서열이 변해 나타난다. - 핵형 분석으로 확인할 수 없다.

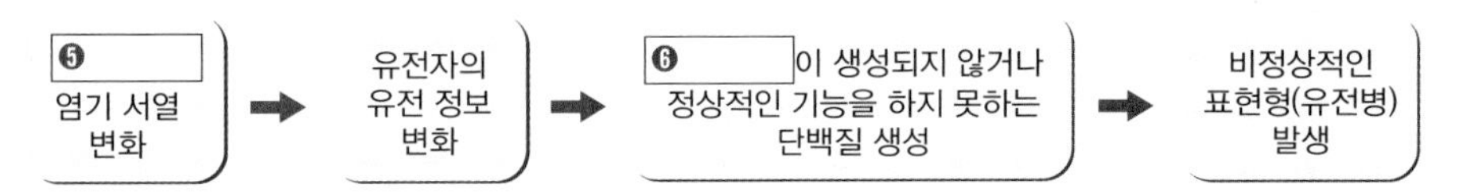


**2 유전자 이상에 따른 유전병의 예**

① **낫 모양 적혈구 빈혈증(열성)** 헤모글로빈 유전자의 이상으로 ❼ [ ] 중 하나가 바뀌어 헤모글로빈의 구조가 변형된다. ➡ 적혈구가 낫 모양으로 변하여 산소 운반 기능이 떨어지고, 모세 혈관을 막아 혈액의 순환 속도를 느리게 한다.

② **페닐케톤뇨증(열성)** 아미노산의 일종인 페닐알라닌을 분해하는 효소 유전자 이상으로 체내에 페닐알라닌이 축적 ➡ 중추 신경계를 손상시킨다.

③ **알비노증(열성)** 멜라닌 합성 효소 ❽ [ ] 이상으로 멜라닌 색소 결핍

④ **헌팅턴 무도병(우성)** 헌팅턴 단백질 유전자 이상으로 인한 뇌신경계 질환

❺ DNA
❻ 단백질
❼ 아미노산
❽ 유전자

정답과 해설 66쪽

**6** 다음은 염색체 구조 이상인 (가)와 (나)에 대한 설명이다.

> (가) 염색체의 일부가 끊어진 다음 반대 방향으로 다시 붙은 경우
> (나) 한 염색체의 일부가 상동 염색체가 아닌 다른 염색체에 붙은 경우

(가)와 (나)의 이름을 옳게 짝지은 것은?

| | (가) | (나) | | (가) | (나) |
|---|---|---|---|---|---|
| ① | 역위 | 결실 | ② | 중복 | 역위 |
| ③ | 역위 | 전좌 | ④ | 전좌 | 결실 |
| ⑤ | 결실 | 중복 | | | |

**7** 그림은 유전병이 있는 두 사람 (가)와 (나)의 핵형 분석 결과 중 3쌍의 염색체를 정상인과 비교한 것이다. (단, 나머지 염색체는 모두 정상이다.)

정상인 (가) (나)

이에 대한 설명으로 옳은 것을 〈보기〉에서 모두 고르시오.

> 보기
> ㄱ. (가)는 결실이 일어난 세포를 갖는다.
> ㄴ. (나)의 세포에서 상동 염색체 사이에 전좌가 일어났다.
> ㄷ. (가)와 (나)의 염색체 이상은 염색체 비분리 현상에 의해 일어난 것이다.

**8** 다음은 유전자 돌연변이의 발생 과정이다.

( ㉠ ) 염기 서열 변화 ➡ 유전자의 유전 정보 변화 ➡ ( ㉡ )이 생성되지 않거나 정상적인 기능을 하지 못하는 ( ㉡ ) 생성 ➡ 비정상적인 표현형(유전병) 발생

이에 대한 설명으로 옳은 것을 〈보기〉에서 모두 고르시오.

> 보기
> ㄱ. ㉠은 여러 개의 아미노산으로 구성된다.
> ㄴ. ㉡은 DNA이다.
> ㄷ. 알비노증은 위 과정에 의해 발생하는 유전병에 해당한다.

[9 ~ 10] 그림은 유전병 X가 발생할 때 일어나는 일부 과정을 나타낸 것으로, 헤모글로빈을 구성하는 아미노산 중 하나가 바뀌어 헤모글로빈의 구조가 변형되는 과정이다. 프롤린, 글루탐산, 발린은 아미노산이다.

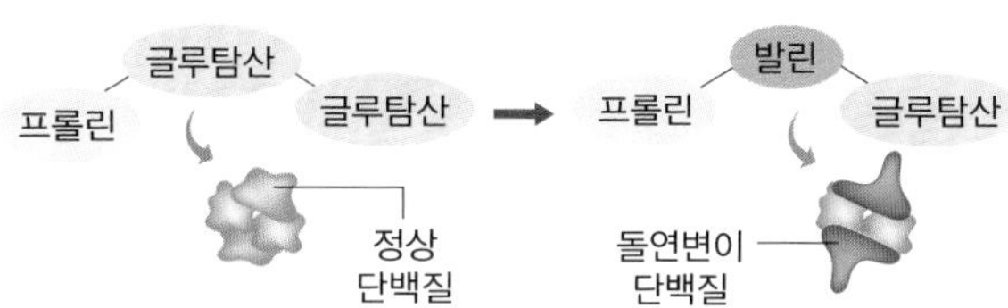


**9** 유전병 X는 무엇인지 쓰시오.

**10** 이에 대한 설명으로 옳은 것을 〈보기〉에서 모두 고르시오.

> 보기
> ㄱ. 염색체 돌연변이에 해당한다.
> ㄴ. 핵형 분석으로 X를 확인할 수 있다.
> ㄷ. 유전자 이상으로 헤모글로빈의 구조에 이상이 생겨 비정상적인 적혈구가 형성된다.

3일

# 내신 기출 베스트

## 대표 예제 1 돌연변이와 유전병

**돌연변이와 유전병에 대한 설명으로 옳지 않은 것은?**

① 생식세포에 생긴 돌연변이는 유전될 수 있다.
② 다운 증후군은 염색체 수 이상에 의해 발생한다.
③ 유전자 돌연변이에 의한 유전병은 모두 정상에 대해 열성이다.
④ 염색체 구조 이상에 의한 유전병은 핵형 분석으로 확인할 수 있다.
⑤ DNA 염기 서열 이상으로 비정상 단백질이 생성되는 것을 유전자 돌연변이라고 한다.

개념 가이드

염색체 돌연변이와 유전자 돌연변이 중 [　　　]으로 확인 가능한 것은 [　　　] 돌연변이이다.

답 핵형 분석, 염색체

## 대표 예제 2 염색체 비분리 현상

**그림은 정자 형성 과정에서 염색체 비분리가 1회 일어났을 때 형성된 정자의 염색체 수를 나타낸 것이다. (단, 제시된 돌연변이 이외의 돌연변이는 고려하지 않는다.)**

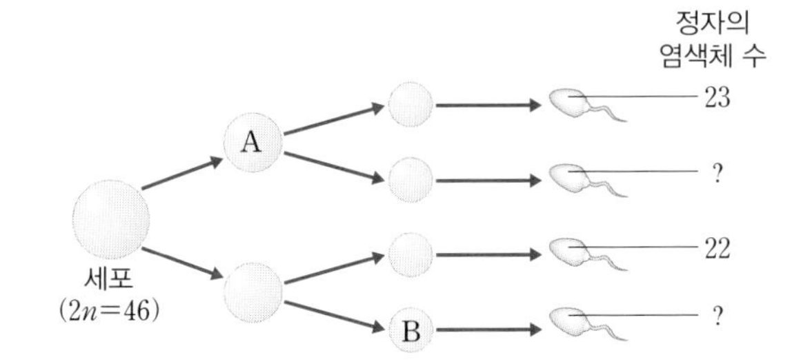


(1) 염색체 비분리가 일어난 시기를 쓰시오.
(2) A, B의 세포당 염색체 수를 순서대로 쓰시오.

개념 가이드

감수 [　　　]분열에서 [　　　]가 분리될 때 비분리가 일어날 경우 정상 염색체 수를 가진 딸세포가 2개 형성된다.

답 2, 염색 분체

## 대표 예제 3 염색체 수 이상

**표는 감수 분열 과정에서 성염색체의 비분리가 일어난 정자와 난자가 수정하여 수정란이 형성된 세 가지 경우를 나타낸 것이다. (단, 상염색체는 모두 정상적으로 분리되었고, 다른 돌연변이는 없다.)**

| 구분 | 정자 | 난자 |
|---|---|---|
| (가) | X | 없음 |
| (나) | Y | XX |
| (다) | XY | X |

(1) (가)~(다)에서 나타나는 유전병의 이름을 쓰시오.
(2) (나)의 세포당 상염색체 수를 쓰시오.
(3) (다)의 정자 형성 시 염색체 비분리가 일어난 시기를 쓰시오.

개념 가이드

터너 증후군은 성염색체 이상인 유전병으로, 세포당 상염색체 [　　　]개와 X 염색체 [　　　]개를 갖는 여자이다.

답 44, 1

## 대표 예제 4 염색체 수 이상 유전병

**그림은 어떤 사람의 정자 형성 과정에서 21번 염색체의 비분리 현상이 일어나는 과정의 일부를 나타낸 것이다.**

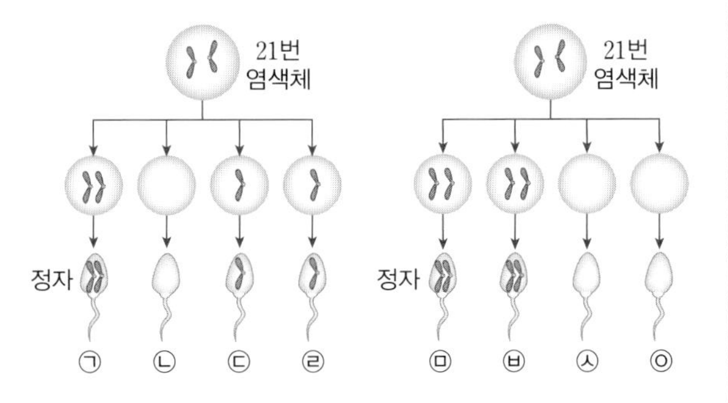


**㉠~㉧ 중 정상 난자와 수정하여 아이가 태어날 때, 다운 증후군이 나타나는 것을 모두 고르시오.**

개념 가이드

다운 증후군은 염색체 비분리 현상이 일어난 생식세포의 수정으로 [　　　]번 염색체가 [　　　]개인 유전병이다.

답 21, 3

## 대표 예제 5 염색체 구조 이상과 수 이상

**다음은 염색체 돌연변이에 관한 세 학생의 설명이다.**

**제시한 설명이 옳은 학생을 모두 고르시오.**

개념 가이드

염색체 [   ] 이상 중 염색체 일부가 떨어져 나간 것은 [   ]이다.

답 구조, 결실

## 대표 예제 6 염색체 구조 이상

**그림은 고양이 울음 증후군 환자의 핵형 분석 결과를 나타낸 것이다. 이에 대한 설명으로 옳은 것을 〈보기〉에서 모두 고르시오.**

보기

ㄱ. 결실이 일어난 염색체가 있다.
ㄴ. 성염색체에 돌연변이가 일어났다.
ㄷ. 세포당 염색체 수는 정상인과 같다.

개념 가이드

고양이 울음 증후군은 상염색체인 [   ]번 염색체의 [   ]에 의해 발생하는 유전병이다.

답 5, 결실

## 대표 예제 7 염색체 구조 이상과 유전자 이상

**유전병을 가진 사람 (가)와 (나)의 세포를 핵형 분석하였더니 (가)는 정상인과 같았으나 (나)는 9번 염색체와 22번 염색체 끝부분이 전좌되었다. (가)와 (나)가 가진 유전병은 각각 만성 골수성 백혈병과 낫 모양 적혈구 빈혈증 중 하나이다. 이에 대한 설명으로 옳지 않은 것은?**

① (가)의 유전병은 정상에 대해 열성이다.
② (가)의 유전병은 유전자 돌연변이로 발생한다.
③ (가)의 적혈구에 돌연변이 헤모글로빈이 있다.
④ (나)의 체세포 1개당 염색체 수는 45개이다.
⑤ (나)의 유전병은 만성 골수성 백혈병이다.

개념 가이드

낫 모양 적혈구 빈혈증은 [   ] 이상이고, 정상에 대해 [   ]으로 유전된다.

답 유전자, 열성

## 대표 예제 8 유전자 이상에 의한 유전병

**유전자 이상에 의한 유전병에 대한 설명으로 옳은 것을 〈보기〉에서 모두 고르시오.**

보기

ㄱ. 돌연변이 유전자가 있는 사람은 모두 유전병이 발병한다.
ㄴ. 페닐케톤뇨증은 유전자 돌연변이에 의한 유전병에 해당한다.
ㄷ. DNA에 있는 특정 형질을 결정하는 유전자에 이상이 생긴 것이다.

개념 가이드

유전자 이상에 의한 유전병은 유전자가 있는 [   ]의 염기 서열에 돌연변이가 일어나 비정상 [   ]이 생성되어 나타난다.

답 DNA, 단백질

4 일

대단원 V. 생태계와 상호 작용 ❶

# 생태계의 구성과 기능

**Quiz** 생태계를 구성하는 개체군은 종류에 따라 텃세, 순위제, 리더제, 가족생활 등 다양한 ㅅ ㅎ ㅈ ㅇ 을 하면서 살아간다.

답 상호 작용

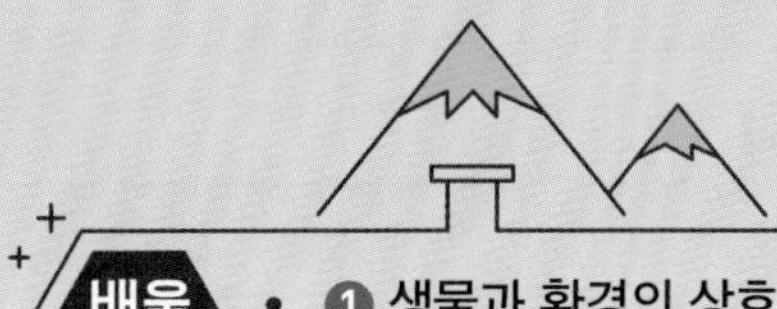

배울 내용
❶ 생물과 환경의 상호 작용
❷ 개체군의 특성
❸ 군집의 특성
❹ 군집 내 개체군 간의 상호 작용

**Quiz** 식물 군집은 방형구법으로 군집을 대표하는 ㅇ ㅈ ㅈ을 알아낼 수 있다.

답 우점종

**Quiz** 군집 내 개체군 간의 상호 작용에는 경쟁, 공생, 기생, 포식과 피식, ㅂ ㅅ 등이 있다.

답 분서

# 4일 교과서 핵심 정리 ①

## 개념 1 생물과 환경의 상호 관계

**1 생태계** 일정한 지역에서 군집(생물적 요인)을 이루는 각 개체군이 다른 개체군 및 비생물적 요인과 영향을 주고받으며 살아가는 체계(생태계⊃군집⊃개체군⊃개체)

**2 생태계 구성 요소 사이의 관계**

① **작용** 비생물적 요인이 [❶ ] 요인에 영향을 주는 것

예 음엽은 양엽에 비해 잎이 얇고 넓다. 해조류는 바다의 깊이에 따라 서식하는 종류가 다르다.

② **반작용** 생물적 요인이 [❷ ] 요인에 영향을 주는 것

예 지렁이나 두더지는 토양의 통기성을 높인다. 낙엽이 쌓이면 토양이 비옥해진다.

③ **상호 작용** 생물과 생물 사이에서 서로 영향을 주고받는 것

예 눈신토끼의 수가 증가하면 스라소니의 수도 증가한다.

❶ 생물적
❷ 비생물적

## 개념 2 개체군의 특성

**1 개체군** 일정 지역에서 함께 생활하는 같은 [❸ ]의 생물 집단

**2 개체군의 밀도** 일정 공간에 서식하는 개체군의 개체 수

**3 개체군의 생장 곡선** 개체군의 [❹ ] 변화를 시간에 따라 그래프로 나타낸 것

① **이론적 생장 곡선(J자형)** 자원의 제한이 없는 이상적인 환경에서는 개체 수가 기하급수적으로 증가한다.

② **실제 생장 곡선([❺ ]자형)** 처음에는 급격히 증가하다가 개체 수가 증가할수록 환경 저항이 커져 개체 수가 더 이상 증가하지 못하고 일정하게 유지된다.

▲ 개체군의 생장 곡선

③ **환경 저항** 개체군의 생장을 [❻ ]하는 요인

예 먹이 부족, 생활공간 부족, 노폐물 증가, 천적과 질병의 증가

**4 개체군의 생존 곡선** 동시에 출생한 개체들에 대해 시간(상대 수명)에 따른 생존 개체 수를 그래프로 나타낸 것

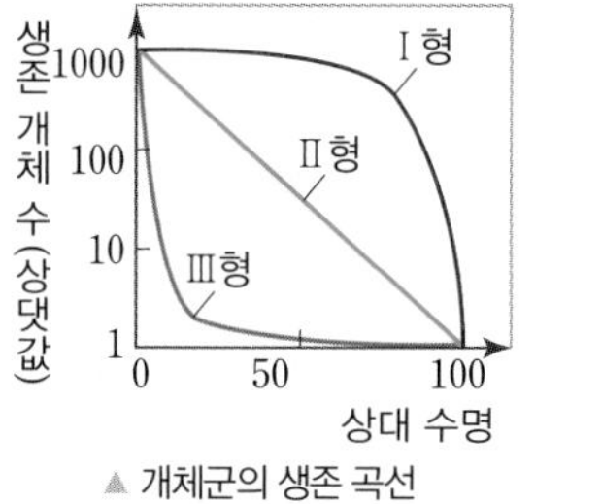

▲ 개체군의 생존 곡선

**5 개체군 내의 상호 작용**

① **순위제** 힘의 서열에 따라 [❼ ]가 정해지는 것

예 큰뿔양의 뿔치기, 닭의 모이 먹는 순서

② **텃세** 일정한 생활공간(세력권)에 다른 개체의 접근을 막는 것 예 까치, 얼룩말, 은어

③ **리더제** 리더가 개체군 전체의 행동을 이끄는 것 예 양, 늑대, 기러기

④ **사회생활** 개체들이 [❽ ]을 분담하고 협력하면서 생활하는 것 예 개미, 꿀벌

⑤ **가족생활** 혈연관계의 개체들이 모여 함께 생활하는 것 예 호랑이, 사자

❸ 종
❹ 개체 수
❺ S
❻ 억제
❼ 순위
❽ 역할

# 기초 확인 문제

정답과 해설 68쪽

**1** 생태계에 대한 설명으로 옳은 것만을 〈보기〉에서 있는 대로 고른 것은?

보기
ㄱ. 빛, 온도 등 비생물적 요인이 포함되어 있다.
ㄴ. 생물적 요인을 생산자, 소비자, 분해자로 구분할 수 있다.
ㄷ. 구성 요소들이 서로 영향을 미치지 않고 독립적으로 작용한다.

① ㄱ ② ㄷ ③ ㄱ, ㄴ
④ ㄴ, ㄷ ⑤ ㄱ, ㄴ, ㄷ

**2** 그림은 생태계를 구성하는 요인들 사이의 영향을 나타낸 것이다. (가)~(다)는 작용, 반작용, 상호 작용 중 하나이다.

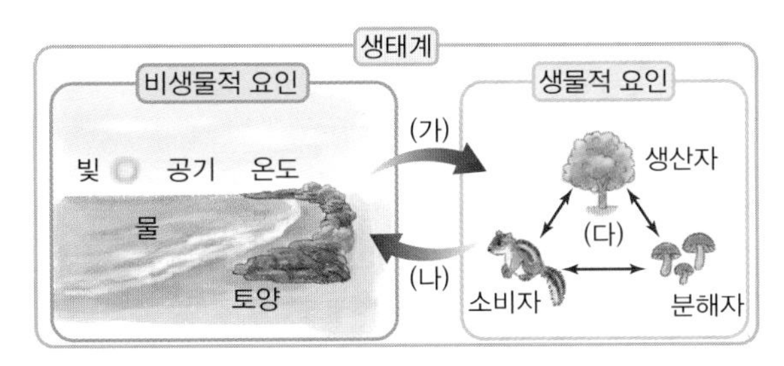


(가)~(다)를 옳게 짝지은 것은?

| | (가) | (나) | (다) |
|---|---|---|---|
| ① | 작용 | 반작용 | 상호 작용 |
| ② | 반작용 | 상호 작용 | 작용 |
| ③ | 상호 작용 | 작용 | 반작용 |
| ④ | 작용 | 상호 작용 | 반작용 |
| ⑤ | 반작용 | 작용 | 상호 작용 |

**3** 그림은 시간에 따른 개체군의 개체 수를 나타낸 것이다.

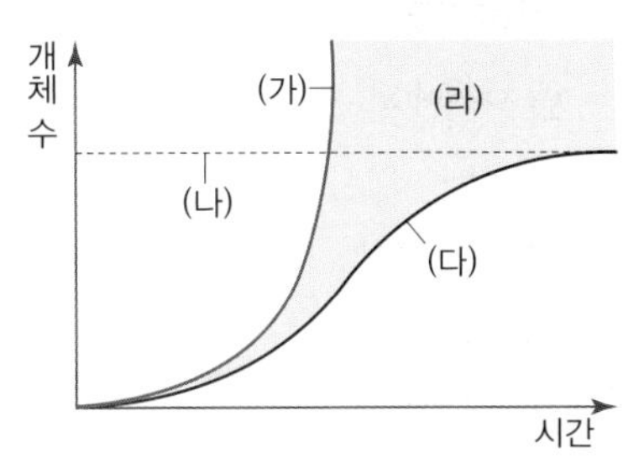


(가)~(라)의 이름을 쓰시오. (단, (가)~(라)는 각각 환경 저항, 환경 수용력, 이론적 생장 곡선, 실제 생장 곡선 중 하나이다.)

[4~5] 표는 생물 간의 상호 작용 (가)~(다)의 예를 나타낸 것이다.

| | |
|---|---|
| (가) | 은어는 수심이 얕은 곳에서 자신의 영역을 차지하고 다른 은어의 접근을 막는다. |
| (나) | 양은 한 개체가 리더가 되어 다른 개체들을 이끈다. |
| (다) | 큰뿔양 수컷은 뿔의 크기에 따라 순위를 정한다. |

**4** (가)~(다)의 상호 작용은 각각 무엇인지 쓰시오.

**5** (가)~(다)에 대한 설명으로 옳은 것을 〈보기〉에서 모두 고르시오.

보기
ㄱ. (가)는 서로 다른 두 종 사이에서 나타난다.
ㄴ. (나)에서 개체군 내 힘의 서열에 따른 순위가 있다.
ㄷ. (가)~(다)는 모두 불필요한 경쟁을 피하고 질서를 유지하기 위한 작용이다.

# 4일 교과서 핵심 정리 ②

## 개념 3 군집의 특성

**1 군집** 한 지역에서 상호 작용하는 개체군들의 집단 - 육상 군집(삼림, 초원), 수생 군집

① **군집의 구성** 생산자, 소비자, 분해자로 구성된다. 생산자에서 최종 소비자까지 먹고 먹히는 관계를 ❶ ______ 이라고 하며, 먹이 사슬 여러 개가 서로 얽혀 그물처럼 복잡하게 나타나는 것을 ❷ ______ 이라고 한다.

② **생태적 지위** 군집 내에서 개체군이 갖는 위치와 역할로, 먹이 지위와 ❸ ______ 가 있다.

**2 방형구를 이용한 식물 군집의 조사** 조사하려는 곳에 방형구를 설치하고, 방형구에 나타난 식물의 종과 개체 수(❹ ______), 종이 출현한 방형구 수(빈도), 지표를 덮고 있는 정도(피도)를 조사하여 ❺ ______ 을 알아낸다.

- **우점종** 군집을 대표하는 종으로, 군집의 구조에 큰 영향을 미친다. 중요치가 가장 높은 종이 그 군집의 우점종이다.

> 중요치=상대 밀도 + 상대 빈도 + 상대 피도

❶ 먹이 사슬
❷ 먹이 그물
❸ 공간 지위
❹ 밀도
❺ 우점종

## 개념 4 군집 내 개체군 간의 상호 작용

**1 종간 경쟁** 군집 내 두 개체군의 ❻ ______ 가 유사할 때 자원이나 서식지를 두고 종간 경쟁이 일어난다. 예 애기짚신벌레 종과 짚신벌레 종

- **경쟁·배타 원리** 종간 경쟁 결과 경쟁에서 이긴 개체군은 살아남고, 진 개체군은 도태되어 사라지는 것

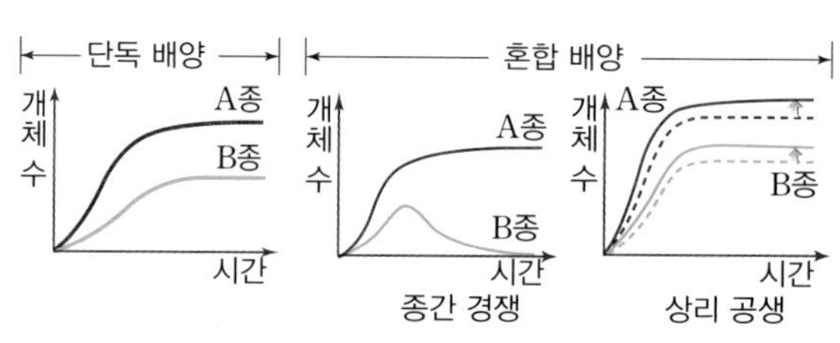


**2 상리 공생** 두 개체군이 모두 ❼ ______ 을 얻는 경우 예 콩과식물과 뿌리혹박테리아, 흰동가리와 말미잘

**3 편리 공생** 한 개체군은 이익을 얻지만, 다른 개체군은 이익도 ❽ ______ 도 없는 경우 예 빨판상어와 거북, 혹등고래와 따개비

**4 기생** 한 개체군(기생자)이 다른 개체군(숙주)에 붙어살며 자신은 ❾ ______ 을 얻지만, 다른 개체군은 손해를 보는 경우 예 나무와 겨우살이, 기생충과 동물

**5 포식과 피식** 개체군 사이에서 먹고 먹히는 관계 예 눈신토끼와 스라소니

**6 분서(생태적 지위 분화)** 생태적 지위가 비슷한 개체군이 ❿ ______ 을 피하기 위해 먹이, 서식지, 활동 시기, 산란 시기 등을 달리하는 것 예 나무에 사는 새들의 분서, 피라미와 은어의 분서, 피라미와 갈겨니의 분서

❻ 생태적 지위
❼ 이익
❽ 손해
❾ 이익
❿ 경쟁

정답과 해설 68쪽



**6** 다음 설명에 해당하는 것을 〈보기〉에서 골라 쓰시오.

보기

개체 개체군 군집

(1) 일정 지역에서 함께 생활하는 같은 종의 생물 집단

(2) 일정 지역에 사는 독립된 하나의 생명체

(3) 일정 지역에서 여러 개체군이 모여 살아가면서 형성한 집단

**7** 표는 지역 (가)와 (나)에서 식물 개체군 A~E의 개체 수를 나타낸 것이고, 설명은 밀도와 상대 밀도에 대한 자료이다.

| 구분 | A | B | C | D | E |
|---|---|---|---|---|---|
| (가) | 12 | 20 | 20 | 16 | 12 |
| (나) | 6 | 10 | 8 | 21 | 5 |

• 밀도 $= \frac{\text{개체 수}}{\text{면적}}$

• 상대 밀도(%) $= \frac{\text{특정 종의 밀도}}{\text{조사한 모든 종의 밀도의 합}} \times 100$

이에 대한 설명으로 옳지 않은 것은? (단, (가)의 면적은 (나)의 2배이며, A~E 이외의 개체군은 고려하지 않는다.)

① (가)에서 B와 C의 밀도는 같다.

② A의 밀도는 (가)와 (나)에서 같다.

③ (가)에서 A와 E의 상대 밀도는 같다.

④ C의 밀도는 (가)가 (나)에서보다 크다.

⑤ (가)에서 D의 상대 밀도는 (나)에서 B의 상대 밀도보다 작다.

**8** 방형구법에 대한 설명으로 옳은 것을 〈보기〉에서 모두 고르시오.

보기

ㄱ. 방형구법으로 식물 군집의 핵심종을 알아낼 수 있다.

ㄴ. 밀도는 전체 방형구 수에 대해 특정 종이 출현한 방형구 수의 비율로 구한다.

ㄷ. 우점종은 상대 밀도, 상대 빈도, 상대 피도의 합인 중요치가 가장 높은 종이다.

[9~10] 그림 (가)는 종 A~C를 각각 단독 배양했을 때, (나)와 (다)는 A와 B, A와 C를 혼합 배양했을 때 시간에 따른 개체 수를 나타낸 것이다.

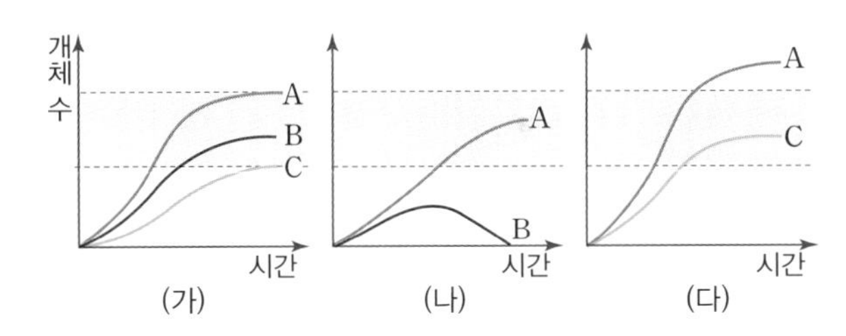


**9** A와 C의 상호 작용은 무엇인지 쓰시오.

**10** 이에 대한 설명으로 옳은 것을 〈보기〉에서 모두 고르시오.

보기

ㄱ. (나)에서 경쟁·배타 원리가 작용하였다.

ㄴ. (나)에서 A와 B의 상호 작용은 종간 경쟁이다.

ㄷ. A의 개체 수 증가 속도는 (가)에서가 (다)에서보다 빠르다.

# 4일 내신 기출 베스트

### 대표 예제 1 생태계 구성 요소 사이의 관계

**작용, 반작용, 상호 작용에 대한 설명으로 옳은 것만을 〈보기〉에서 있는 대로 고른 것은?**

보기

ㄱ. 작용은 비생물적 요인이 생물적 요인에 영향을 미치는 것이다.

ㄴ. 지렁이가 토양의 통기성을 높이는 것은 반작용에 해당한다.

ㄷ. 빛의 세기에 따라 식물 잎의 두께가 다른 것은 상호 작용의 예이다.

① ㄱ ② ㄷ ③ ㄱ, ㄴ
④ ㄴ, ㄷ ⑤ ㄱ, ㄴ, ㄷ

개념 가이드

[　　] 요인이 [　　] 요인에 영향을 주는 것은 반작용이다.

답 생물적, 비생물적

### 대표 예제 2 생장 곡선

**그림은 개체군의 생장 곡선을 나타낸 것이다. 이에 대한 설명으로 옳지 않은 것은?**

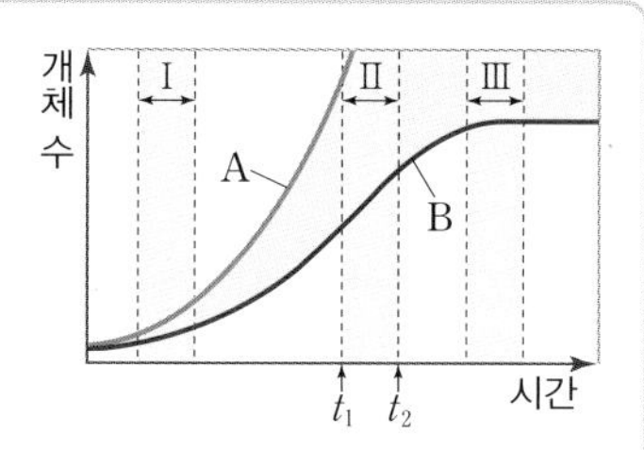


① A는 이론적 생장 곡선이다.
② B는 환경 저항이 있을 때의 생장 곡선이다.
③ B에서 환경 저항은 $t_1$에서가 $t_2$에서보다 약하다.
④ 개체 수 증가율은 A의 구간 Ⅰ에서가 B의 구간 Ⅱ에서보다 낮다.
⑤ B에서 개체 간의 경쟁은 구간 Ⅰ에서가 구간 Ⅲ에서보다 심하다.

개념 가이드

[　　]이 존재할 때 S자형으로 나타나는 생장 곡선은 [　　] 생장 곡선이다.

답 환경 저항, 실제

### 대표 예제 3 생존 곡선

**그림은 개체군의 생존 곡선을 나타낸 것이다. 이에 대한 설명으로 옳은 것을 〈보기〉에서 모두 고르시오.**

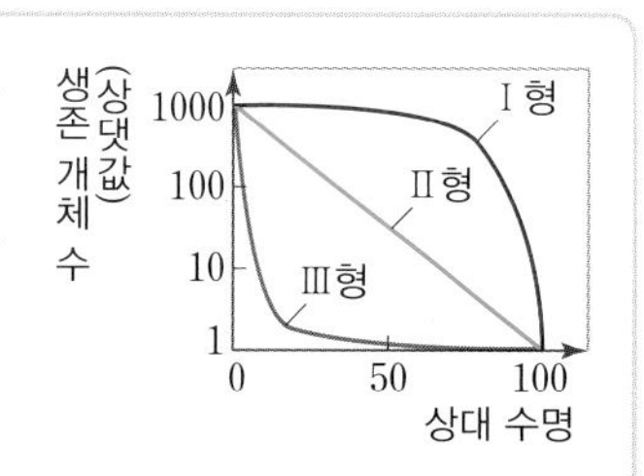


보기

ㄱ. 사람의 생존 곡선은 Ⅰ형에 해당한다.

ㄴ. Ⅱ형의 개체군은 상대 연령에 따른 생존 개체들의 사망률이 일정하다.

ㄷ. Ⅲ형의 개체군은 비교적 적은 수의 자손을 낳고, 개체 대부분 생리적 수명을 다한다.

개념 가이드

개체군의 상대 연령에 따른 생존 개체 수를 나타낸 곡선을 [　　]이라고 하며, 사람은 [　　]형에 해당한다.

답 생존 곡선, Ⅰ

### 대표 예제 4 개체군 내의 상호 작용

**은어는 자신의 영역(세력권)을 차지하고, 다른 은어의 접근을 막는다. 이와 같은 개체군 내의 상호 작용과 가장 관련이 깊은 것은?**

① 닭들은 모이를 먹는 순서가 있다.
② 스라소니는 눈신토끼를 잡아먹는다.
③ 호랑이는 배설물로 자기 영역을 표시한다.
④ 우두머리 사슴은 리더가 되어 무리를 이끈다.
⑤ 피라미는 은어가 없을 때 하천 중앙에 서식하고, 은어가 이주해오면 가장자리로 이동하여 서식한다.

개념 가이드

개체군 내의 상호 작용 중 자신의 생활 구역인 [　　]을 확보하여 다른 개체의 접근을 막는 것을 [　　]라고 한다

답 세력권, 텃세

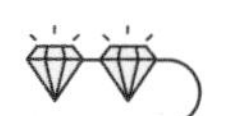

정답과 해설 69쪽



## 대표 예제 5 군집의 특성

군집의 특성에 대한 설명으로 옳은 것만을 〈보기〉에서 있는 대로 고른 것은

보기

ㄱ. 삼림, 초원 등 육상에만 형성되는 생태계이다.
ㄴ. 영양 단계에서 가장 하위 영양 단계에 해당하는 생물은 생산자이다.
ㄷ. 군집을 구성하는 개체군의 먹이 사슬에서의 위치와 공간 등을 생태적 지위라고 한다.

① ㄱ ② ㄷ ③ ㄱ, ㄴ
④ ㄴ, ㄷ ⑤ ㄱ, ㄴ, ㄷ

개념 가이드

[　　　]에서 최종 소비자까지의 먹고 먹히는 관계를 사슬 모양으로 나타낸 것을 [　　　]이라고 한다. 답 생산자, 먹이 사슬

## 대표 예제 6 방형구법

그림은 어떤 지역에서 1 m × 1m 크기의 방형구 2개를 설치하여 조사한 식물 종 A～C의 분포를, 표는 A～C의 상대 피도를 나타낸 것이다.

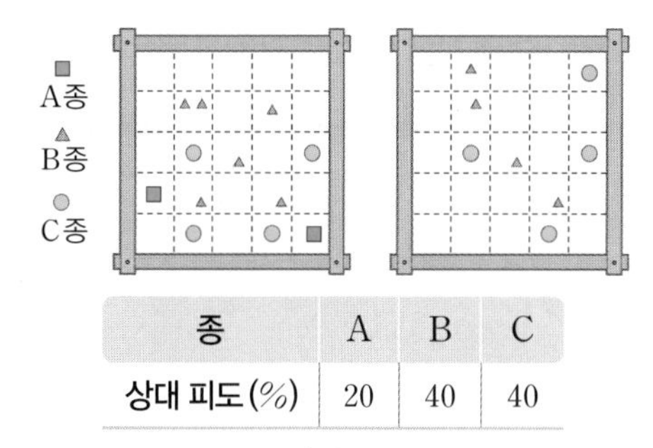


| 종 | A | B | C |
|---|---|---|---|
| 상대 피도(%) | 20 | 40 | 40 |

이 지역에서 우점종인 것과 이 종의 상대 밀도를 쓰시오. (단, 제시된 종 이외의 다른 종은 고려하지 않는다.)

개념 가이드

방형구법에서 특정 종의 밀도는 전체 방형구의 [　　　]에 대한 특정 종의 [　　　]이다. 답 면적, 개체 수

## 대표 예제 7 군집 내 상호 작용

그림은 짚신벌레 두 종 A와 B를 단독 배양할 때와 혼합 배양할 때, 두 개체군의 시간에 따른 개체 수 변화를 나타낸 것이다.

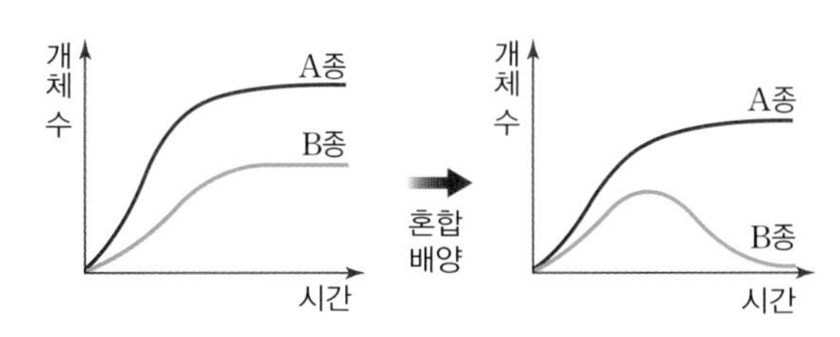


혼합 배양 시 A와 B의 상호 작용으로 옳은 것은?

① 분서 ② 기생 ③ 편리 공생
④ 상리 공생 ⑤ 종간 경쟁

개념 가이드

[　　　]가 유사한 두 종은 같은 공간에서 자원을 두고 [　　　]한다. 답 생태적 지위, 경쟁

## 대표 예제 8 군집 내 상호 작용

표는 종 사이의 상호 작용을 나타낸 것이다. A～C는 각각 기생, 상리 공생, 편리 공생 중 하나이다.

| 상호 작용 | 종 1 | 종 2 |
|---|---|---|
| A | 손해 | 이익 |
| B | 이익 | 이익도 손해도 없음 |
| C | 이익 | ㉠ |

이에 대한 설명으로 옳은 것을 〈보기〉에서 모두 고르시오.

보기

ㄱ. ㉠은 '이익'이다.
ㄴ. A는 편리 공생이다.
ㄷ. 눈신토끼와 스라소니의 관계는 B의 예이다.

개념 가이드

공생 관계 중 두 종이 모두 [　　　]을 얻는 것은 [　　　]이다. 답 이익, 상리 공생

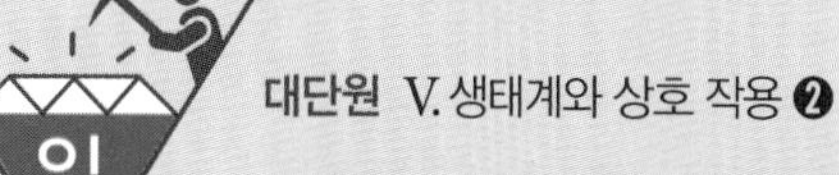

대단원 V. 생태계와 상호 작용 ❷

# 생태계의 구성과 기능 · 생물 다양성

**Quiz** 생태계의 에너지 근원은 태양의 빛에너지이며, 광합성을 통해 유기물 속의 ㅎㅎ 에너지로 전환되어 먹이 사슬을 통해 상위 영양 단계로 이동한다.

답 화학

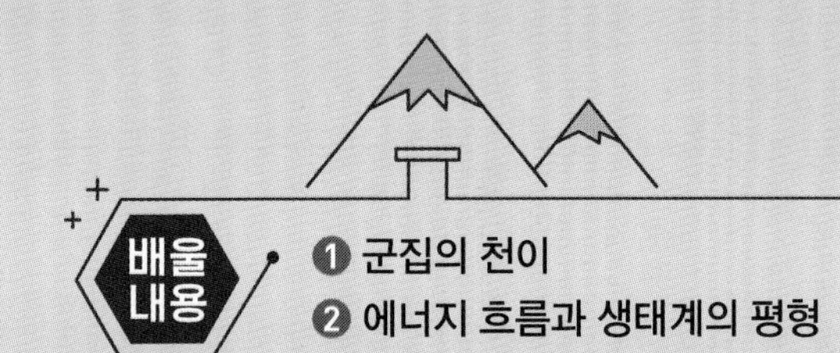

배울 내용

❶ 군집의 천이
❷ 에너지 흐름과 생태계의 평형
❸ 물질의 생산과 소비, 물질 순환
❹ 생물 다양성

Quiz 생태계에서는 물질의 ㅅㅅ과 소비가 균형을 이루며, 물질은 생물과 환경 사이에서 순환한다.

답 생산

Quiz 서식지 파괴, 서식지 단편화 등으로 ㅅㅁ ㄷㅇㅅ이 위협받고 있다.

답 생물 다양성

# 5일 교과서 핵심 정리 ①



## 개념 1 군집의 천이

**1 천이** 생물 군집이 시간이 지남에 따라 종 구성과 특성이 서서히 변하는 현상

- **극상** 천이의 마지막에 안정된 군집 상태, 삼림에서는 ❶ ______ 이다.

**2 1차 천이** 토양이 없는 볼모지에서 시작되는 천이로, 용암 대지, 황무지 등 건조한 곳에서 시작되는 ❷ ______ 와 연못이나 호수 등 수분이 많은 곳에서 시작되는 ❸ ______ 로 구분한다.

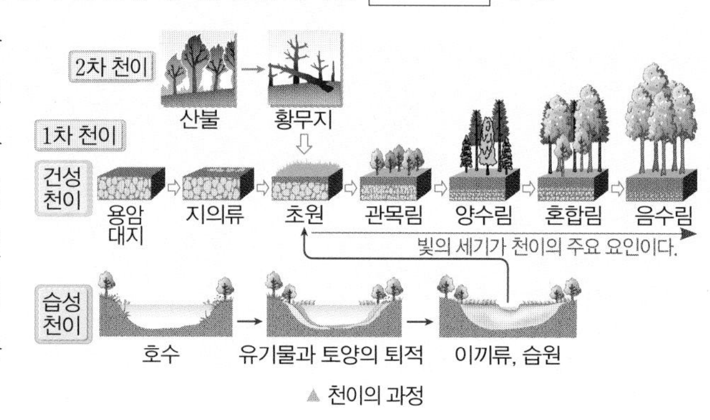


▲ 천이의 과정

**3 2차 천이** 산불, 산사태 등으로 군집이 파괴된 후 기존에 남아 있던 토양에서 시작하는 천이로, ❹ ______ (초본류)에서 시작하며 1차 천이보다 빠르게 진행된다.

❶ 음수림
❷ 건성 천이
❸ 습성 천이
❹ 초원

## 개념 2 에너지 흐름과 생태계의 평형

**1 에너지 흐름** 생태계에서 에너지는 한쪽 방향으로 흐르고, 순환하지 않는다.

- 에너지의 근원은 태양의 ❺ ______ 이며, 생산자의 ❻ ______ 에 의해 빛에너지가 화학 에너지로 전환되어 유기물로 저장된다. 유기물에 저장된 에너지는 먹이 사슬을 따라 이동하고, 각 영양 단계에서 호흡을 통해 생명 활동에 사용되거나 열에너지로 방출된다. ➡ 상위 영양 단계로 갈수록 에너지양은 점점 ❼ ______ 한다.

**2 에너지 효율** 한 영양 단계에서 다음 영양 단계로 이동하는 에너지의 비율

$$\text{에너지 효율}(\%) = \frac{\text{현 영양 단계가 보유한 에너지 총량}}{\text{전 영양 단계가 보유한 에너지 총량}} \times 100$$

**3 생태 피라미드** 각 영양 단계별 생물의 생체량, 개체 수, 에너지양을 차례로 쌓아 올린 것으로, 일반적으로 상위 영양 단계로 갈수록 ❽ ______ 하여 피라미드 모양이 된다.

**4 생태계의 평형** 생태계 내 생물 군집의 구성, 개체 수, 물질의 양, 에너지 흐름이 안정된 상태를 유지하는 것으로 ❾ ______ 에 의해 유지되며, 생물종이 다양하고 먹이 그물이 ❿ ______ 할수록 생태계 평형이 잘 유지된다.

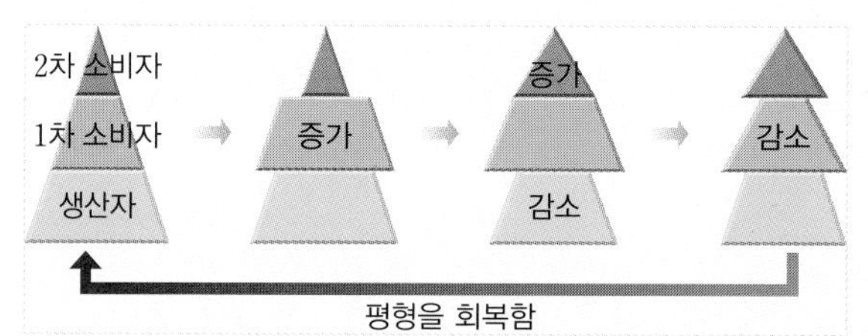


❺ 빛에너지
❻ 광합성
❼ 감소
❽ 감소
❾ 먹이 사슬
❿ 복잡

# 기초 확인 문제

정답과 해설 70쪽

**1** 군집의 천이에 대한 설명으로 옳지 않은 것은?

① 생명체가 없고, 토양이 발달되지 않은 곳에서 시작하는 천이는 1차 천이이다.
② 2차 천이는 화재, 홍수, 벌목, 산사태 등으로 군집이 파괴된 후 다시 시작하는 천이이다.
③ 극상은 천이의 마지막 단계로, 가장 안정된 상태이며, 삼림에서는 음수림에서 극상을 이룬다.
④ 급격한 환경 변화로 군집의 종 구성이나 특성이 짧은 시간에 크게 변하는 현상을 천이라고 한다.
⑤ 습성 천이는 빈영양호에 유기물과 퇴적물이 쌓여 형성된 습지에 이끼류가 들어오면서 시작된다.

**2** 그림은 어떤 안정된 생태계의 에너지 흐름을 나타낸 것이다. A~D는 생물적 요인이며, 에너지양은 상댓값으로 나타낸 것이다.

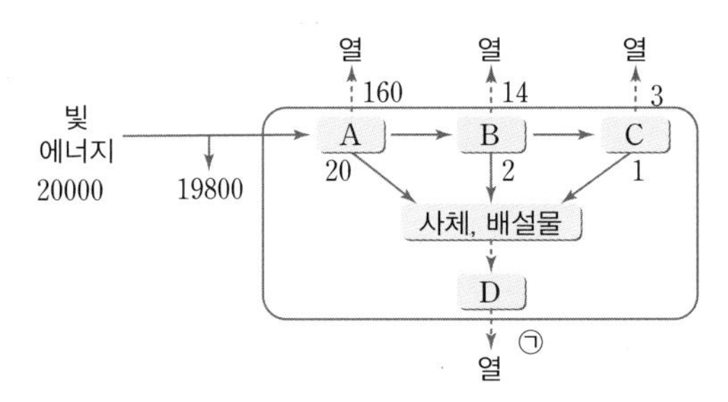


이에 대한 설명으로 옳은 것을 〈보기〉에서 모두 고르시오.

보기
ㄱ. A는 생산자이고 D는 소비자이다.
ㄴ. B에서 C로 이동하는 에너지의 형태는 화학 에너지이다.
ㄷ. ㉠에 해당하는 에너지양은 23이다.

[3~4] 그림은 어떤 지역에서 일어나는 식물 군집의 천이 과정을 나타낸 것이다. A~D는 각각 관목림, 초원, 음수림, 양수림 중 하나이다.

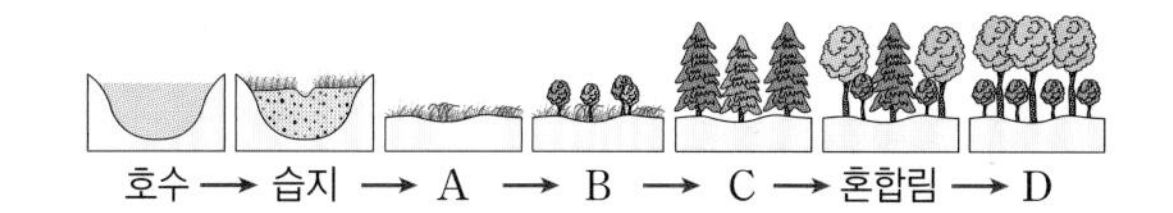


**3** A~D는 각각 무엇인지 쓰시오.

**4** 이에 대한 설명으로 옳은 것을 〈보기〉에서 모두 고르시오.

보기
ㄱ. 건성 천이에 해당한다.
ㄴ. D 단계에서 극상을 이룬다.
ㄷ. C에서 D로 진행될 때는 빛이 영향을 미친다.

**5** 그림은 어떤 안정된 생태계의 에너지 피라미드를 나타낸 것이다. 이에 대한 설명으로 옳은 것을 〈보기〉에서 모두 고르시오.

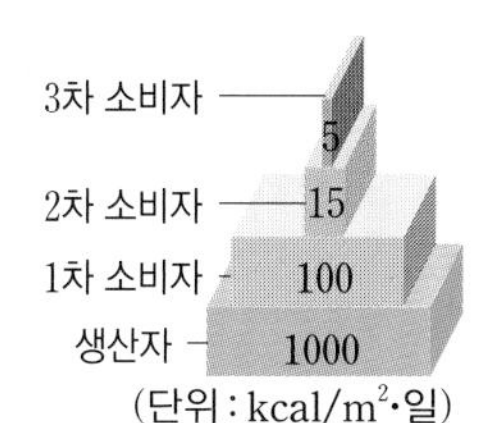


보기
ㄱ. 생태계에서 에너지는 순환한다.
ㄴ. 상위 영양 단계로 갈수록 에너지양이 감소한다.
ㄷ. 2차 소비자의 에너지 효율은 1차 소비자보다 높다.

## 개념 3 물질의 생산과 소비, 물질 순환

### 1 물질의 생산과 소비

생태계에서는 물질의 생산과 소비가 균형을 이룬다.

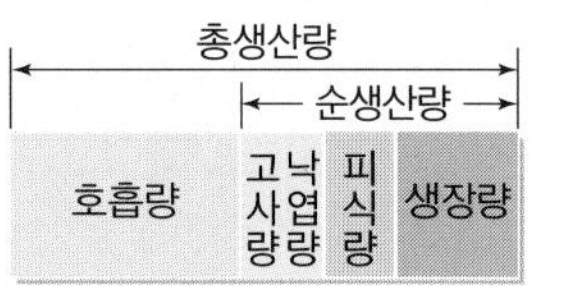


- ❶ ______ = 호흡량 + 순생산량
- 순생산량 = 총생산량 − ❷ ______
- 생장량 = 순생산량 − (고사량, 낙엽량 + 피식량)

❶ 총생산량
❷ 호흡량

### 2 물질 순환 물질은 생물과 환경 사이에서 형태가 변하면서 순환한다.

| 탄소 순환 | 질소 순환 |
| --- | --- |
| 대기 중의 이산화 탄소($CO_2$) / 광합성, 호흡, 연소, 호흡, 호흡 / 생산자 → 피식 → 소비자 / 석탄, 석유 / 분해자 / 사체, 배설물 | 대기 중의 질소($N_2$) / 공중 방전에 의한 질소 고정 / 탈질산화 작용 / 질소 고정 세균에 의한 질소 고정 / 생산자 → 피식 → 소비자 / 질소 동화 작용 / 분해자 / 질산화 작용 / $NO_3^-$ / $NH_4^+$ |
| 대기 중의 이산화 탄소($CO_2$)는 생산자에 흡수되어 ❸ ______을 통해 포도당과 같은 유기물로 합성된 후 먹이 사슬을 따라 소비자에게 전달된다. 소비자에게 전달된 탄소는 몸을 구성하거나 ❹ ______에 의해 이산화 탄소의 형태로 다시 대기나 물속으로 돌아간다. | 대기 중의 질소($N_2$)는 ❺ ______에 의해 암모늄 이온($NH_4^+$)으로 전환된 후 식물에 흡수되어 질소 동화 작용을 통해 ❻ ______, 핵산 등을 합성하는 데 쓰인다. 식물이 합성한 질소 화합물은 먹이 사슬을 따라 이동하고, ❼ ______에 의해 암모늄 이온으로 분해되어 식물로 흡수되거나 질산화 작용, 탈질산화 작용을 거쳐 질소 기체가 되어 대기 중으로 돌아간다. |

❸ 광합성
❹ 호흡
❺ 질소 고정 세균
❻ 단백질
❼ 분해자

## 개념 4 생물 다양성

### 1 생물 다양성 유전적 다양성, 종 다양성, ❽ ______을 모두 포함한다.

① **유전적 다양성** 한 개체군 내 개체들의 유전자 ❾ ______로 인해 다양한 형질이 나타나는 것 예 무당벌레의 다양한 색과 반점 무늬

➡ 유전적 다양성이 높으면 급격한 환경 변화에 멸종될 가능성이 낮다.

② **종 다양성** 일정한 지역에 사는 생물종의 다양한 정도로, 얼마나 많은 종이 균등하게 분포하는지를 나타내는 것 ➡ 종 다양성이 높을수록 생태계가 안정적으로 유지된다.

③ **생태계 다양성** 사막, 초원, 삼림, 습지 등 생태계의 다양함을 의미

### 2 생물 다양성의 감소 원인 서식지 파괴와 서식지 단편화, 불법 포획과 남획, 환경 오염, ❿ ______의 도입 등 – 생물 다양성은 생태계 안정성 유지와 생물 자원 이용을 위해 보전해야 한다.

❽ 생태계 다양성
❾ 변이
❿ 외래종

정답과 해설 70쪽

**6** 그림은 어떤 군집에서 생산자의 총생산량, 순생산량, 호흡량의 관계를 나타낸 것이다. ㉠과 ㉡은 각각 순생산량과 호흡량 중 하나이다.

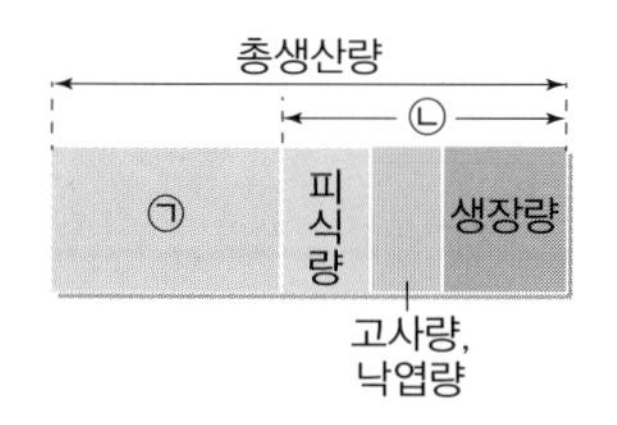


이에 대한 설명으로 옳은 것을 〈보기〉에서 모두 고르시오.

보기

ㄱ. ㉠은 호흡량이다.
ㄴ. ㉡은 1차 소비자의 섭식량과 같다.
ㄷ. ㉡은 생산자가 광합성을 통해 생산한 유기물의 총량이다.

**7** 그림은 생태계에서 일어나는 탄소 순환과 질소 순환 과정의 일부를 나타낸 것이다.

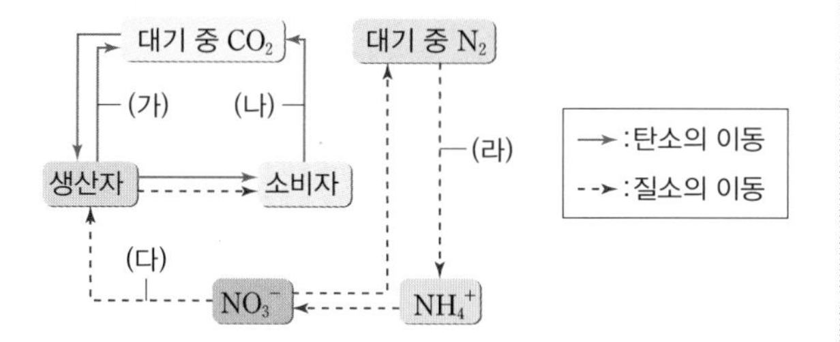


이에 대한 설명으로 옳지 않은 것은?

① (가)는 호흡이다.
② (나) 과정에서 열에너지가 방출된다.
③ (다)에 질산화 세균이 관여한다.
④ (라)는 생물에 의한 질소 고정이다.
⑤ 탄소 순환과 질소 순환에 공통적으로 먹이 사슬이 관여한다.

**8** 생물 다양성에 대한 설명으로 옳은 것은?

① 두 생태계가 인접한 지역은 종 다양성이 낮다.
② 종 다양성이 낮을수록 생태계의 안정성이 높다.
③ 종의 수가 많을수록, 종의 분포가 고를수록 종 다양성이 높다.
④ 유전적 다양성이 높을수록 급격한 환경 변화에서 생존 확률이 낮다.
⑤ 하나의 생태계에 서식하고 있는 생물종의 다양한 정도를 생태계 다양성이라고 한다.

[9~10] 그림은 생물의 서식지에 철도와 도로가 건설되면서 일어나는 서식지의 변화를 나타낸 것이다.

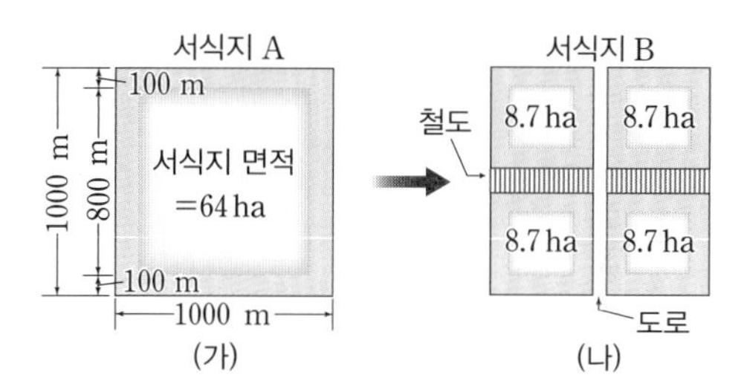


**9** 이 자료에 나타난 생물 다양성을 위협하는 요인은 무엇인지 쓰시오.

**10** 이에 대한 설명으로 옳은 것을 〈보기〉에서 모두 고르시오.

보기

ㄱ. 가장자리 면적은 A에서가 B에서보다 크다.
ㄴ. 서식지 면적은 A에서가 B에서보다 크다.
ㄷ. 생물 다양성 보전을 위해 서식지를 큰 단위로 보호하는 것이 필요하다.

# 내신 기출 베스트

## 대표 예제 1 군집의 천이

1차 천이 중 건성 천이가 진행되는 과정에서 나타나는 군집을 순서대로 옳게 나타낸 것은?

① 초원 → 양수림 → 관목림
② 관목림 → 음수림 → 양수림
③ 지의류 → 초원 → 관목림
④ 혼합림 → 양수림 → 초원
⑤ 양수림 → 음수림 → 지의류

**개념 가이드**

1차 건성 천이는 지의류 → 초원 → 관목림 → [　　] → 혼합림 → [　　]의 순으로 진행된다.

답 양수림, 음수림

## 대표 예제 2 에너지 흐름

그림은 어떤 안정된 생태계에서의 에너지 흐름을 나타낸 것이다.

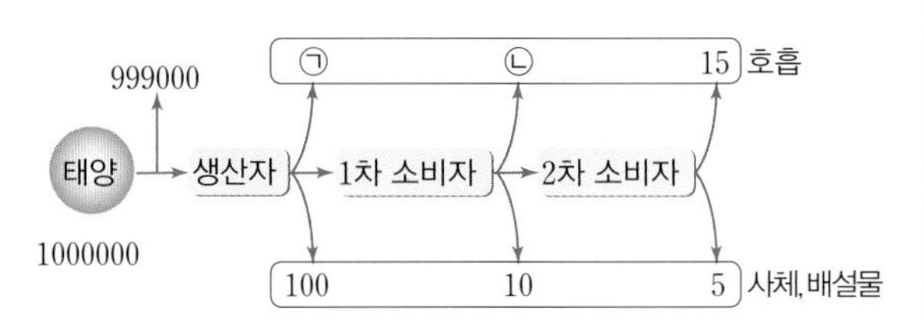


㉠+㉡의 값은? (단, 에너지양은 상댓값이다.)

① 115　② 450　③ 870
④ 985　⑤ 1000

**개념 가이드**

생태계의 에너지 근원은 [　　]의 빛에너지이며, 생산자의 광합성에 의해 [　　] 에너지로 전환된다.

답 태양, 화학

## 대표 예제 3 생태 피라미드

그림은 어떤 육상 군집의 개체 수 피라미드를 나타낸 것이다. A~D 중 하나는 생산자이고, 나머지는 소비자이다. 이에 대한 설명으로 옳은 것을 〈보기〉에서 모두 고르시오.

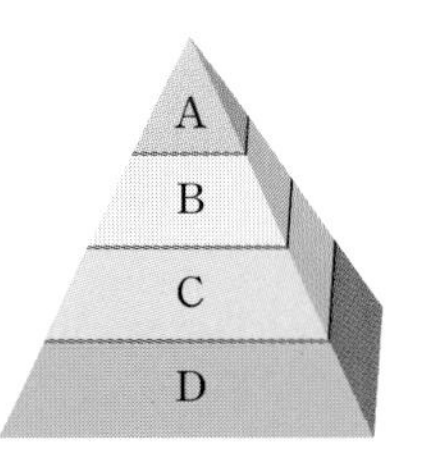


**보기**

ㄱ. A는 육식 동물이다.
ㄴ. B는 광합성을 통해 유기물을 합성한다.
ㄷ. C는 D를 통해 에너지를 얻는다.

**개념 가이드**

[　　]의 광합성을 통해 합성된 유기물 속의 화학 에너지는 먹이 사슬을 통해 [　　]로 전달된다.

답 생산자, 1차 소비자

## 대표 예제 4 생태계 평형

그림은 1905년에 사슴 보호를 위해 늑대 사냥을 허가한 후 사슴과 늑대의 개체 수 및 초원의 생산량 변화를 나타낸 것이다.

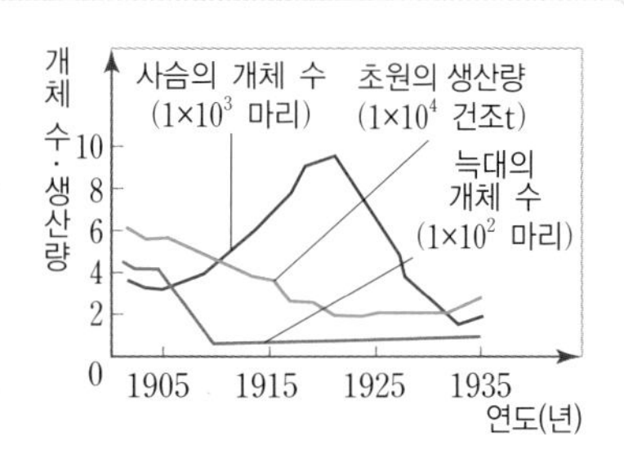


(1) 늑대와 사슴 간의 상호 작용을 쓰시오.

(2) 늑대 사냥이 허가된 직후 사슴의 개체 수 변화와 그 원인을 서술하시오.

(3) 1920년대 초반 사슴의 개체 수 변화와 그 원인을 서술하시오.

**개념 가이드**

2차 소비자의 개체 수가 감소하면 [　　]의 개체 수는 증가하고, [　　]의 개체 수는 감소한다.

답 1차 소비자, 생산자

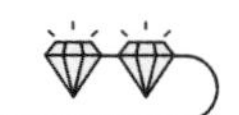

정답과 해설 72쪽

## 대표 예제 5 물질 생산과 소비

그림은 물질의 생산량과 소비량을 나타낸 것이다. (가)와 (나)는 각각 1차 소비자와 생산자 중 하나이다. 이에 대한 설명으로 옳지 않은 것은?

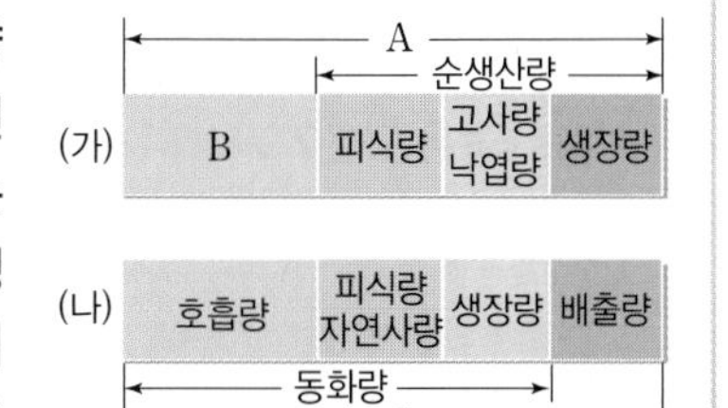


① (가)는 생산자이다.
② A는 광합성으로 만들어진 유기물의 총량이다.
③ B는 호흡량이다.
④ C는 1차 소비자가 섭취한 유기물의 양이다.
⑤ C는 (가)의 순생산량과 동일한 양이다.

**개념 가이드**

생산자의 [ ]은 1차 소비자의 [ ]과 동일한 양이다.

답 피식량, 섭식량

## 대표 예제 6 질소 순환

생태계의 질소 순환에 대한 설명으로 옳은 것을 〈보기〉에서 모두 고르시오.

보기

ㄱ. 생물은 대기 중의 질소 기체($N_2$)를 직접 단백질로 전환할 수 있다.
ㄴ. 암모늄 이온($NH_4^+$)은 질산화 세균의 작용에 의해 질산 이온($NO_3^-$)으로 전환된다.
ㄷ. 토양 속 질소 화합물이 질소($N_2$)가 되어 대기 중으로 돌아가는 과정에 세균이 관여한다.

**개념 가이드**

대기 중 질소 기체는 [ ] 세균에 의해 [ ]으로 전환된다.

답 질소 고정, 암모늄 이온($NH_4^+$)

## 대표 예제 7 생물 다양성

다음은 생물 다양성에 대한 자료이다.

(가) 강수량, 기온 등 비생물적 요인과 생물적 요인의 관계를 바탕으로 사막, 초원, 삼림, 강, 습지 등이 다양하게 존재한다.
(나) 같은 종의 달팽이에서 껍데기의 무늬와 색깔이 다양하게 나타난다.

(가)와 (나)에 해당하는 생물 다양성을 다음에서 찾아 쓰시오.

종 다양성　　유전적 다양성　　생태계 다양성

**개념 가이드**

하나의 개체군 내에서 [ ]이 다양한 개체가 존재하는 것은 [ ] 다양성이다.

답 형질, 유전적

## 대표 예제 8 생물 다양성의 감소 원인

생물 다양성을 위협하는 현상으로 옳은 것을 〈보기〉에서 모두 고르시오.

보기

ㄱ. 외래종이 유입되어 토종 물고기의 개체 수가 급격하게 감소하였다.
ㄴ. 수요가 많은 특정 작물을 대량으로 재배한 결과 농작물이 유전적으로 균일해졌다.
ㄷ. 환경 사업에 의해 호수로 유입되는 무기염류의 양이 감소하고 수생 식물이 복원되었다.

**개념 가이드**

생물 다양성의 감소 원인으로는 서식지 파괴, 서식지 [ ], 불법 포획과 남획, 환경 오염과 기후 변화, [ ]의 도입 등이 있다.

답 단편화, 외래종

# 누구나 100점 테스트 1회

**1** 표는 생물의 유전 현상에 관한 물질 (가)~(다)의 의미를 나타낸 것이다. (가)~(다)는 각각 유전체, 염색체, 유전자 중 하나이다.

| 구분 | 의미 |
|---|---|
| (가) | 유전 정보가 저장된 DNA의 특정 부분 |
| (나) | DNA와 히스톤 단백질이 뭉쳐 단단하게 응축되면서 형성된 물질 |
| (다) | 한 생명체가 가진 모든 유전 정보 |

이에 대한 설명으로 옳은 것만을 〈보기〉에서 있는 대로 고른 것은?

보기
ㄱ. (가)는 염색체이다.
ㄴ. 세포 주기 중 분열기에 (나)가 관찰된다.
ㄷ. (다)의 유전 정보는 DNA의 염기 서열에 저장되어 있다.

① ㄱ ② ㄴ ③ ㄷ
④ ㄱ, ㄴ ⑤ ㄴ, ㄷ

신경향

**2** 그림은 분열 중인 사람의 어떤 세포에서 시간에 따른 핵 1개당 DNA 상대량을 나타낸 것이다. 이에 대한 설명으로 옳은 것만을 〈보기〉에서 있는 대로 고른 것은?

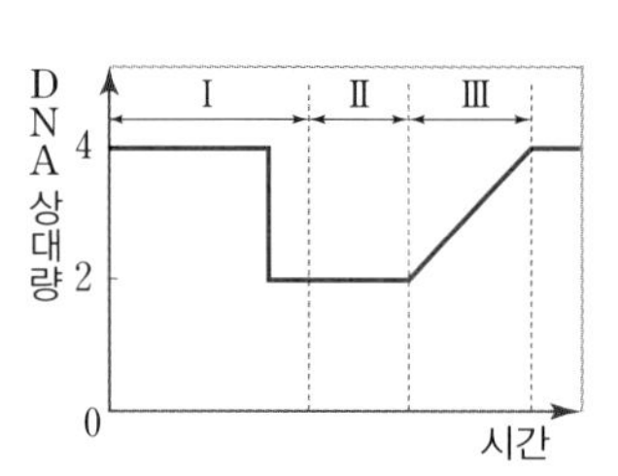


보기
ㄱ. 구간 Ⅰ에서 감수 1분열이 일어난다.
ㄴ. 구간 Ⅱ에는 DNA가 복제되기 전 $G_1$기 세포가 있다.
ㄷ. 구간 Ⅲ에서 세포질 분열이 일어난다.

① ㄱ ② ㄴ ③ ㄱ, ㄴ
④ ㄴ, ㄷ ⑤ ㄱ, ㄴ, ㄷ

**3** 표는 3종의 생물($2n$)에서 체세포 1개에 존재하는 염색체 수를 나타낸 것이다. 이에 대한 설명으로 옳은 것은?

| 생물종 | 염색체 수 |
|---|---|
| 침팬지 | 48 |
| 감자 | 48 |
| 사람 | 46 |

① 침팬지와 감자의 핵형은 동일하다.
② 침팬지의 유전자 수는 염색체 수와 같다.
③ 사람의 정자 1개에 들어 있는 상염색체 수는 23이다.
④ 감자의 유전 정보는 DNA의 특정 부위에 저장되어 있다.
⑤ 침팬지와 감자는 사람보다 동일한 유전자를 더 많이 갖는다.

**4** 그림 (가)~(라)는 감수 2분열 과정 중 나타나는 세포의 모습을 순서 없이 나열한 것이다. (가)~(라)는 각각 전기, 중기, 후기, 말기 중 하나이다.

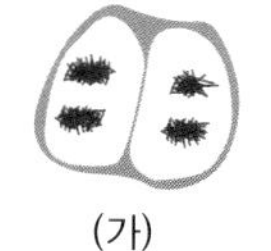
(가)

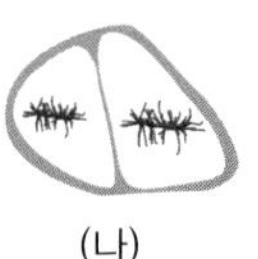
(나)

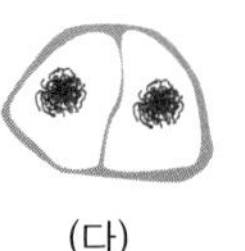
(다)

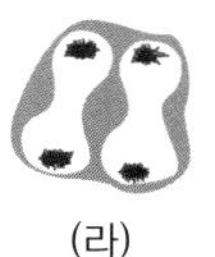
(라)

감수 2분열 과정 순서대로 옳게 나열하시오.

**5** 적록 색맹 유전에 대한 설명으로 옳은 것을 〈보기〉에서 모두 고르시오.

보기
ㄱ. 성염색체 유전이다.
ㄴ. 적록 색맹 대립유전자는 정상 대립유전자에 대해 열성이다.
ㄷ. 적록 색맹이 나타나는 빈도는 남자보다 여자에서 더 높다.

**6** 다음은 사람의 유전병 (가)에 대한 설명이다.

- 우열 관계가 분명한 2가지 대립유전자에 의해 결정된다.
- ㉠정상인 부모 사이에서 태어나는 딸이 (가)인 경우가 있다.

(가)의 유전에 대한 설명으로 옳은 것만을 〈보기〉에서 있는 대로 고른 것은? (단, 돌연변이는 고려하지 않는다.)

보기
ㄱ. 단일 인자 유전이다.
ㄴ. 대립유전자가 X 염색체에 있다.
ㄷ. ㉠ 중에 유전자형이 이형 접합성인 사람이 있다.

① ㄱ ② ㄷ ③ ㄱ, ㄷ
④ ㄴ, ㄷ ⑤ ㄱ, ㄴ, ㄷ

신경향

**7** 그림은 남자 (가)와 여자 (나)의 체세포에 들어 있는 3쌍의 염색체와 대립유전자를 나타낸 것이다.

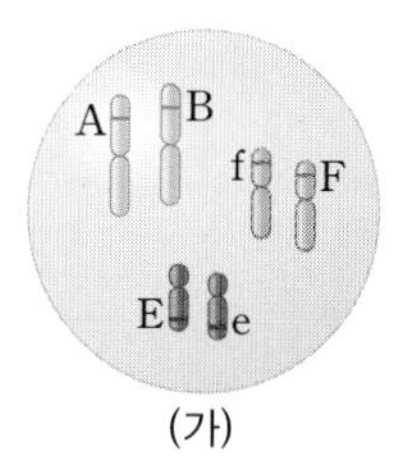

(가)

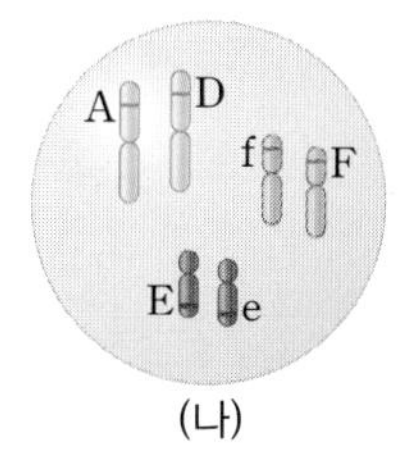

(나)

유전자 A는 형질 ㉠을, 유전자 E와 F는 형질 ㉡을 결정한다. ㉠과 ㉡의 유전 현상과 관련된 용어를 옳게 짝지은 것은? (단, 제시된 유전자만 고려하며, 돌연변이는 고려하지 않는다.)

| | ㉠ | ㉡ |
|---|---|---|
| ① | 상염색체 유전 | 성염색체 유전 |
| ② | 다인자 유전 | 단일 인자 유전 |
| ③ | 복대립 유전 | 다인자 유전 |
| ④ | 반성유전 | 단일 인자 유전 |
| ⑤ | 다인자 유전 | 복대립 유전 |

**8** 그림은 어떤 집안의 ABO식 혈액형 유전에 대한 가계도를 나타낸 것이다.

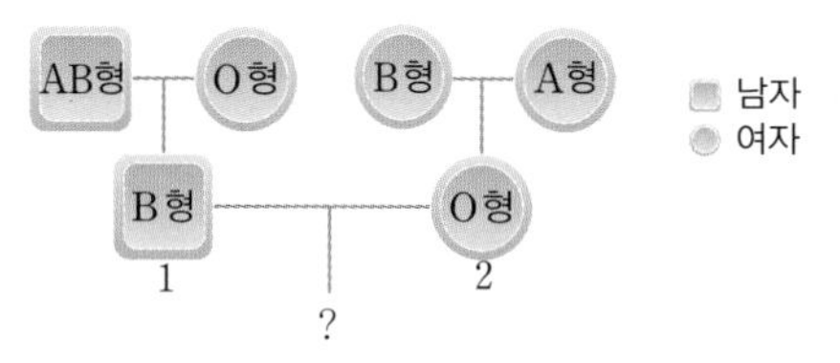


1과 2 사이에서 아이가 태어날 때, 이 아이의 ABO식 혈액형이 B형일 확률은 얼마인지 쓰시오. (단, 돌연변이는 고려하지 않는다.)

신경향

[9 ~ 10] 그림 (가)는 어떤 남자의 정상 체세포를, (나)는 (가)의 생식세포 형성 과정에서 성염색체 비분리 현상이 1회 일어났을 때 형성될 수 있는 세포 ㉠~㉢을 나타낸 것이다. 각 세포에는 성염색체만을 나타내었고, 다른 염색체의 돌연변이는 없다.

정상 세포
(가)

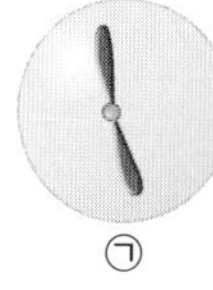
㉠

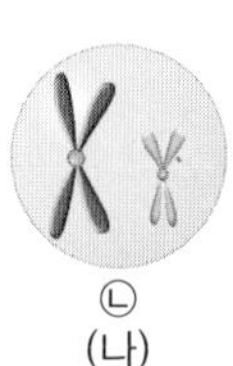
㉡

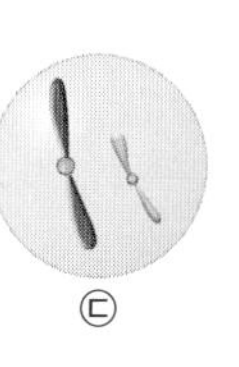
㉢

(나)

**9** 이에 대한 설명으로 옳은 것을 〈보기〉에서 모두 고르시오.

보기
ㄱ. (가)와 ㉠의 핵상은 서로 다르다.
ㄴ. ㉡에 들어 있는 총 염색체 수는 23개이다.
ㄷ. ㉢이 정상 난자와 수정하면 클라인펠터 증후군인 사람의 염색체 구성과 같은 수정란이 형성된다.

**10** ㉠~㉢ 중 감수 1분열 과정에서 염색체 비분리가 일어나 형성된 세포를 있는 대로 고른 것은?

① ㉠ ② ㉢ ③ ㉠, ㉡
④ ㉡, ㉢ ⑤ ㉠, ㉡, ㉢

# 누구나 100점 테스트 2회

**1** 고양이 울음 증후군과 낫 모양 적혈구 빈혈증에 대한 설명으로 옳지 않은 것은?

① 고양이 울음 증후군은 염색체 구조 이상 돌연변이이다.
② 낫 모양 적혈구 빈혈증은 유전자 이상 돌연변이이다.
③ 고양이 울음 증후군은 상염색체에 결실이 일어난 유전병이다.
④ 낫 모양 적혈구 빈혈증인 사람의 적혈구에는 비정상적인 구조의 헤모글로빈이 있다.
⑤ 고양이 울음 증후군과 낫 모양 적혈구 빈혈증은 모두 염색체 비분리 현상에 의해 발생하는 유전병이다.

신경향

**2** 표는 사람에게서 나타나는 유전병 (가)~(다)에 관한 설명이다.

| | |
|---|---|
| (가) | 9번과 22번 염색체 사이에서 전좌가 일어난 것이 원인이다. |
| (나) | 멜라닌 합성 효소 유전자 이상으로 멜라닌 색소가 결핍되었다. |
| (다) | 페닐알라닌 분해 효소 이상으로 페닐알라닌이 축적된다. |

(가)~(다) 중 핵형 분석으로 확인할 수 있는 것만을 있는 대로 고른 것은?

① (가) ② (나) ③ (가), (다)
④ (나), (다) ⑤ (가), (나), (다)

**3** 그림은 생물 군집을 구성하는 개체군 사이의 상호 관계를 나타낸 것이다.

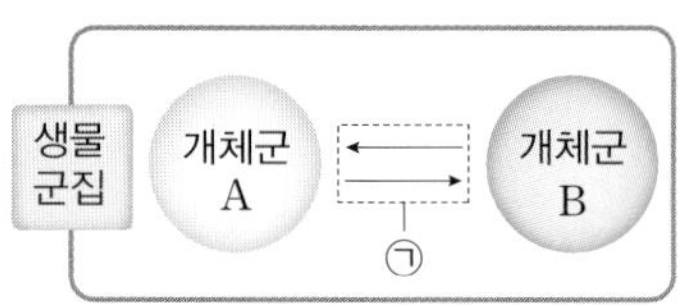


㉠에 해당하는 상호 작용으로 옳은 것을 〈보기〉에서 모두 고르시오.

보기

ㄱ. 텃세 ㄴ. 종간 경쟁 ㄷ. 상리 공생

**4** 그림은 개체군의 생장 곡선을 나타낸 것이다. A와 B는 각각 이론적 생장 곡선과 실제 생장 곡선 중 하나이다. 이에 대한 설명으로 옳은 것을 〈보기〉에서 모두 고르시오. (단, 이 개체군에서 이입과 이출은 없다.)

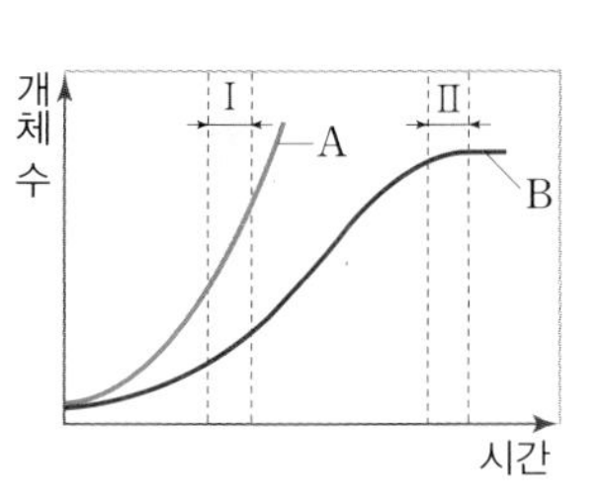


보기

ㄱ. A는 실제 생장 곡선이다.
ㄴ. B에서 환경 저항은 구간 Ⅰ에서보다 Ⅱ에서 더 크다.
ㄷ. A와 B의 차이에 해당하는 요인을 환경 수용력이라고 한다.

**5** 식물 군집의 순생산량에 포함되지 않는 것은?

① 피식량 ② 고사량 ③ 낙엽량
④ 생장량 ⑤ 호흡량

정답과 해설 74쪽

**6** 그림은 어떤 육상 생태계에서 각 영양 단계의 에너지양을 상댓값으로 나타낸 생태 피라미드이다. A~C는 각각 1차 소비자, 2차 소비자, 생산자 중 하나이다. 이에 대한 설명으로 옳은 것은?

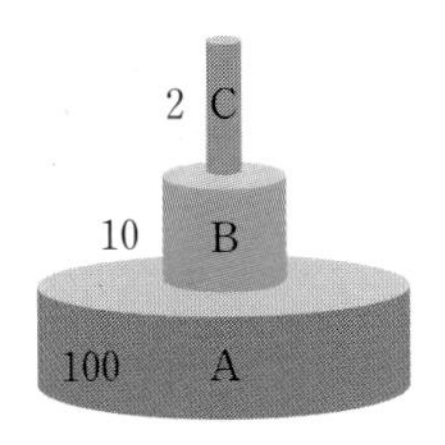


① A는 1차 소비자이다.
② B는 빛에너지를 화학 에너지로 전환한다.
③ B의 에너지 효율은 C보다 크다.
④ C는 초식 동물이다.
⑤ 에너지양은 상위 영양 단계로 갈수록 감소한다.

**7** 생태계의 물질 순환에 대한 설명으로 옳은 것을 〈보기〉에서 모두 고르시오.

보기

ㄱ. 질소 순환에 세균이 관여한다.
ㄴ. 대기 중의 질소 기체($N_2$)를 식물이 흡수하여 단백질로 합성한다.
ㄷ. 탄소는 유기물의 형태로 생산자에서 소비자로 이동한다.

**8** 다음은 생물 다양성의 세 가지 의미에 대한 A~C 학생들의 대화이다.

옳게 설명한 학생들만을 있는 대로 고른 것은?

① A ② C ③ A, B
④ B, C ⑤ A, B, C

신경향

**9** 그림은 어떤 지역의 식물 군집에서 산불이 일어나기 전과 후 천이 과정의 일부를 나타낸 것이다.

A → 양수림 → 혼합림 → B → (산불) C → A

A~C는 초원, 음수림, 관목림을 순서 없이 나타낸 것이다. A~C를 옳게 짝지은 것은?

| | A | B | C |
|---|---|---|---|
| ① | 초원 | 음수림 | 관목림 |
| ② | 관목림 | 음수림 | 초원 |
| ③ | 음수림 | 관목림 | 초원 |
| ④ | 초원 | 관목림 | 음수림 |
| ⑤ | 관목림 | 초원 | 음수림 |

**10** 다음은 생물 다양성을 위협하는 어떤 현상에 대한 설명이다.

㉠ 도로 건설 등으로 큰 서식지가 여러 개의 작은 서식지로 나뉘면 ㉡ 야생 생물의 개체 수가 크게 감소하고, 도로를 가로질러 서식지 사이를 이동하던 야생 동물이 차에 치여 죽는 사고가 자주 발생한다.

이에 대한 설명으로 옳은 것만을 〈보기〉에서 있는 대로 고른 것은?

보기

ㄱ. ㉠은 서식지 단편화의 예에 해당한다.
ㄴ. ㉡은 종 다양성 감소의 원인이 된다.
ㄷ. 생태 통로를 설치하는 것은 생물 다양성 보전에 대한 해결 방안이 될 수 있다.

① ㄱ ② ㄷ ③ ㄱ, ㄴ
④ ㄴ, ㄷ ⑤ ㄱ, ㄴ, ㄷ

6일

# 6일 서술형·사고력 테스트

**1** 그림은 유전자형이 AaBbDd인 어떤 사람의 1번 염색체 한 쌍과 유전자를 나타낸 것이다.

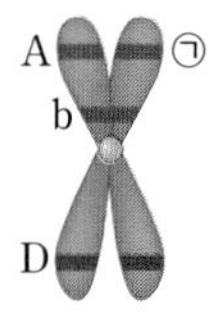

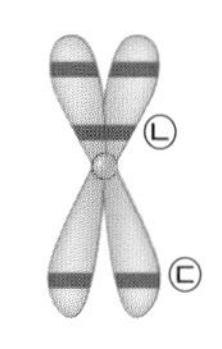


(1) ㉠에 들어갈 유전자를 쓰고, 그렇게 생각한 까닭을 서술하시오.

(2) ㉡과 ㉢에 들어갈 대립유전자를 각각 쓰고, 그렇게 생각한 까닭을 서술하시오.

**2** 그림은 어떤 생물($2n=4$)의 세포 분열 과정을 순서 없이 나타낸 것이다.

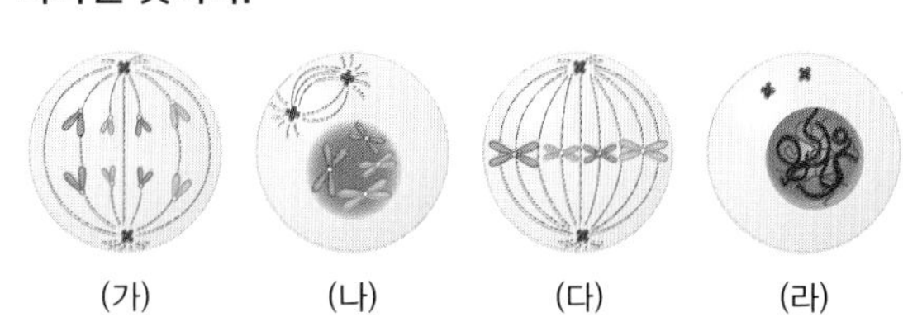


(1) (가)~(라) 중 분열기인 것만 골라 체세포 분열의 순서에 맞게 나열하시오.

(2) 세포 분열 시 염색체가 응축되면 어떤 장점이 있는지 2가지만 서술하시오.

**3** 다음은 어떤 동물에서 형질 (가)를 결정하는 대립유전자에 대한 설명이다.

- 형질 (가)는 1쌍의 대립유전자에 의해 표현된다.
- 대립유전자는 A, B, C이며 상염색체에 있다.
- 우열 관계는 A>B>C이며, 이형 접합성의 경우 우성 형질만 표현된다.

형질 (가)의 유전자형과 표현형의 수를 각각 쓰고, 그 까닭을 서술하시오.

**4** 다음은 어떤 집안의 적록 색맹 유전에 대한 자료이다.

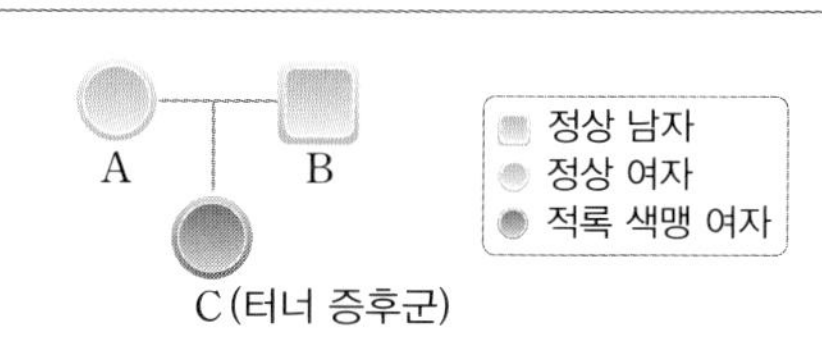


- 세포당 X 염색체가 하나인 터너 증후군인 경우 적록 색맹 대립유전자가 X 염색체에 존재하면 적록 색맹이 된다.
- A와 B의 핵형은 모두 정상이고, A는 적록 색맹 보인자이다.
- A와 B 중 한 명에게서 생식세포 형성 시 염색체 비분리가 1회 일어나 C가 태어났다.

염색체 비분리가 일어난 생식세포는 A와 B 중 누구의 것인지 쓰고, 그렇게 생각한 까닭을 서술하시오. (단, 제시된 적록 색맹과 염색체 비분리 이외의 돌연변이는 고려하지 않는다.)

정답과 해설 75쪽

**5** 표는 종 사이의 상호 작용을 나타낸 것이다. A~C는 종간 경쟁, 기생, 상리 공생을 순서 없이 나타낸 것이다.

| 상호 작용 | 종 1 | 종 2 |
|---|---|---|
| A | 손해 | 손해 |
| B | 이익 | ㉠ |
| C | ? | 손해 |

(1) A~C는 각각 무엇인지 쓰시오.

(2) ㉠에 알맞은 말을 쓰시오.

**6** 그림은 두 지역 (가)와 (나)에 서식하는 식물 종을 나타낸 것이다.

○ 질경이 △ 토끼풀 ◇ 민들레 ☆ 억새

(가)

| | | | | |
|---|---|---|---|---|
| ◇ | ○ | ◇ | △ | ○ |
| ☆ | ◇ | ☆ | ○ | ☆ |
| △ | ○ | ☆ | △ | △ |
| ◇ | ○ | △ | ◇ | ◇ |

(나)

| | | | | |
|---|---|---|---|---|
| ○ | ○ | ○ | ○ | ○ |
| ☆ | ○ | △ | ◇ | ○ |
| ○ | △ | ◇ | △ | ○ |
| ○ | ○ | ◇ | ○ | ○ |

(가)와 (나) 중 식물의 종 다양성이 더 높은 쪽을 쓰고, 그렇게 생각한 까닭을 서술하시오. (단, 제시된 종만 고려한다.)

**7** 그림은 식물 군집의 천이 과정을 나타낸 것이다.

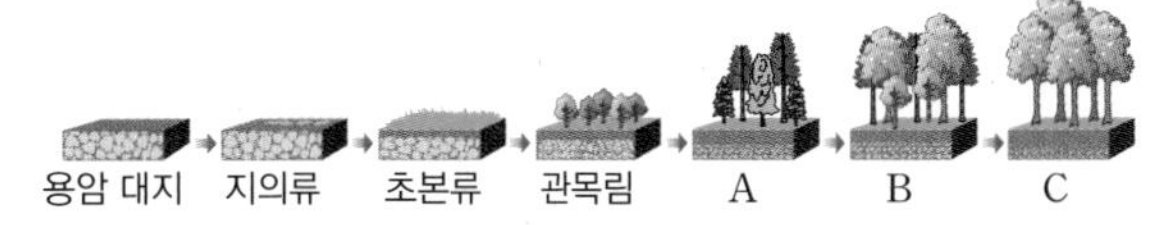


A → B → C로 천이되는 과정에 가장 크게 영향을 주는 환경 요인을 쓰시오.

**8** 표는 어떤 안정된 생태계에서 영양 단계 A~D의 에너지양과 에너지 효율을 나타낸 것이다. A~D는 각각 생산자, 1차 소비자, 2차 소비자, 3차 소비자 중 하나이다.

| 영양 단계 | 에너지양 (상댓값) | 에너지 효율 (%) |
|---|---|---|
| A | 6 | 20 |
| B | 2000 | 1 |
| C | 30 | ㉠ |
| D | 200 | 10 |

(1) A~D의 영양 단계는 각각 무엇인지 쓰고, 그렇게 생각한 까닭을 서술하시오.

(2) ㉠은 얼마인지 쓰고, 그렇게 생각한 까닭을 서술하시오.

# 6일 창의·융합·코딩 테스트

**1** 창의융합 **다음은 수업 중 실시한 사람의 핵형 분석에 대한 탐구 활동이다.**

[과정]
1. 성별이 다르고 핵형이 정상인 사람 체세포의 염색체 사진 2장을 준비한다.
2. 염색체를 모양에 따라 가위로 오려 낸다.
3. 가위로 오려 낸 염색체를 크기와 모양이 같은 것끼리 짝을 짓는다.
4. 염색체의 크기가 큰 것부터 작은 것까지 순서대로 A4 종이에 배열하여 붙이고 번호를 매긴다.
5. 종이에 붙인 사람 체세포의 상동 염색체 수를 세어 보고, 상염색체와 성염색체를 구별해 본다.

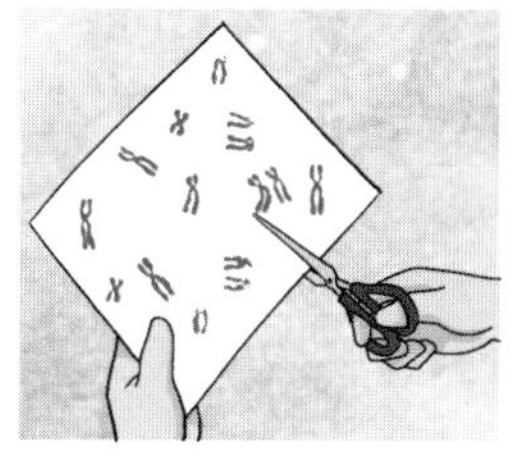

**탐구 과정 순서대로 활동하던 민수는 4번 과정 진행 중 어떤 염색체인지 알 수 없는 1개의 염색체 사진을 잃어버렸음을 알게 되었다. 민수가 과정 5를 신속하고 정확하게 완료하기 위한 방법으로 가장 적절한 것은?**

① 선생님께 염색체 사진 2장을 새로 받아 2번 과정부터 진행한다.
② 선생님께 염색체 사진 1장을 새로 받아 2번 과정부터 진행한다.
③ 붙였던 염색체들을 떼어 내고 3번 과정부터 다시 진행한다.
④ 선생님께 염색체 사진 2장을 새로 받고, 이를 이용하여 진행하던 과정을 이어간다.
⑤ 선생님께 염색체 사진 1장을 새로 받고, 이를 이용하여 진행하던 과정을 이어간다.

**2** 창의융합 **다음은 사람의 유전병에 대한 학생들의 대화이다.**

**수진이가 반박한 내용 중 ○○에 들어 갈 학생 이름과 [ ? ]에 들어갈 내용으로 가장 적절한 것은?**

① 영희, 낫 모양 적혈구 빈혈증은 정상에 대해 우성이야.
② 철수, 우성이면 증상에 상관없이 많은 사람들에게 발현되기 때문에 우성 유전병이 열성보다 더 많아.
③ 영희, 낫 모양 적혈구 빈혈증은 열성이지만 멘델의 원리와 달라서 유전자가 있으면 무조건 발현된단다.
④ 철수, 생존에 치명적인 우성 유전병이어도 성인이 된 후 발병하는 유전병은 자손에게 유전될 수 있지.
⑤ 영희, 낫 모양 적혈구 빈혈증은 염색체 이상이라서 우열의 원리와는 상관이 없어.

**3** 창의융합 **그림은 철수가 감수 1분열과 감수 2분열의 공통점과 차이점을 정리하기 위해 만든 벤다이어그램이다.**

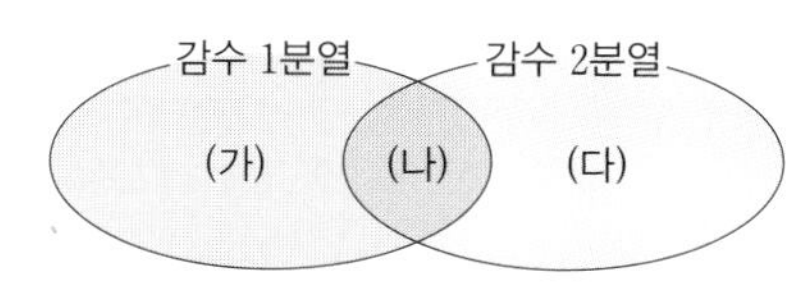


**다음 A~C를 (가)~(다)에 옳게 연결하시오.**

A : 2가 염색체가 형성된다.
B : 딸세포의 유전자 구성이 모세포와 같다.
C : 분열 과정에서 세포당 DNA양이 감소한다.

정답과 해설 76쪽

**4** 창의 융합

**다음은 다섯 명의 학생이 선생님과 화상 수업을 하는 모습이다.**

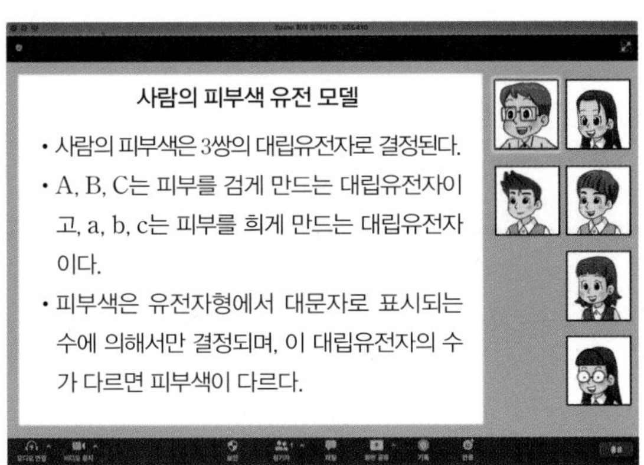


**사람의 피부색 유전 모델에 대한 학생들의 설명으로 옳지 <u>않은</u> 것은?**

① 영희: 다인자 유전에 해당합니다.
② 철수: 유전자형의 종류는 총 7가지입니다.
③ 민지: 대립유전자 간의 우열이 분명하지 않습니다.
④ 형준: 유전자형이 AABbcc인 사람과 AaBbCc인 사람의 피부색은 같습니다.
⑤ 수진: 피부색이 갈색인 부부의 자손 중에서는 갈색 피부의 자손이 나올 확률이 가장 높습니다.

**5** 코딩

**그림은 생물 간의 상호 작용 4가지를 분류하는 과정을 나타낸 것이다.**

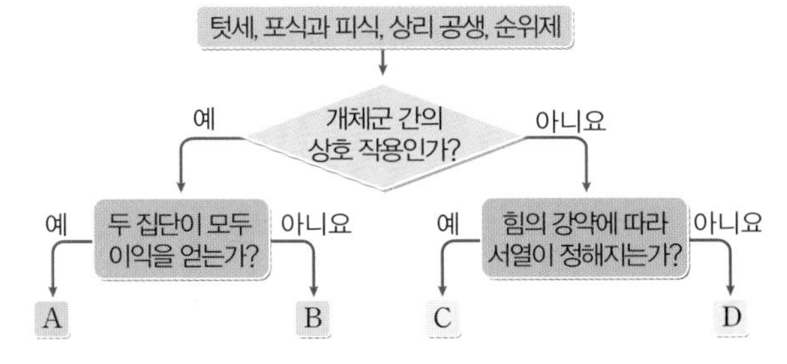


**A~D는 각각 무엇인지 쓰시오.**

**6** 창의 융합

**다음은 세 명의 학생 A~C가 수행한 탐구 내용이다.**

(가) 딱총새우가 서식하는 산호의 주변에는 산호의 천적인 불가사리가 적게 관찰되는 것을 보고, 딱총새우가 산호를 불가사리로부터 보호해 줄 것이라고 생각하였다.
(나) 같은 지역에 있는 산호들을 집단 A와 B로 나눈 후, A에서는 딱총새우를 그대로 두고, B에서는 딱총새우를 제거하였다.
(다) [ ]
(라) 산호에 서식하는 딱총새우가 산호를 불가사리로부터 보호해 준다는 결론을 내렸다.

**(다)에 들어갈 내용을 옳게 설명한 학생만을 있는 대로 고른 것은?**

① A ② C ③ A, B
④ B, C ⑤ A, B, C

# 7일 학교시험 기본 테스트 1회

신경향

**1** 다음은 염색체에 관한 세 학생의 설명이다.

제시한 설명이 옳은 학생을 모두 고르시오.

**2** 상동 염색체에 관한 설명으로 옳은 것만을 〈보기〉에서 있는 대로 고른 것은?

보기

ㄱ. 감수 1분열 후기에 분리된다.
ㄴ. 상동 염색체의 대립유전자의 구성은 항상 같다.
ㄷ. 구조적 특징에 관계없이 염색체를 쌍으로 배열해 놓은 것이다.

① ㄱ ② ㄴ ③ ㄷ
④ ㄱ, ㄴ ⑤ ㄴ, ㄷ

**3** 세포 주기의 간기에 대한 설명으로 옳은 것은?

① 전기, 중기, 후기, 말기로 구분된다.
② DNA가 2배로 복제되는 시기가 있다.
③ 염색체를 관찰하기에 가장 좋은 시기이다.
④ 핵막이 사라지고 방추사가 염색체에 부착된다.
⑤ 핵분열이 먼저 일어나고 세포질 분열이 진행된다.

**4** 그림은 어떤 동물($2n=4$)에서 분열 중인 세포 X에 들어 있는 염색체를 모두 나타낸 것이다. X에 대한 설명으로 옳은 것만을 〈보기〉에서 있는 대로 고른 것은?

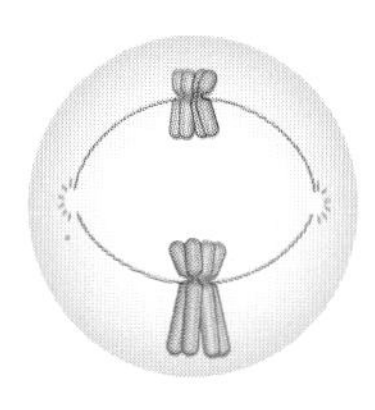

보기

ㄱ. 핵상은 $2n$이다.
ㄴ. 2가 염색체가 형성되었다.
ㄷ. 감수 2분열 중기의 세포이다.

① ㄱ ② ㄴ ③ ㄷ
④ ㄱ, ㄴ ⑤ ㄱ, ㄷ

신경향

**5** 그림 (가)와 (나)는 어떤 식물($2n=4$)에서 일어나는 체세포 분열과 감수 분열 과정의 일부를 순서 없이 나타낸 것이다.

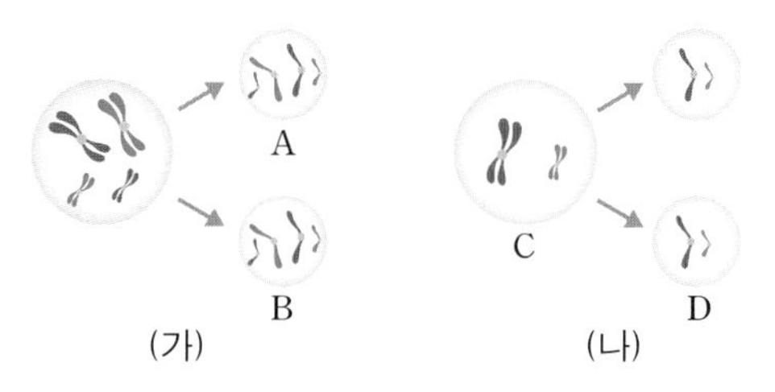


이에 대한 설명으로 옳은 것만을 〈보기〉에서 있는 대로 고른 것은?

보기

ㄱ. A와 B의 유전 정보는 동일하다.
ㄴ. (나)는 감수 1분열 과정이다.
ㄷ. C와 D의 핵상은 모두 $n$이다.

① ㄱ ② ㄴ ③ ㄷ
④ ㄱ, ㄴ ⑤ ㄱ, ㄷ

**6** 단일 인자 유전에 대한 설명으로 옳은 것만을 〈보기〉에서 있는 대로 고른 것은?

보기
ㄱ. ABO식 혈액형 유전은 단일 인자 유전에 해당한다.
ㄴ. 표현형이 매우 다양하여 연속적인 변이로 나타난다.
ㄷ. 단일 인자 유전은 모두 형질을 결정하는 대립유전자가 두 종류이다.

① ㄱ　② ㄴ　③ ㄷ　④ ㄱ, ㄴ　⑤ ㄱ, ㄷ

신경향

**7** 그림은 명절에 모인 어떤 가족이 서로의 ABO식 혈액형을 조사하여 가계도로 나타낸 것이다.

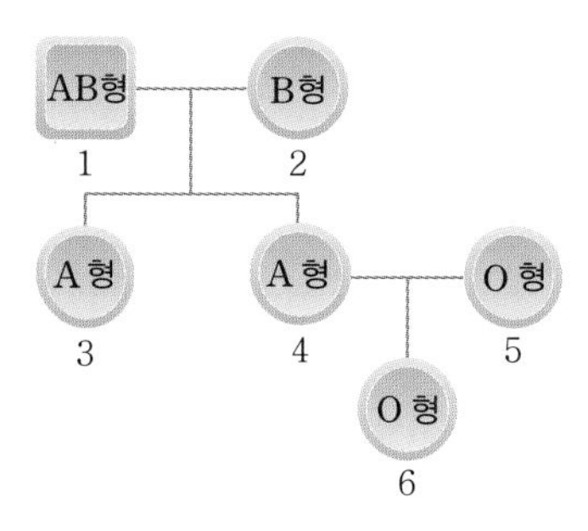


ABO식 혈액형 유전자형이 이형 접합성인 사람을 모두 골라 번호를 쓰시오.

**8** 다인자 유전에 대한 설명으로 옳은 것만을 〈보기〉에서 있는 대로 고른 것은?

보기
ㄱ. 표현형이 뚜렷하게 구분된다.
ㄴ. 사람의 피부색 유전은 다인자 유전이다.
ㄷ. 여러 쌍의 대립유전자가 하나의 형질에 관여한다.

① ㄱ　② ㄴ　③ ㄷ　④ ㄱ, ㄴ　⑤ ㄴ, ㄷ

신경향

**9** 세 남매 A~C의 어머니는 적록 색맹이고 아버지는 정상이다. 곧 태어날 동생에 대한 세 남매의 대화 내용 중 옳은 것만을 모두 고르시오.

**10** 다음은 성염색체 유전에 관한 설명이다. 빈칸에 알맞은 말을 쓰시오.

형질을 결정하는 유전자가 성염색체에 있을 경우 발현 빈도가 성에 따라 다른데, 이러한 성염색체 유전을 ㉠ (　　　　) 이라고 한다. 적록 색맹 대립유전자는 X 염색체에 있으며, 정상 대립유전자에 대해 ㉡ (　　　　)이다.

**11** 표는 사람에게서 나타나는 유전병 (가)~(다)의 특징을 나타낸 것이다.

| 유전병 | 특징 |
|---|---|
| (가) | 21번 염색체가 정상보다 1개 더 많다. |
| (나) | 성염색체가 X 1개인 경우에 나타난다. |
| (다) | 성염색체가 XXY인 경우에 나타난다. |

이에 대한 설명으로 옳은 것만을 <보기>에서 있는 대로 고른 것은?

보기
ㄱ. (가)~(다)는 공통적으로 염색체 비분리에 의해 나타나는 유전병이다.
ㄴ. (나)는 여자에게만 나타난다.
ㄷ. (다)는 터너 증후군이다.

① ㄱ ② ㄴ ③ ㄱ, ㄴ
④ ㄴ, ㄷ ⑤ ㄱ, ㄴ, ㄷ

신경향

**12** 그림은 철수가 온라인 수업 중 유전병을 주제로 준비한 자료를 공유하면서 발표하는 모습이다.

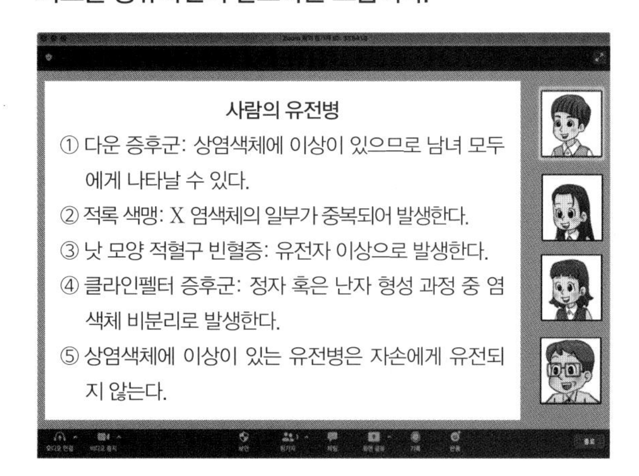


자료의 내용 ①~⑤ 중 옳지 않은 것을 모두 고르시오.

**13** 생태계에 대한 설명으로 옳은 것만을 <보기>에서 있는 대로 고른 것은?

보기
ㄱ. 버섯과 곰팡이는 분해자에 해당한다.
ㄴ. 군집은 한 종으로만 구성된 생물 집단이다.
ㄷ. 생물적 요인과 비생물적 요인을 모두 포함한다.

① ㄱ ② ㄷ ③ ㄱ, ㄷ
④ ㄴ, ㄷ ⑤ ㄱ, ㄴ, ㄷ

**14** 그림은 어떤 개체군의 생장 곡선을 나타낸 것이다. 이에 대한 설명으로 옳은 것만을 <보기>에서 있는 대로 고른 것은?

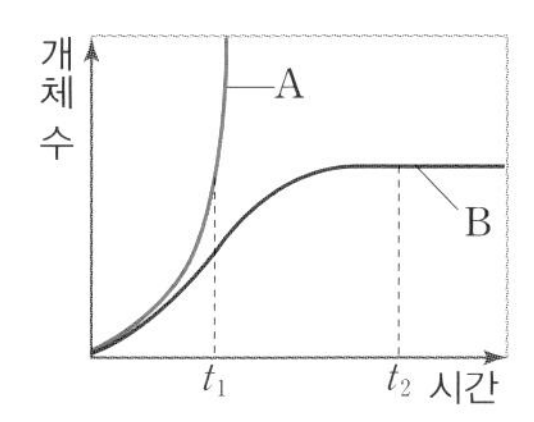


보기
ㄱ. A는 실제 생장 곡선이다.
ㄴ. B에서 환경 저항은 $t_1$에서가 $t_2$에서보다 크다.
ㄷ. B에서 개체 수 증가율은 $t_1$에서가 $t_2$에서보다 높다.

① ㄱ ② ㄴ ③ ㄷ
④ ㄱ, ㄴ ⑤ ㄴ, ㄷ

**15** 다음은 군집 내 개체군 사이의 상호 작용의 예를 나타낸 것이다. (가)~(다)는 각각 종간 경쟁, 분서, 상리 공생 중 하나이다.

(가) 흰동가리는 말미잘의 보호를 받고, 말미잘은 흰동가리가 유인한 물고기를 먹는다.
(나) 같은 먹이를 먹는 두 종의 짚신벌레를 한 공간에 두면 한 종만 살아남는다.
(다) 같은 공간의 하천에서 피라미는 하천의 가장자리, 은어는 하천의 중앙에서 서식한다.

(가)~(다)에 해당하는 상호 작용을 각각 쓰시오.

**16** 다음은 1차 천이 중 건성 천이 과정에서 출현하는 군집의 종류를 나타낸 것이다. (가)~(바)를 천이 과정의 순서대로 나열하시오.

| (가) 초원 | (나) 지의류 | (다) 양수림 |
|---|---|---|
| (라) 음수림 | (마) 관목림 | (바) 혼합림 |

**17** 물질의 생산과 소비에 관한 설명으로 옳은 것은?

① 순생산량은 호흡량과 총생산량을 합한 값이다.
② 1차 소비자의 섭식량은 생산자의 피식량보다 크다.
③ 생장량은 피식량과 고사량, 순생산량을 모두 합한 것이다.
④ 총생산량은 생산자가 일정 기간 동안 광합성으로 생산한 유기물의 총량이다.
⑤ 순생산량은 생장량에서 피식량과 고사량, 낙엽량을 제외한 값이다.

**18** 다음은 생태계에서의 에너지 흐름에 관한 설명이다. 빈칸에 알맞은 말을 쓰시오.

> 생태계에 공급되는 에너지의 근원은 태양의 빛에너지이며, 이는 생산자의 ㉠ (　　　　) 에 의해 화학 에너지로 전환되어 유기물에 저장된다. 유기물에 저장된 화학 에너지의 일부는 생물의 ㉡ (　　　　)에 의해 생명 활동에 이용되거나 열에너지로 전환되어 방출된다.

**19** 그림은 생태계에서 탄소 순환 과정과 질소 순환 과정의 일부를 나타낸 것이다.

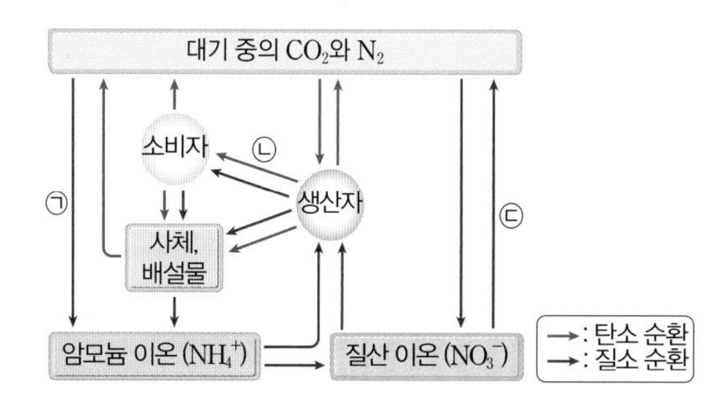


이에 대한 설명으로 옳은 것은?

① ㉢ 과정에 질산화 세균이 관여한다.
② ㉠ 과정에 탈질산화 세균이 관여한다.
③ ㉠은 공중 방전에 의한 질소 고정이다.
④ ㉡에서 먹이 사슬에 따라 유기물이 이동한다.
⑤ ㉡에서 탄소는 이산화 탄소의 형태로 이동한다.

신경향

**20** 표는 철수가 방형구법으로 서로 다른 지역 (가), (나)에 서식하는 생물종 A~E의 개체 수를 조사한 결과를 정리한 것이다.

| 구분 | A | B | C | D | E |
|---|---|---|---|---|---|
| (가) | 15 | 5 | 17 | 3 | 10 |
| (나) | 10 | 11 | 9 | 11 | 9 |

(가)와 (나) 중 종 다양성이 높은 곳을 쓰고, 그렇게 생각한 까닭을 서술하시오.

# 7일 학교시험 기본 테스트 2회

신경향

**1** 영희는 다음과 같이 유전자와 염색체에 대해 발표를 하던 중, 친구들로부터 잘못된 부분을 지적받았다.

〈유전자와 염색체〉

① 염색체는 DNA와 단백질 복합체이다.
② DNA에는 유전자가 아닌 부분이 있다.
③ 간기와 분열기에 모두 뉴클레오솜이 존재한다.
④ 히스톤 단백질은 유전 정보를 저장하는 역할을 한다.
⑤ 체세포 분열 전기의 염색체는 2개의 염색 분체로 이루어져 있다.

영희의 발표 내용 ①~⑤ 중 옳지 않은 것은?

신경향

**2** 다음은 핵형이 정상인 어떤 남자의 체세포 핵형 분석 결과에 대한 학생 A~C의 대화 내용이다.

제시한 내용이 옳은 학생을 모두 고르시오.

**3** 체세포 분열과 감수 1분열의 공통점으로 옳은 것은?

① 2가 염색체가 형성된다.
② 후기에 상동 염색체가 분리된다.
③ 모세포와 딸세포의 핵상이 서로 같다.
④ 분열기 이전에 DNA 복제가 일어난다.
⑤ 유전적 구성이 서로 다른 딸세포가 형성된다.

**4** 그림은 사람의 체세포를 배양한 후 세포당 DNA양에 따른 세포 수를 나타낸 것이다. 이에 대한 설명으로 옳은 것만을 〈보기〉에서 있는 대로 고른 것은?

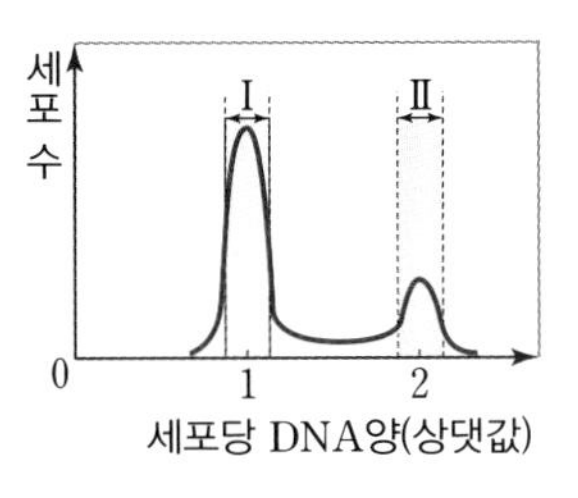


보기

ㄱ. 구간 Ⅰ에 $G_1$기의 세포가 있다.
ㄴ. 구간 Ⅱ에 분열기의 세포가 있다.
ㄷ. 세포 주기에서 $G_2$기가 $G_1$기보다 길다.

① ㄱ ② ㄴ ③ ㄷ
④ ㄱ, ㄴ ⑤ ㄱ, ㄷ

**5** 그림은 어떤 동물($2n=4$)의 생식세포가 형성될 때 서로 다른 시기의 세포 (가)와 (나)를, 표는 (가)와 (나) 중 어느 한 세포의 염색체 수와 DNA 상대량을 나타낸 것이다. (가)와 (나)는 모두 중기의 세포이다.

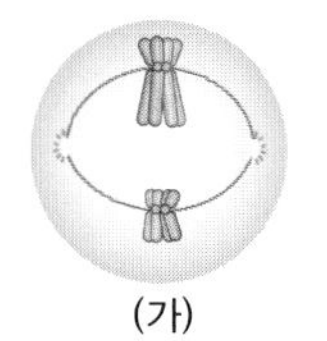
(가)

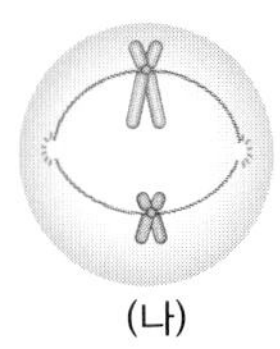
(나)

| 염색체 수 | 4 |
|---|---|
| DNA 상대량 | 4 |

(1) (가)의 세포당 염색체 수와 DNA 상대량을 각각 쓰시오.

(2) (나)의 세포당 염색체 수와 DNA 상대량을 각각 쓰시오.

정답과 해설 79쪽

신경향

**6** 그림은 영희네 집안의 어떤 유전병에 대한 가계도를 나타낸 것이다. 제시된 유전병 이외의 돌연변이는 없다.

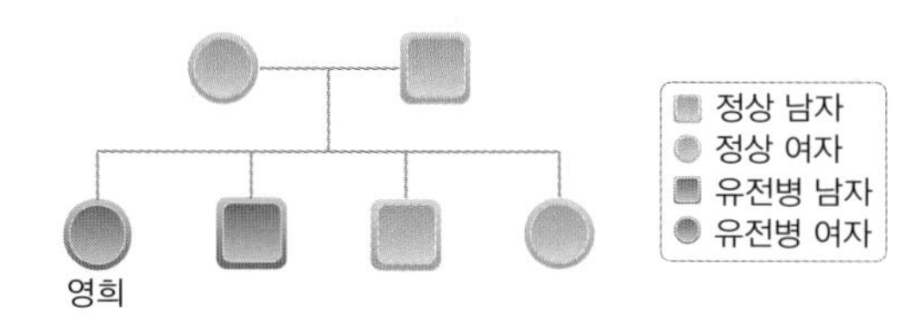


이 유전병이 반성유전인지 아닌지 쓰고, 그렇게 생각한 까닭을 서술하시오.

**7** 그림은 ABO식 혈액형이 모두 다른 가족의 가계도를 나타낸 것이다. 1의 ABO식 혈액형 유전자형은 동형 접합성이다. 이에 대한 설명으로 옳지 않은 것은? (단, 돌연변이는 고려하지 않는다.)

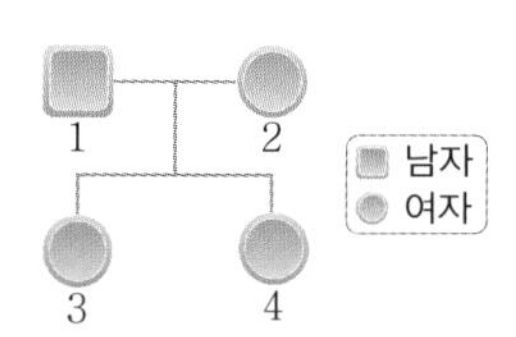


① 1은 O형이다.
② 2의 ABO식 혈액형 유전자형은 이형 접합성이다.
③ 3의 ABO식 혈액형 유전자형은 동형 접합성이다.
④ 4가 O형 여자와 결혼하여 아이가 태어날 때, 이 아이가 O형일 확률은 $\frac{1}{2}$이다.
⑤ 4의 동생이 태어날 때, 이 아이가 A형인 남자 아이일 확률은 $\frac{1}{4}$이다.

**8** 사람의 적록 색맹 유전 가계도에서 나타날 수 있는 부모와 자녀의 표현형으로 옳은 것만을 〈보기〉에서 있는 대로 고른 것은? (단, 다른 돌연변이는 고려하지 않는다.)

보기
ㄱ. 정상 아버지와 정상 딸
ㄴ. 적록 색맹 어머니와 정상 아들
ㄷ. 적록 색맹 아버지와 정상 딸

① ㄱ ② ㄴ ③ ㄷ
④ ㄱ, ㄷ ⑤ ㄴ, ㄷ

**9** 다음은 어떤 생물의 유전 형질 ㉠에 대한 자료이다.

- ㉠은 서로 다른 상염색체에 존재하는 3쌍의 대립유전자 A와 a, B와 b, D와 d에 의해 결정된다.
- ㉠의 표현형은 유전자형에서 대문자로 표시되는 대립유전자의 수에 의해서만 결정되며, 대문자로 표시되는 대립유전자의 수가 다르면 ㉠의 표현형이 서로 다르다.

유전자형이 AaBbDd인 두 개체 사이에서 자손이 태어날 때, 이 자손에게서 나타날 수 있는 표현형은 최대 몇 가지인가?

① 4가지 ② 5가지 ③ 6가지
④ 7가지 ⑤ 8가지

**10** 다음은 복대립 유전에 대한 설명이다. 빈칸에 알맞은 숫자를 각각 쓰시오.

㉠ (　　　　)쌍의 대립유전자에 의해 형질이 결정되고, 하나의 형질을 결정하는 대립유전자의 종류가 ㉡ (　　　　)가지 이상인 유전이다.

**11** 다음은 철수네 가족의 염색체를 분석한 자료이다.

> • 철수 어머니와 아버지의 염색체 수는 정상이다.
> • 철수는 21번 염색체를 3개 가지고 있으며, 이 중 한 쌍의 유전적 구성은 같고 어머니의 염색체와 일치한다.

이에 대한 설명으로 옳은 것만을 〈보기〉에서 있는 대로 고른 것은? (단, 철수의 핵형에 제시된 염색체 이외의 염색체는 정상 세포와 동일하다.)

> 보기
> ㄱ. 철수는 다운 증후군을 나타낸다.
> ㄴ. 철수의 세포 1개당 상염색체 수는 44개이다.
> ㄷ. 21번 염색 분체가 분리되지 않은 난자가 수정되었다.

① ㄱ ② ㄱ, ㄴ ③ ㄱ, ㄷ
④ ㄴ, ㄷ ⑤ ㄱ, ㄴ, ㄷ

**12** 그림은 어떤 유전병 환자의 세 가지 세포에 들어 있는 9번과 22번 염색체의 모양을 나타낸 것이다.

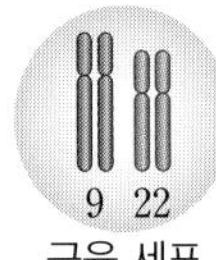

근육 세포

백혈구

9 22
정자

이에 대한 설명으로 옳은 것만을 〈보기〉에서 있는 대로 고른 것은? (단, 제시되지 않은 다른 염색체들은 모두 정상이며, 생식 세포 형성 시 돌연변이는 일어나지 않는다.)

> 보기
> ㄱ. 근육 세포의 세포당 염색체 수는 46이다.
> ㄴ. 이 환자의 유전병은 자손에게 유전된다.
> ㄷ. 백혈구의 9번 염색체와 22번 염색체 사이에서 전좌가 일어났다.

① ㄱ ② ㄱ, ㄴ ③ ㄱ, ㄷ
④ ㄴ, ㄷ ⑤ ㄱ, ㄴ, ㄷ

**13** 다음은 생태계 구성 요소 사이의 관계에 대한 자료이다. 빈칸에 알맞은 말을 쓰시오.

> 가을에 기온이 낮아져 은행나무 잎이 노랗게 변하는 것은 ㉠ (　　　　)이 ㉡ (　　　　)에 영향을 미치는 작용이고, 낙엽이 쌓이면 토양이 비옥해지는 것은 ㉢ (　　　　)이 ㉣ (　　　　)에 영향을 미치는 반작용이다.

신경향

**14** 표는 철수가 효모 개체군의 생장을 알아보기 위해 설탕 용액과 효모 배양액을 넣고 30 ℃의 항온기에 넣은 후 2시간 간격으로 효모의 개체 수를 조사한 결과를 나타낸 것이다.

| 시간 (시간) | 0 | 2 | 4 | 6 | 8 | 10 | 12 | 14 | 16 | 18 |
|---|---|---|---|---|---|---|---|---|---|---|
| 개체 수 | 10 | 28 | 72 | 176 | 353 | 515 | 596 | 641 | 657 | 662 |

학생 A~C 중 철수의 탐구 결과에 대해 옳게 분석한 학생을 모두 고르시오.

**15** 다음에서 설명하고 있는 생물 다양성 감소 원인을 무엇이라고 하는지 쓰시오.

> 생물의 서식지가 기존보다 더 작은 크기로 나누어져 생물의 이동이 제한되고 제한된 서식지에서만 교배가 일어나 개체군의 크기가 작아지게 된다.

**16** 개체군과 밀도에 대한 설명으로 옳은 것만을 〈보기〉에서 있는 대로 고른 것은?

보기
ㄱ. 출생과 이입은 개체군의 밀도를 증가시키는 요인이다.
ㄴ. 일정 지역 내에 함께 서식하는 같은 종의 무리를 개체군이라고 한다.
ㄷ. 개체 수가 같은 두 개체군에서 서식 면적이 넓은 쪽의 밀도가 더 높다.

① ㄱ ② ㄱ, ㄴ ③ ㄱ, ㄷ
④ ㄴ, ㄷ ⑤ ㄱ, ㄴ, ㄷ

**17** 생태계에서의 에너지 흐름에 대한 설명으로 옳은 것만을 〈보기〉에서 있는 대로 고른 것은?

보기
ㄱ. 에너지는 순환하지 않고 한 방향으로 흐른다.
ㄴ. 1차 소비자는 빛에너지를 유기물의 화학 에너지로 전환시킨다.
ㄷ. 생산자와 소비자에게 이동한 에너지의 일부는 사체나 배설물의 형태로 분해자에게 전달된다.

① ㄱ ② ㄱ, ㄴ ③ ㄱ, ㄷ
④ ㄴ, ㄷ ⑤ ㄱ, ㄴ, ㄷ

**18** 다음은 어떤 식물 군집의 한 해 동안의 생산량과 소비량의 단위 면적당 수치를 상댓값으로 나타낸 것이다.

• 총 생산량: 5000 • 고사량, 낙엽량: 100
• 생장량: 1100 • 피식량: 1000

이 식물 군집의 호흡량과 순 생산량을 각각 쓰시오.

신경향

**19** 그림은 종 사이의 상호작용을 나타낸 것이다. ㉠~㉣은 각각 기생, 종간 경쟁, 상리 공생 중 하나이며, ㉣은 포식과 피식이다. 이에 대한 설명으로 옳은 것은?

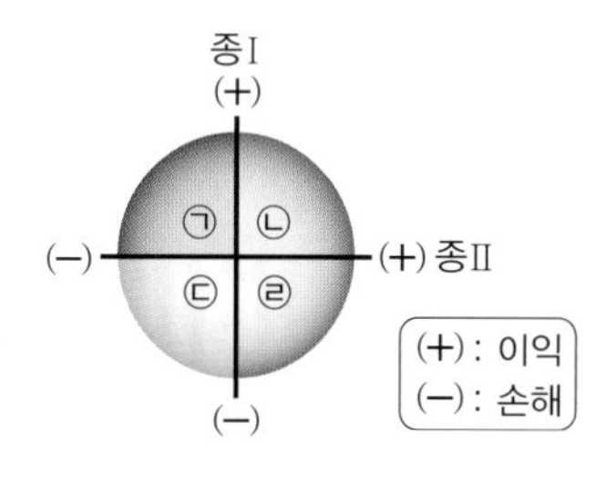


① 눈신토끼와 스라소니의 관계는 ㉡에 해당한다.
② 생태적 지위가 일치하는 두 종을 함께 배양하면 ㉢이 일어난다.
③ 벌이 꽃의 꿀을 얻고 꽃의 수분을 도와주는 것은 ㉣에 해당한다.
④ 개체가 자신의 구역을 확보하고 다른 개체의 접근을 막는 것은 ㉢에 해당한다.
⑤ 생태적 지위가 유사한 두 개체군이 서식지, 먹이, 활동 시기, 산란 시기 등을 달리하는 것은 ㉠에 해당한다.

신경향

**20** 다음은 민수와 친구들의 대화 내용이다.

민수에게 옳게 설명해 준 친구를 모두 고르시오.

DNA 이중 나선 발견에 가려진 '암흑 여사(dark lady)'

# 프랭클린

제임스 왓슨과 프랜시스 크릭이 DNA의 이중 나선 구조를 밝혀낸 이야기는 20세기 과학의 전설 내지 신화로 남아 있다.

왓슨이 이중 나선이라는 결정적인 힌트를 얻은 것은 프랭클린이 찍은 X선 회절 사진, 일명 '51번 사진' 덕분이었다. 1953년 1월 폴링이 발표한 삼중 나선 구조를 논의하기 위해 왓슨이 윌킨스를 찾아 킹스 칼리지를 방문했을 때 윌킨스가 '51번 사진'을 왓슨에게 보여줬다. 그런데 그 '51번 사진'은 프랭클린과 평소 앙숙이었던 윌킨스가 무단으로 복사해 둔 것들이었다. 왓슨과 크릭은 1월말에 '51번 사진'을 보고 3월 첫 주에 모형을 완성한 뒤 그달 말에 논문 초안이 나왔다. 1953년 4월 25일자 네이처에 실린 이들의 논문은 겨우 842개 단어로 작성되었고 전체적으로 한쪽이 될까 말까한 분량이었다.

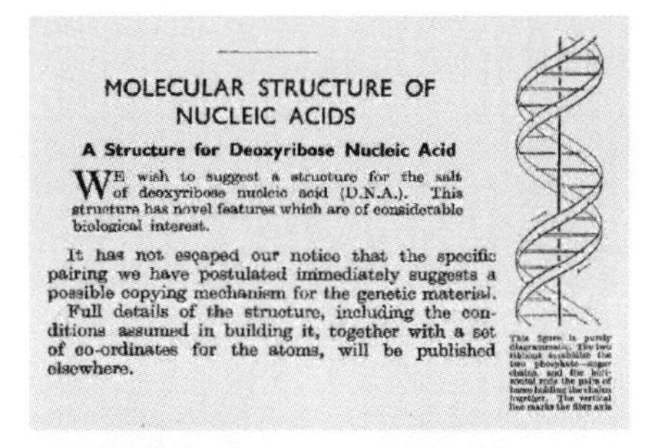

MOLECULAR STRUCTURE OF NUCLEIC ACIDS

**A Structure for Deoxyribose Nucleic Acid**

WE wish to suggest a structure for the salt of deoxyribose nucleic acid (D.N.A.). This structure has novel features which are of considerable biological interest.

It has not escaped our notice that the specific pairing we have postulated immediately suggests a possible copying mechanism for the genetic material.

Full details of the structure, including the conditions assumed in building it, together with a set of co-ordinates for the atoms, will be published elsewhere.

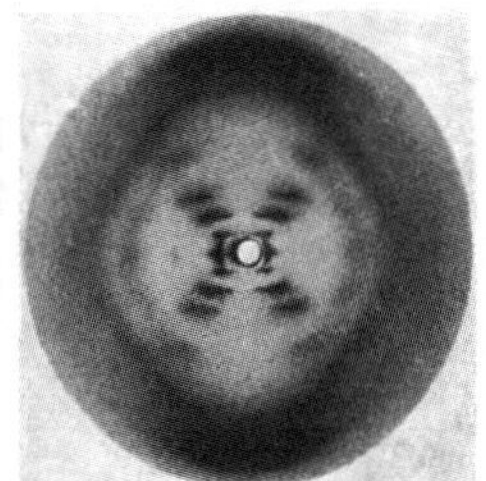

로절린드 엘시 프랭클린과 이중 나선 구조 발견에 결정적 힌트가 된 '51번 사진

왓슨과 크릭, 윌킨스는 1962년에 노벨 생리 의학상을 수상했다. DNA의 이중 나선 구조를 밝히는 데 프랭클린의 '51번 사진'이 결정적인 역할을 했다는 점을 감안하면 그 또한 충분히 노벨상을 받았어야 했다. 그러나 비극적이게도 프랭클린은 1958년 37세의 젊은 나이에 난소암으로 사망했다. 노벨상은 죽은 사람에게는 수여하지 않는다는 불문율 때문에 1962년 노벨상을 1958년에 사망한 프랭클린에게 수여할 수는 없었다. 게다가 프랭클린이 살아 있는 동안에는 프랭클린의 업적이 제대로 평가받지도 못했다.

왓슨은 1968년 자신이 어떻게 DNA의 이중 나선 구조를 밝혀냈는지 자전적으로 서술한 책 《이중 나선》을 펴냈는데, 이 책에서 프랭클린과 관련된 내용 때문에 프랭클린의 자료가 없었으면 왓슨이 이중 나선의 구조를 규명하지 못했음이 명확하게 드러나게 됐다.

7일 끝!

# 정답과 해설

## 정답과 해설 활용 안내

- 정답 박스로 **빠르게 정답 확인하기!**
- 정답과 오답의 이유, **한 번 더 짚고 넘어가기!**
- **서술형** 답안의 **채점 기준**은 직접 **체크**해 보며, **주관식** 문제 꼼꼼히 **대비하기!**

# 7일 끝! 2학기 중간·기말

## 1일 기초 확인 문제 9, 11쪽

• Ⅳ. 유전 ❶ 유전 정보와 염색체

**1** (1) ㄷ (2) ㄱ (3) ㄴ (4) ㄹ **2** ④ **3** (1) 상동 염색체 (2) 염색 분체 (3) 대립유전자 **4** ㄱ, ㄷ **5** $2n$ **6** (1) S기 (2) 분열기(M기) (3) $G_1$기 (4) $G_2$기 **7** A, B **8** (라)-(나)-(다)-(가) **9** (나), (다) **10** ㄱ

**1** (1) 유전 정보가 저장되어 있는 DNA의 특정 부분을 유전자라고 한다.
(2) 한 생명체의 유전 정보가 저장되어 있는 DNA 전체를 유전체라고 한다.
(3) 세포 분열 시 응축된 염색체가 형성되며, 분열기에 염색체의 이동으로 유전 물질이 딸세포에 분배된다.
(4) DNA의 단위체는 뉴클레오타이드이며, DNA는 뉴클레오타이드 여러 개가 연결된 폴리뉴클레오타이드 두 가닥이 이중 나선 구조를 이루고 있다.

**2** 염색체는 수많은 뉴클레오솜이 연결되어 형성되며, 뉴클레오솜은 DNA가 히스톤 단백질과 결합한 것이다.

**3** (1) 체세포에 있는 크기와 모양이 같은 한 쌍의 염색체를 상동 염색체라고 하며, 부모로부터 하나씩 물려받은 것이다.
(2) 하나의 염색체를 구성하는 두 가닥을 각각 염색 분체라고 하며, 이들은 DNA 복제로 형성된 것이므로 유전자 구성이 동일하다.
(3) 한 쌍의 상동 염색체에는 같은 형질에 관여하는 대립유전자가 같은 위치에 있다.

**4** 한 생물이 가지는 염색체의 수, 모양, 크기 등의 외형적 특성을 핵형이라고 하며, 핵형 분석은 분열기 중기의 세포를 이용한다.
ㄱ. 성염색체가 XY이므로 (가)는 남자이다.
ㄴ. Y 염색체는 남자에게만 있으므로 (가)의 아버지로부터 물려받은 것이다.

오답 풀이
ㄴ. 상염색체는 총 22쌍으로, 44개이다.

**5** 핵형 분석 결과 상동 염색체가 쌍으로 존재하는 체세포이며, 체세포의 핵상은 $2n$으로 나타낸다.

**6** (1)~(4) 세포 주기는 간기와 분열기로, 간기는 $G_1$기-S기-$G_2$기의 순으로 진행된다. $G_1$기는 세포 소기관을 합성하는 세포의 생장기, S기는 DNA 복제기, $G_2$기는 세포 분열 준비기이다. 분열기는 핵분열과 세포질 분열로 진행되며, 핵분열의 전기-중기-후기-말기에 염색체가 이동하면서 유전 물질이 딸세포에 분배된다.

**7** 중기에 강하게 응축된 염색체가 세포 중앙에 배열되므로 관찰하기에 좋다. 체세포 분열 후기에는 염색 분체가 분리되므로 딸세포의 유전자 구성은 서로 동일하다.

**8** (가)는 후기, (나)는 전기, (다)는 중기, (라)는 간기이다.

**9** (가)는 체세포 분열 중기, (나)는 감수 1분열 중기, (다)는 감수 2분열 중기의 세포이다.

**10** ㄱ. (가)와 (나)는 상동 염색체 쌍이 존재하므로 핵상은 $2n$이고, 염색체 수는 4개이다.

오답 풀이
ㄴ. 상동 염색체 쌍이 접합하여 형성된 2가 염색체는 감수 1분열에서 관찰된다.
ㄷ. (다)의 핵상은 $n$이며, 상동 염색체 쌍이 존재하지 않는다.

## 1일 내신 기출 베스트 12~13쪽

• Ⅳ. 유전 ❶ 유전 정보와 염색체

**1** ㄴ, ㄷ **2** ㄱ, ㄴ **3** ③ **4** ⑤ **5** ⑤ **6** ③ **7** ㄴ, ㄷ **8** ⑤

**1** A는 히스톤 단백질, B는 뉴클레오솜, C는 DNA이다.

오답 풀이
ㄱ. 유전 정보는 DNA에 특정 염기 서열의 형태로 저장되어 있다.

**2** ㄱ, ㄴ. 크기와 모양이 같은 (가)와 (나)는 상동 염색체이다. 같은 형질에 관여하는 대립유전자는 상동 염색체의 같은 위치에 있으므로 A와 a, B와 b, D와 d는 대립유전자이다.

오답 풀이
ㄷ. B와 b는 상동 염색체가 분리되는 감수 1분열 과정에서 분리된다.

**3** ㄱ. 성염색체 구성이 X 염색체 2개이므로 (가)는 여자이다.
ㄷ. 상염색체 수는 44개, 성염색체 수는 2개이다.

오답 풀이
ㄴ. 핵형 분석에는 분열기 중기의 세포를 이용한다.

**4** ㉠은 Y 염색체이며, A는 상동 염색체가 쌍으로 들어 있는 체세포이다. 생식세포에는 체세포 염색체 수의 절반이 들어 있다.

자료 분석 + 염색체의 구성과 핵상

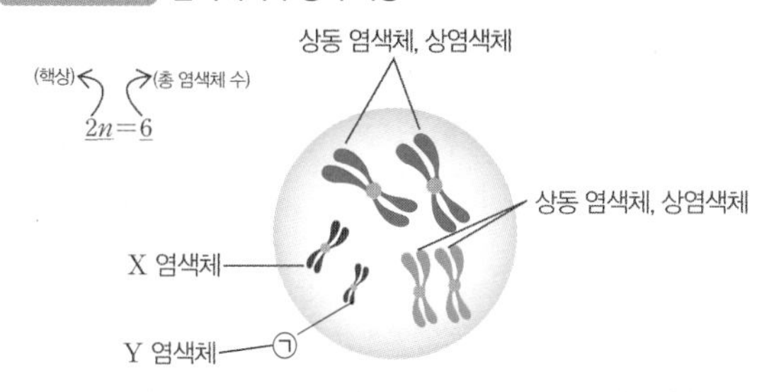


**5** 세포 주기는 $G_1$기－S기－$G_2$기－분열기의 순으로 진행되므로, (가)는 S기, (나)는 분열기, (다)는 $G_1$기이다.

오답 풀이
⑤ S기에 DNA가 복제되므로 $G_2$기 세포의 DNA양은 (다) 시기 세포의 2배이다.

**6** $G_1$기 세포의 DNA양이 1이면 DNA 복제가 일어나는 S기 세포는 1~2이고, $G_2$기와 분열기의 세포는 2이다.

자료 분석 + 세포당 DNA양 그래프

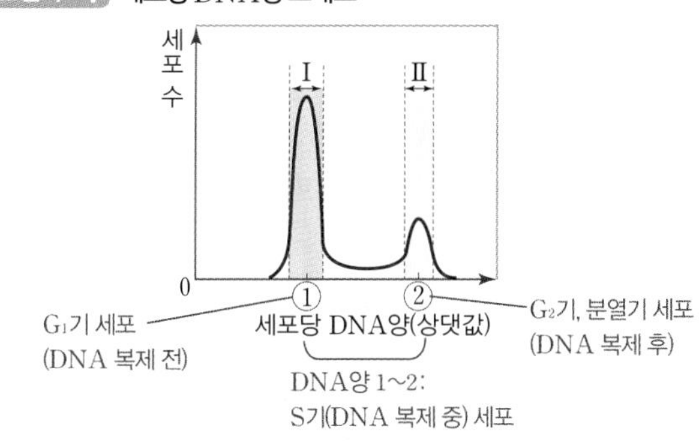


**7** 감수 1분열 전기에 상동 염색체가 접합하여 2가 염색체가 형성된다.

오답 풀이
ㄱ. A와 B 세포의 핵상은 $2n$이다.

**8** (가)는 감수 1분열, (나)는 체세포 분열 과정이다. 2가 염색체는 감수 1분열 전기에 형성되며, A의 핵상은 $n$, B와 C의 핵상은 $2n$이다.

선택지 바로 보기

① (가)는 체세포 분열 과정의 일부이다. (×)
→ (가)는 감수 1분열 과정의 일부이다.
② (나)에서 2가 염색체가 관찰된다. (×)
→ (나)는 체세포 분열 과정이다. 2가 염색체는 감수 1분열에서 관찰된다.
③ A와 B의 세포당 염색체 수는 같다. (×)
→ A의 세포당 염색체 수는 2, B는 4이다.
④ B와 C의 핵상은 서로 다르다. (×)
→ 체세포 분열을 통해 유전적 구성이 동일한 딸세포가 형성되므로 B와 C의 핵상은 같다.
⑤ (가)는 생식 과정에서의 유전적 다양성과 관련이 있다. (○)

## 2일 기초 확인 문제

17, 19쪽

• Ⅳ. 유전 ❷ 사람의 유전

**1** (1) ㄷ (2) ㄴ (3) ㄱ (4) ㄹ **2** ㄱ, ㄴ **3** ㄱ, ㄴ, ㄷ **4** $\frac{1}{4}$
**5** 어머니, 아버지, 철수 **6** ㄱ, ㄷ **7** ㄱ, ㄷ **8** 3명 **9** 7가지 **10** 4가지

**1** (2) 유전자형은 어떤 형질을 나타나게 하는 대립유전자를 모두 기호로 나타낸 것으로, 동일한 대립유전자로 구성되어 있으면 동형 접합성, 서로 다른 대립유전자로 구성되어 있으면 이형 접합성이라고 한다.
(4) 가계도를 통해 형질의 우열 관계, 자손의 형질 예측이 가능하므로 가계도는 사람의 유전 연구에 이용된다.

**2** 오답 풀이
ㄷ. 일자형 이마선이 열성이므로 일자형 이마선인 부모는 모두 유전자형이 열성 동형 접합성이다. 따라서 V자형 이마선인 자녀가 태어날 수 없다.

**3** 보조개가 있는 1과 2 사이에서 보조개가 없는 자녀 5가 태어났으므로, 보조개가 있는 형질이 보조개가 없는 형질에 대해 우성이고, 1과 2의 유전자형은 모두 $TT^*$이다.

**4** 4의 유전자형이 $TT^*$, 5의 유전자형이 $T^*T^*$이므로 자녀의 유전자형은 $TT^*$(보조개 있음)와 $T^*T^*$(보조개 없음)가 동일한 확률로 나타난다. 따라서, A가 보조개가 있는 남자일 확률은 $\frac{1}{2}\times\frac{1}{2}=\frac{1}{4}$이다.

**5** ABO식 혈액형의 대립유전자를 $I^A$, $I^B$, $i$라고 한다면 유전자형은 어머니 $I^AI^B$, 아버지 $I^Bi$, 철수 $I^Ai$이다.

2학기 중간·기말

**6** ㄱ. 정상 남자와 유전병 여자 사이에서 태어난 딸은 유전병 어머니의 X 염색체를 물려받았는데 모두 정상이므로, 이 유전병은 정상에 대해 열성임을 알 수 있다.
ㄷ. 유전병이 열성 유전이므로 ㉠ 유전병 여자의 유전자형은 열성 동형 접합성이다. 따라서 ㉡ 딸들은 모두 유전병 대립유전자를 가지고 있다. (XY×X′X′ → XX′, XX′, X′Y, X′Y)

**오답 풀이**
ㄴ. ㉠의 유전자형은 동형 접합성, ㉡의 유전자형은 이형 접합성이다.

**7** (가)는 복대립 유전, (나)는 다인자 유전, (다)는 성염색체 단일 인자 유전인 반성유전이다.

**8** 민수의 어머니, 할머니, 외할머니가 보인자이다.

**자료 분석 + 적록 색맹 유전 가계도**

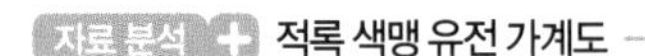
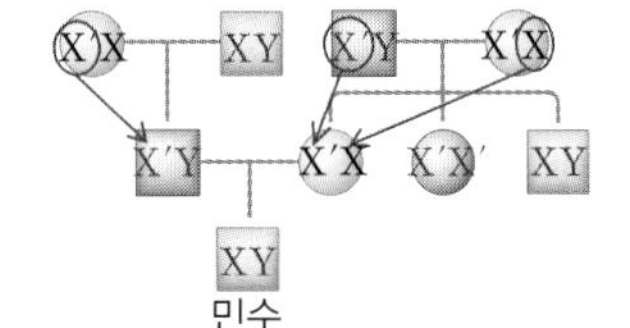


**9** 유전자형에서 피부색을 검게 하는 대립유전자의 수는 0, 1, 2, 3, 4, 5, 6개가 가능하므로 피부색 표현형은 최대 7가지이다.

**10** ㉠의 유전자형은 AaBbCc이며, 이 사람에서 만들어질 수 있는 생식세포의 유전자형은 ABC, ABc, AbC, Abc, aBC, aBc, abC, abc이다. 따라서 유전자형이 aabbcc인 남자와의 사이에서 태어나는 자녀의 유전자형에서 피부색을 검게 하는 대립유전자 A, B, C를 합한 개수는 0, 1, 2, 3개가 가능하므로 피부색 표현형은 총 4가지이다.

## 2일 내신 기출 베스트 20~21쪽

• Ⅳ. 유전 ❷ 사람의 유전

**1** ④ **2** $\frac{3}{8}$ **3** ㄱ, ㄷ **4** ① **5** ③ **6** ㄱ, ㄴ, ㄷ **7** ④ **8** ㄱ, ㄴ

**1** **오답 풀이**
④ 유전자형이 이형 접합성인 부모 사이에서 열성 형질의 자손이 나올 수 있다.

**2** 자손의 유전자형 중 AA와 Aa는 (가)가 발현된다. 따라서 (가)가 발현될 확률은 $\frac{3}{4}$, 아들일 확률은 $\frac{1}{2}$이므로 (가)가 발현되는 아들일 확률은 $\frac{3}{4}\times\frac{1}{2}=\frac{3}{8}$이다.

**3** **오답 풀이**
ㄴ. 귓불 모양이 분리형인 부모로부터 부착형인 자손이 나오는 것으로 보아 분리형이 우성, 부착형이 열성 형질이다.

**자료 분석 + 가계도 분석**

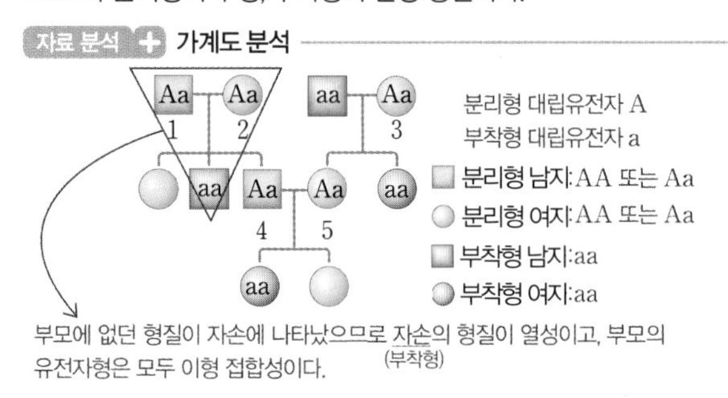

부모에 없던 형질이 자손에 나타났으므로 자손(부착형)의 형질이 열성이고, 부모의 유전자형은 모두 이형 접합성이다.

**4** 1의 누나가 O형이고, 2의 동생이 A형이므로 1과 2의 부모의 혈액형은 모두 이형 접합성이다. 따라서 1의 유전자형은 $I^Ai$, 2의 유전자형은 $I^Bi$이다. $I^Ai\times I^Bi \rightarrow I^AI^B$, $I^Ai$, $I^Bi$, $ii$이므로 A형이 나올 확률은 $\frac{1}{4}$이다.

**5** **오답 풀이**
ㄴ. 성염색체 유전 중 대립유전자가 Y 염색체에 있는 경우도 있다.

**6** 딸이 적록 색맹이므로 아버지는 적록 색맹이다.

**7** 정상 대립유전자를 X, 적록 색맹 대립유전자를 X′이라고 할 때, 1은 XY, 2는 X′X′이므로 자손의 유전자형 비는 XX′ : X′Y=1 : 1이다. 따라서 태어날 아이가 정상 딸일 확률은 $\frac{1}{2}$이다.

**8** **오답 풀이**
ㄷ. 키는 다인자 유전으로 여러 쌍의 대립유전자가 관여한다.

## 3일 기초 확인 문제 25, 27쪽

• Ⅳ. 유전 ❸ 사람의 유전병

**1** ① **2** ④ **3** ㄱ, ㄴ **4** (가) 터너 증후군, (나) 다운 증후군 **5** ㄱ, ㄷ **6** ③ **7** ㄱ **8** ㄷ **9** 낫 모양 적혈구 빈혈증 **10** ㄷ

**1** 오답 풀이

① 생식세포에 생긴 돌연변이는 다음 세대에 유전되지만, 체세포에 생긴 돌연변이는 유전되지 않는다.

**2** 오답 풀이

ㄴ. 감수 분열 중 염색체 비분리는 상염색체와 성염색체 어디에서든 일어날 수 있다.

**3** 감수 2분열에서 비분리가 일어날 경우 정상적인 염색체 수를 갖는 생식세포가 형성될 수 있다.

오답 풀이

ㄷ. 정자 형성 과정 중 염색체 비분리가 일어날 경우 감수 2분열에서는 염색 분체 비분리가 일어나므로 상동 염색체인 X 염색체와 Y 염색체를 함께 갖는 생식세포는 형성되지 않는다. 감수 1분열 시 상동 염색체 비분리가 일어날 때 유전자 구성이 다른 1쌍의 상동 염색체를 갖는 생식세포가 형성된다.

**4** 염색체 수에 이상이 있는 유전병 중 (가)는 터너 증후군, (나)는 다운 증후군의 핵형 분석 결과이다. 터너 증후군은 감수 분열 시 성염색체 비분리에 의해, 다운 증후군은 상염색체 비분리에 의해 나타난다.

자료 분석 + 염색체 수 이상에 의한 유전병

(가) $2n-1$: 1 2 3 4 5 6 7 8 9 10 11 12 13 14 15 16 17 18 19 20 21 22 X

성염색체인 X 염색체가 1개인 여자: 터너 증후군

(나) $2n+1$: 1 2 3 4 5 6 7 8 9 10 11 12 13 14 15 16 17 18 19 20 21 22 X Y

21번 염색체가 3개: 다운 증후군

**5** 오답 풀이

ㄴ. 다운 증후군은 상염색체인 21번 염색체의 비분리 현상에 의해 나타나는 돌연변이이다.

**6** (가)는 역위, (나)는 전좌에 대한 설명이다. 결실은 염색체의 일부가 떨어져 나간 것이고, 중복은 염색체의 일부가 복제된 후 동일한 염색체 내에 첨가되어 특정 유전자 부위가 한 번 이상 반복되어 나타난 경우이다.

**7** (가)는 결실이 일어난 염색체를, (나)는 전좌가 일어난 염색체를 갖고 있다.

오답 풀이

ㄴ. 상동 염색체가 아닌 다른 염색체 사이에서 전좌가 일어난다.

ㄷ. 결실과 전좌는 염색체 구조 이상이며, 염색체 비분리 현상은 염색체 수 이상의 원인이다.

자료 분석 + 염색체 구조 이상

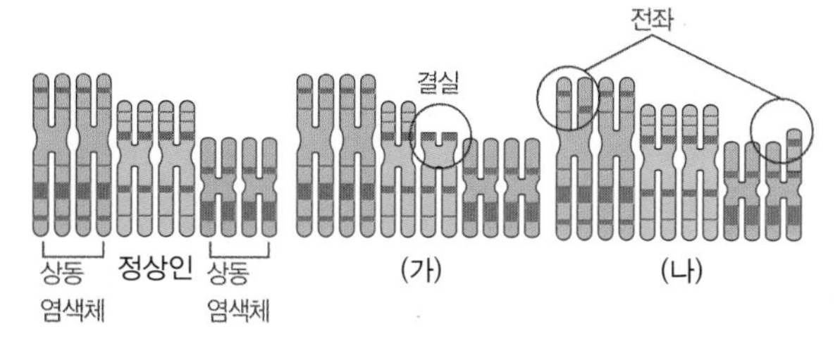


**8** ㉠은 DNA이고, ㉡은 단백질이다.

ㄷ. 알비노증은 멜라닌 색소 유전자 이상으로 멜라닌 색소 단백질 합성에 이상이 생긴 유전병이다.

오답 풀이

ㄱ. DNA의 단위체는 뉴클레오타이드이다. 아미노산은 단백질의 단위체이다.

ㄴ. DNA의 유전 정보에 따라 단백질이 합성되면서 형질이 발현된다.

**9** 낫 모양 적혈구 빈혈증은 헤모글로빈 유전자의 염기 서열에 돌연변이가 일어나 헤모글로빈의 아미노산 중 글루탐산이 발린으로 치환되어 비정상적인 헤모글로빈이 만들어져 적혈구가 낫 모양이 되어 나타나는 유전병이다.

**10** 오답 풀이

ㄱ. 낫 모양 적혈구 빈혈증은 유전자 돌연변이이다.

ㄴ. 염색체 상의 특징을 확인하는 핵형 분석으로는 유전자 돌연변이를 확인할 수 없다.

## 3일 내신 기출 베스트 28~29쪽

• Ⅳ. 유전 ❸ 사람의 유전병

**1** ③ **2** (1) 감수 2분열 (2) 23, 24 **3** (1) (가) 터너 증후군, (나) 클라인펠터 증후군, (다) 클라인펠터 증후군 (2) 44 (3) 감수 1분열 **4** ㉠, ㉣, ㉥ **5** A, B **6** ㄱ, ㄷ **7** ④ **8** ㄴ, ㄷ

**1** 오답 풀이

③ 유전자 돌연변이에 의한 유전병 중 헌팅턴 무도병과 같이 정상에 대해 우성인 것도 있다.

**2** 감수 2분열에서 염색체 비분리가 일어날 경우 정상 염색체 수를 가진 딸세포가 형성된다.

**자료 분석 +** 염색체 비분리

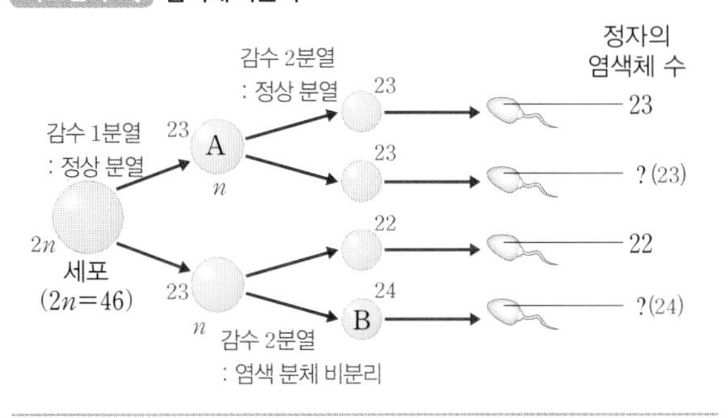


3 (1), (2) (가) 정자(22+X)+난자(22+0)=44+X → 터너 증후군
(나) 정자(22+Y)+난자(22+XX)=44+XXY → 클라인펠터 증후군
(다) 정자(22+XY)+난자(22+X)=44+XXY → 클라인펠터 증후군이다.
(3) 정자 형성 과정 중 감수 1분열에서 성염색체 비분리가 일어나면 유전자 구성이 다른 1쌍의 성염색체(XY)를 갖는 정자가 형성된다.

4 다운 증후군은 21번 염색체가 3개인 유전병이다. 정상 난자에는 21번 염색체가 1개 있으므로 21번 염색체가 2개 들어 있는 정자와 수정하면 다운 증후군이 나타난다.

**자료 분석 +** 염색체 비분리

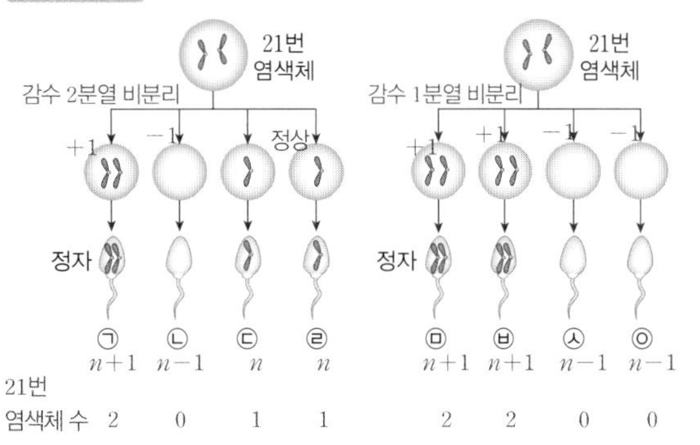


5 **오답 풀이**
• 학생 C: 결실은 염색체 일부가 떨어져 나가는 것으로, 염색체 구조 이상 돌연변이이다.

6 ㄱ. 고양이 울음 증후군은 5번 염색체의 일부가 결실되어 나타나며, 결실된 부분의 유전자가 사라져 심각한 이상이 나타난다.
ㄷ. 염색체 구조 이상은 세포 분열 과정에서 염색체의 일부분이 떨어져 없어지거나 중복되거나 다른 곳에 가서 붙는 등의 변화가 생긴 것으로 염색체 수는 46개로 정상이다.

**오답 풀이**
ㄴ. 고양이 울음 증후군은 상염색체 결실로 발생한다.

7 (가)는 유전자 이상으로 발생하는 낫 모양 적혈구 빈혈증이고, (나)는 염색체 구조 이상으로 발생하는 만성 골수성 백혈병이다.

**오답 풀이**
④ 염색체 구조 이상의 경우 염색체 수는 정상이다.

8 **오답 풀이**
ㄱ. 열성으로 유전되는 유전병은 돌연변이 유전자가 있더라도 발병하지 않을 수 있다.

## 4일 기초 확인 문제 33, 35쪽

• V. 생태계와 상호 작용 ❶ 생태계의 구성과 기능

**1** ③ **2** ① **3** (가) 이론적 생장 곡선, (나) 환경 수용력, (다) 실제 생장 곡선, (라) 환경 저항 **4** (가) 텃세, (나) 리더제, (다) 순위제 **5** ㄷ **6** (1) 개체군 (2) 개체 (3) 군집 **7** ⑤ **8** ㄷ **9** 상리 공생 **10** ㄱ, ㄴ

1 ㄱ, ㄴ. 생태계는 생물적 요인과 비생물적 요인으로 구성되어 있으며, 구성 요소 간에 서로 영향을 주고받는다. 생물적 요인은 생태계에 존재하는 모든 생물(생물 군집)을 말하며 군집 내 역할에 따라 생산자, 소비자, 분해자로 구분된다. 비생물적 요인은 생물을 둘러싸고 있는 모든 자연 환경 요소, 즉 빛, 온도, 물, 공기, 토양 등이 해당한다.

**오답 풀이**
ㄷ. 생태계를 구성하는 생물적 요인과 비생물적 요인은 서로 영향을 주고받는다.

2 (가)는 비생물적 요인이 생물적 요인에게 영향을 미치는 것이므로 작용, (나)는 생물적 요인이 비생물적 요인에게 영향을 미치는 것이므로 반작용, (다)는 생물적 요인이 서로 영향을 주고받는 상호 작용이다.

3 이론적 생장 곡선은 J자형(가)이고 실제 생장 곡선은 S자형(다)이다. (라)는 두 곡선의 차이를 발생하게 하는 요인인 환경 저항이고, (나)는 한 서식지에서 증가할 수 있는 개체 수의 한계(최댓값)인 환경 수용력이다.

**4** (가)는 자신의 생활 구역(세력권)을 확보하여 다른 개체의 접근을 막는 텃세이고, (나)는 리더제, (다)는 순위제이다.

**5** ㄷ. 텃세, 순위제, 리더제, 사회생활, 가족생활 등은 개체군 내에서 불필요한 경쟁을 피하고 질서를 유지하기 위한 상호 작용이다.

**오답 풀이**

ㄱ. 텃세, 리더제, 순위제는 모두 개체군 내의 상호 작용이다.
ㄴ. 리더제에서는 힘의 서열에 따른 순위가 없다.

**6** (1) 일정 지역에서 함께 생활하는 같은 종의 생물 집단을 개체군이라고 한다.
(2) 독립된 하나의 생명체를 개체라고 한다.
(3) 여러 개체군이 모여 형성한 집단은 군집이다.

**7** ① (가)에서 B와 C의 개체 수가 같으므로 밀도가 같다.
② (가)의 면적이 (나)의 2배인데 A의 개체 수도 (가)에서가 (나)의 2배이므로 (가)와 (나)에서 A의 밀도는 같다.
③ (가)에서 A와 E의 개체 수가 같다. 같은 지역에서 개체 수가 같으면 밀도와 상대 밀도가 같다.
④ (나)의 면적을 1이라고 할 때 (가)에서 C의 밀도는 $\frac{20}{2}=10$이고, (나)에서 C의 밀도는 $\frac{8}{1}=8$이므로 (가)가 (나)에서보다 크다.

**오답 풀이**

⑤ (가)에서 D의 상대 밀도는

$\frac{\text{특정 종의 밀도}}{\text{조사한 모든 종의 밀도의 합}}\times 100=\frac{8}{40}\times 100=20\ (\%)$,

(나)에서 B의 상대 밀도는 $\frac{10}{50}\times 100=20\ (\%)$로 서로 같다.

**자료 분석 + 밀도와 상대 밀도**

$\text{밀도}=\frac{\text{개체 수}}{\text{면적}}$, $\text{상대 밀도}=\frac{\text{특정 종의 밀도}}{\text{조사한 모든 종의 밀도의 합}}\times 100$

| 구분 | | A | B | C | D | E | 합 |
|---|---|---|---|---|---|---|---|
| (가) 면적 : 2 | 개체 수 | 12 | 20 | 20 | 16 | 12 | |
| | 밀도 | 6 | 10 | 10 | 8 | 6 | 40 |
| | 상대 밀도(%) | 15 | 25 | 25 | 20 | 15 | |
| (나) 면적 : 1 | 개체 수 | 6 | 10 | 8 | 21 | 5 | |
| | 밀도 | 6 | 10 | 8 | 21 | 5 | 50 |
| | 상대 밀도(%) | 12 | 20 | 16 | 42 | 10 | |

**8** 방형구법은 조사하고자 하는 지역에 방형구를 설치하고 방형구에 나타난 생물종과 각 종의 밀도, 빈도, 피도를 조사하여 우점종을 알아내는 방법이다. 식물 군집의 우점종을 정할 때는 밀도, 빈도, 피도를 모두 고려하며, 중요치(상대 밀도, 상대 빈도, 상대 피도를 더한 값)가 가장 높은 종이 우점종이다.

**오답 풀이**

ㄱ. 방형구법은 초본 위주의 식물 군집에서 우점종을 알아내는 방법이다. 핵심종은 군집 안에서 우점종은 아니지만 군집의 구조에 중요한 역할을 하는 종이다.
ㄴ. 밀도는 전체 방형구의 면적에 대해 특정 종의 개체 수 비율로 구한다.

**9** A와 C는 단독 배양했을 때보다 혼합 배양했을 때 개체 수가 A, C 모두 증가하므로 상리 공생 관계에 해당한다.

**10** ㄱ, ㄴ. (나)에서 A와 B의 개체 수는 단독 배양했을 때보다 감소하였고, 시간이 지나 B는 사라졌다. 이는 종간 경쟁에서 이긴 A가 살아남고 경쟁에서 진 B가 사라진 것으로, 경쟁·배타의 원리가 작용한 것이다.

**오답 풀이**

ㄷ. A의 개체 수 증가 속도는 (다)에서가 (가)에서보다 빠르다.

## 4일 내신 기출 베스트 36~37쪽

• V. 생태계와 상호 작용 ❶ 생태계의 구성과 기능

**1** ③ **2** ⑤ **3** ㄱ, ㄴ **4** ③ **5** ④ **6** B종, 50 % **7** ⑤ **8** ㄱ

**1** ㄱ. 비생물적 요인이 생물적 요인에 영향을 미치는 것을 작용, 생물적 요인이 비생물적 요인에 영향을 주는 것을 반작용이라고 한다.
ㄴ. 지렁이(생물적 요인)가 토양의 통기성(비생물적 요인)을 높이는 것은 반작용에 해당한다.

**오답 풀이**

ㄷ. 빛의 세기(비생물적 요인)에 따라 식물 잎의 두께(생물적 요인)가 다른 것은 작용의 예이다.

**2** ①~④ A는 이론적 생장 곡선이고, B는 실제 생장 곡선이다. 환경 저항은 개체 수가 증가할수록 커진다. 따라서 $t_1$보다 $t_2$에서 환경 저항이 크다. 시간당 개체 수 증가량을 나타내는 개체 수 증가율은 그래프의 기울기로 알 수 있는데, A의 구간 Ⅰ에서가 B의 구간 Ⅱ에서보다 낮다.

오답 풀이

⑤ B는 환경 저항이 존재할 때의 실제 생장 곡선이다. 개체 수가 증가할수록 환경 저항은 증가한다.

**자료 분석 + 생장 곡선**

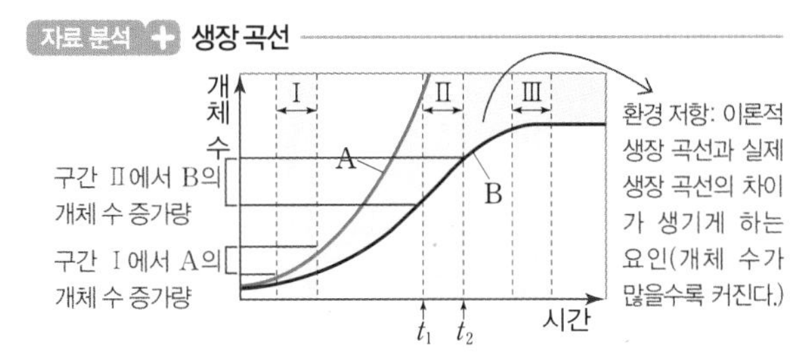


**3** ㄱ, ㄷ. Ⅰ형은 적은 수의 자손을 낳지만, 부모의 보호를 받아 초기 사망률이 낮고 대부분 생리적 수명을 다한다. 사람이 이에 해당한다. Ⅱ형은 각 연령대에서 사망률이 비교적 일정하다.

오답 풀이

ㄷ. Ⅲ형은 많은 수의 자손을 낳지만, 초기 사망률이 높아 성체로 생장하는 비율은 매우 낮은 편이다.

**4** 은어가 자신의 영역을 차지하고 다른 은어의 접근을 막는 것은 개체군 내 상호 작용 중 텃세에 해당한다.

선택지 바로 보기

① 닭들은 모이를 먹는 순서가 있다. (×)
→ 순위제에 해당한다.
② 스라소니는 눈신토끼를 잡아먹는다. (×)
→ 군집 내 개체군 간의 상호 작용 중 포식과 피식에 해당한다.
③ 호랑이는 배설물로 자기 영역을 표시한다. (○)
→ 텃세에 해당한다.
④ 우두머리 사슴은 리더가 되어 무리를 이끈다. (×)
→ 리더제에 해당한다.
⑤ 피라미는 은어가 없을 때 하천 중앙에 서식하고, 은어가 이주해오면 가장자리로 이동하여 서식한다. (×)
→ 군집 내 개체군 간의 상호 작용 중 분서에 해당한다.

**5** ㄴ. 군집은 개체군의 역할에 따라 생산자, 소비자, 분해자로 구분된다.
ㄷ. 군집 내 각 개체군의 먹이 사슬 관계에서의 위치, 차지하는 공간 등을 생태적 지위라고 한다.

오답 풀이

ㄱ. 군집에는 육상 군집과 수생 군집이 있다.

**6** 먼저 각 식물 종의 밀도(개체 수), 빈도(종이 출현한 방형구 수), 피도(종이 차지하고 있는 면적)를 구하고, 상대 밀도, 상대 빈도, 상대 피도를 계산한다. 우점종은 상대 밀도+상대 빈도+상대 피도의 값(중요치)이 가장 큰 종이므로, B가 우점종이다. B의 상대 밀도는 50 %이다.

**자료 분석 + 방형구법**

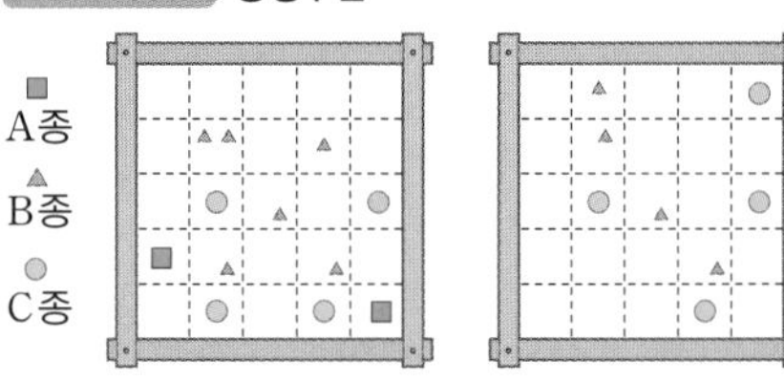


• 특종 종의 밀도는 $\frac{\text{특정 종의 개체 수}}{\text{전체 방형구의 면적}(m^2)}$로 구할 수 있으므로 A는 $\frac{2}{2m^2}=1/m^2$, B는 $\frac{10}{2m^2}=5/m^2$, C는 $\frac{8}{2m^2}=8/m^2$이다. 상대 밀도는 $\frac{\text{특정 종의 개체 수}}{\text{조사한 모든 종의 밀도의 합}}\times 100$으로 구할 수 있으므로 A가 $\frac{1}{(1+5+4)}\times 100=10$ %, B가 $\frac{5}{10}\times 100=50$ %, C가 $\frac{4}{10}\times 100=40$ %이다.

• 특정 종의 상대 빈도는 $\frac{\text{특정 종이 출현한 방형구 수}}{\text{각 종이 출현한 방형구 수의 합}}$으로 구할 수 있으므로 상대 빈도는 A가 $\frac{1}{(1+2+2)}\times 100=20$ %, B와 C는 각각 40 %이다.

• A~C의 상대 밀도, 상대 빈도, 상대 피도 및 중요치는 다음과 같으며, 중요치가 가장 높은 B가 이 지역의 우점종이다.

| 식물 종 | 상대 밀도 (%) | 상대 빈도 (%) | 상대 피도 (%) | 중요치 |
|---|---|---|---|---|
| A | 10 | 20 | 20 | 50 |
| B | 50 | 40 | 40 | 130 |
| C | 40 | 40 | 40 | 120 |

**7** 단독 배양할 때보다 혼합 배양했을 때 두 종 모두의 개체군 밀도가 감소하는 것은 종간 경쟁의 결과이다.

**8** 두 종이 기생(A) 관계일 경우 숙주는 손해, 기생 생물은 이익을 얻는다. 두 종이 편리 공생(B)할 경우 한 쪽은 이익, 다른 한 쪽은 이익도 손해도 없다. 두 종이 상리 공생(C)할 경우 두 종 다 이익을 얻는다. 따라서 ㉠은 이익이다.

오답 풀이

ㄴ. A는 기생, B는 편리 공생, C는 상리 공생이다.
ㄷ. 눈신토끼와 스라소니의 관계는 포식과 피식의 예이다.

## 5일 기초 확인 문제 41, 43쪽

• Ⅴ. 생태계와 상호 작용 ❷ 생태계의 구성과 기능 · 생물 다양성

**1** ④ **2** ㄴ, ㄷ **3** A: 초원, B: 관목림, C: 양수림, D: 음수림
**4** ㄴ, ㄷ **5** ㄴ, ㄷ **6** ㄱ **7** ③ **8** ③ **9** 서식지 단편화
**10** ㄴ, ㄷ

**1** 오답 풀이

④ 오랜 세월에 걸쳐 생물 군집의 종 구성이나 특성이 서서히 달라지는 현상을 천이라고 한다.

**2** ㄴ. 빛에너지는 생산자(A)의 광합성에 의해 유기물 속의 화학 에너지로 전환되고, 먹이 사슬을 통해 화학 에너지의 형태로 소비자(B, C)로 이동한다.

ㄷ. 생태계로 유입된 에너지의 총량(200)은 보존되므로 열에너지로 방출한 값의 합과 같다. 160+14+3+㉠=200이므로 ㉠은 23이다.

오답 풀이

ㄱ. D는 분해자이다.

**3** 천이는 습지로부터 육상 식물인 초원(초본류)으로 진행되며, 점차 키가 작은 관목림이 번성하고, 이후 양수림에서 혼합림, 음수림 순으로 진행된다.

**4** ㄴ. 삼림이 형성되었을 때 극상은 음수림이며, 극상은 천이의 마지막 단계이다.

ㄷ. 천이의 초기 단계 진행에는 주로 토양의 성분이 영향을 미치고, 천이의 후기 단계에는 주로 빛의 세기가 영향을 미친다.

오답 풀이

ㄱ. 호수에서 시작하는 천이는 습성 천이이다.

**5** ㄴ. 상위 영양 단계로 이동할 때 각 영양 단계에서 전달받은 에너지를 열로 방출하는 생명 활동을 하므로 상위 영양 단계로 이동할수록 에너지양이 감소한다.

ㄷ. 에너지 효율은 $\frac{\text{현 영양 단계가 보유한 에너지 총량}}{\text{전 영양 단계가 보유한 에너지 총량}}\times 100(\%)$이므로, 2차 소비자의 에너지 효율(%)은 $\frac{15}{100}\times 100=15\ (\%)$이고, 1차 소비자의 에너지 효율(%)은 $\frac{100}{1000}\times 100=10\ (\%)$이다.

오답 풀이

ㄱ. 생태계에서 에너지는 한쪽 방향으로 흐르고, 순환하지 않는다.

**6** ㄱ. 총생산량=호흡량+순생산량이고, ㉠은 호흡량, ㉡은 순생산량이다. 군집에서 생산자가 일정 기간 동안 광합성으로 생산한 유기물의 총량을 총생산량이라고 한다. 호흡량은 생활에 필요한 에너지를 얻기 위해 호흡의 재료로 소비하는 유기물량이다. 순생산량은 총생산량에서 생산자의 호흡량을 제외한 것으로 식물체에서 저장하는 유기물의 양이다.

오답 풀이

ㄴ. ㉡은 순생산량이며, 1차 소비자의 섭식량은 생산자의 피식량과 같다.

ㄷ. 순생산량은 총생산량에서 호흡량을 제외한 유기물의 양이다.

**7** ①, ② (가)는 생산자의 호흡, (나)는 소비자의 호흡으로 이 과정에서 열에너지가 방출된다.

④ (라)는 질소 고정 세균에 의한 질소 고정이다.

⑤ 탄소 순환과 질소 순환에는 공통적으로 먹이 사슬이 관여한다.

오답 풀이

③ (다)는 식물이 이용할 수 있는 형태의 질소 화합물인 질산 이온($NO_3^-$)을 흡수하여 질소 동화 작용에 이용하는 과정이다.

**8** ③ 하나의 생태계에 서식하고 있는 생물종의 다양한 정도를 종 다양성이라고 한다. 종 다양성은 종의 수가 많을수록, 종의 분포가 고를수록 높다.

선택지 바로 보기

① 두 생태계가 인접한 지역은 종 다양성이 낮다. (×)
→ 두 생태계가 인접한 갯벌 등의 생태계는 두 생태계의 생물종이 함께 존재하므로 종 다양성이 높다.

② 종 다양성이 낮을수록 생태계의 안정성이 높다. (×)
→ 종 다양성이 높을수록 먹이 그물이 복잡해지므로 생태계 안정성이 높다.

③ 종의 수가 많을수록, 종의 분포가 고를수록 종 다양성이 높다. (○)

④ 유전적 다양성이 높을수록 급격한 환경 변화에서 생존 확률이 낮다. (×)
→ 유전적 다양성이 높은 개체군은 급격한 환경 변화에서도 살아남을 수 있는 개체가 존재하므로 생존 확률이 높다.

⑤ 하나의 생태계에 서식하고 있는 생물종의 다양한 정도를 생태계 다양성이라고 한다. (×)
→ 하나의 생태계에 서식하고 있는 생물종의 다양한 정도를 종 다양성이라고 한다.

**9** 철도나 도로를 건설하면서 서식지를 작은 단위로 분할하는 것을 서식지 단편화라고 한다.

**10** 서식지가 단편화되면 생물 다양성이 감소한다. 첫째, 가장자리 면적이 증가하여 실제 서식지 면적이 감소한다. 둘째, 서식지가 작은 단위로 분리되면서 생물종의 이동이 크게 감소하여 서식지 단위별 개체 수가 줄어들어 멸종 위기에 처한다. 셋째, 도로를 가로질러 이동하는 야생동물들이 차

에 치어 사망하는 로드킬에 의해 개체 수가 감소한다. 따라서 생물 다양성 보전을 위해서는 서식지를 큰 단위로 보호하고 생태 통로를 설치하는 등의 노력이 필요하다.

오답 풀이

ㄱ. 가장자리 면적은 서식지 단편화 이후인 B에서가 A에서보다 크다.

자료 분석 + 서식지 단편화

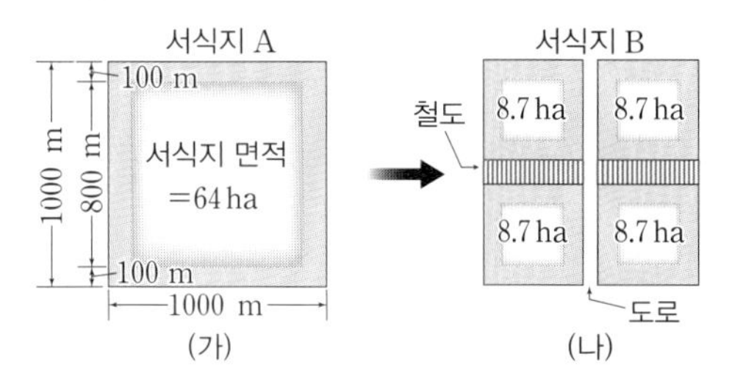


- 철도와 도로가 건설된 후 서식지 면적이 절반 가까이 감소하였다. (64 ha → 34.8 ha)
- 서식지가 단편화되면 서식지 면적이 감소할 뿐만 아니라 가장자리 면적의 비율이 커지고, 내부의 면적은 좁아진다.
  ➡ 서식지가 단편화되면 가장자리보다 숲 내부에 서식하는 생물의 실제적인 서식지가 크게 감소한다.

ㄷ. 1차 소비자인 C는 생산자인 D로부터 유기물 속의 화학 에너지 형태로 에너지를 얻는다.

오답 풀이

ㄴ. B는 2차 소비자로 C로부터 유기물을 얻는다. 광합성을 통해 유기물을 합성하는 것은 생산자이다.

**4** 먹이 사슬은 초원의 풀 → 사슴 → 늑대이다.

(1) 늑대와 사슴 간의 상호 작용은 포식과 피식이다.

(2) 모범 답안 **사슴의 천적(포식자)이 줄어들어 사슴의 개체 수가 증가하였다.**

늑대 사냥이 허가된 직후에는 사슴의 포식자인 늑대의 개체 수가 줄어 피식자인 사슴의 개체 수가 증가하였다.

(3) 모범 답안 **개체 수가 증가한 사슴이 초원의 풀을 먹어 치워 초원의 생산량이 감소하여 먹이 부족으로 사슴의 개체 수가 감소하였다.**

| | 채점 기준 | 배점(%) |
|---|---|---|
| (2) | 천적(늑대)의 감소로 사슴의 개체 수가 증가하였다고 옳게 서술한 경우 | 100 |
| | 사슴의 개체 수가 증가한 것만 서술한 경우 | 50 |
| (3) | 사슴의 개체 수 증가로 인해 초원의 생산량이 감소하고 다시 사슴의 개체 수가 감소한 것을 모두 옳게 서술한 경우 | 100 |
| | 사슴의 개체 수가 감소하였다고만 서술한 경우 | 30 |

**5** (가)는 생산자, (나)는 1차 소비자이다. A는 총생산량, B는 생산자의 호흡량, C는 1차 소비자의 섭식량으로 1차 소비자가 섭취한 유기물의 총량이다.

오답 풀이

⑤ 1차 소비자의 섭식량은 생산자의 피식량과 같은 양이다. 피식량은 순생산량 안에 포함된 값이므로 C는 (가)의 순생산량보다 적다.

**6** ㄴ. 암모늄 이온($NH_4^+$)은 질산화 세균(아질산균, 질산균)에 의해 질산 이온($NO_3^-$)으로 전환되는데 이 과정을 질산화 작용이라고 한다.

ㄷ. 토양 속 질소 화합물은 분해자에 의해 암모늄 이온($NH_4^+$)으로 분해되어 토양으로 돌아가 생산자에 흡수되거나 질산화 작용에 의해 아질산 이온($NO_2^-$), 질산 이온($NO_3^-$)으로 전환된다. 토양 속 질산 이온($NO_3^-$)은 탈질산화 세균에 의해 질소 기체($N_2$)가 되어 대기 중으로 돌아가는데 이 과정을 탈질산화 작용이라고 한다.

오답 풀이

ㄱ. 생물은 대기 중의 질소 기체를 직접 이용할 수 없어 질소 고정 세균(뿌리혹박테리아, 아조토박터)에 의해 암모늄 이온으로 고정되거나, 공중 방전(번개)에 의해 질산 이온($NO_3^-$)으로 고정된다. 이렇게

## 5일 내신 기출 베스트 44~45쪽

• V. 생태계와 상호 작용 ❷ 생태계의 구성과 기능 · 생물 다양성

**1** ③ **2** ③ **3** ㄱ, ㄷ **4** (1) 포식과 피식 (2) 해설 참조 (3) 해설 참조 **5** ⑤ **6** ㄴ, ㄷ **7** (가) 생태계 다양성, (나) 유전적 다양성 **8** ㄱ, ㄴ

**1** 1차 건성 천이는 지의류 → 초원 → 관목림 → 양수림 → 혼합림 → 음수림의 순으로 진행된다.

**2** 생산자에게 유입된 에너지양은 1000000−999000=1000이다. 생태계로 유입된 에너지양과 생태계에서 방출된 에너지양은 같으므로 ㉠+㉡+15+100+10+5=1000이다. 따라서 ㉠+㉡=870이다.

**3** 생산자의 개체 수가 가장 많으므로 개체 수 피라미드에서 D는 생산자, C는 1차 소비자, B는 2차 소비자, A는 최종 소비자이다.

ㄱ. 1차 소비자(C)는 초식 동물이며, 2차 소비자인 B와 최종 소비자인 A는 육식 동물이다.

질소 고정 세균에 의해 대기 중의 질소가 식물이 이용할 수 있는 질소 화합물로 고정되는 과정을 질소 고정이라고 한다.

**7** 여러 생태계에서 생태계 다양성이, 하나의 개체군에서 유전적 다양성이 적용된다.

**8** ㄱ. 외래종이 유입되어 토종 물고기의 개체 수가 급격하게 감소하는 것은 종 다양성의 감소 원인이다.
ㄴ. 수요가 많은 작물을 대량으로 재배하여 농작물이 유전적으로 균일해지는 것은 유전적 다양성의 감소 원인이다.

오답 풀이
ㄷ. 호수를 정화하여 수생 식물이 복원되도록 하는 것은 생물 다양성 보전을 위한 노력에 해당한다.

## 6일 누구나 100점 테스트 1회 46~47쪽

• 범위 | IV. 유전~ IV-[5] 사람의 유전병 ❶

**1** ⑤ **2** ② **3** ④ **4** (다) → (나) → (가) → (라) **5** ㄱ, ㄴ
**6** ③ **7** ③ **8** $\frac{1}{2}$ **9** ㄱ, ㄷ **10** ④

**1** (가)는 유전자, (나)는 염색체, (다)는 유전체이다.

오답 풀이
ㄱ. 유전 정보는 DNA에 특정 염기 서열의 형태로 저장되어 있으며, 이를 유전자라고 한다.

**2** Ⅰ에서 핵 1개당 DNA 상대량이 절반으로 감소한 후 Ⅲ에서 DNA가 복제되면서 DNA 상대량이 증가하므로 이 세포는 체세포 분열을 한다.

오답 풀이
ㄱ. 구간 Ⅰ에서 체세포 분열이 진행된다.
ㄷ. 구간 Ⅲ은 간기의 S기로 DNA 복제가 일어나는 시기이다.

자료 분석 + **세포 주기에서 핵 1개당 DNA양 그래프**

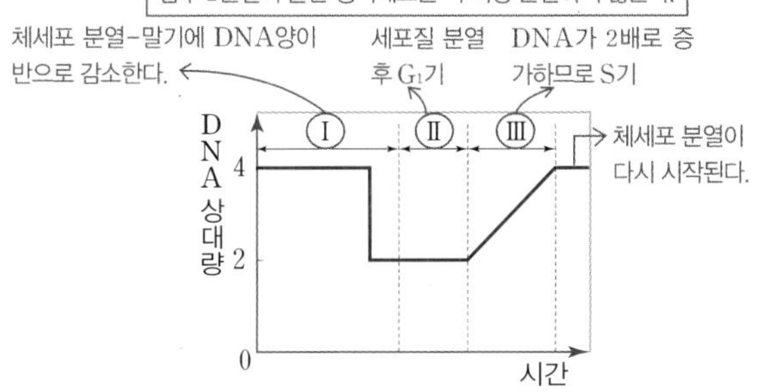


**3** ④ 유전 정보는 DNA의 특정 부위에 저장되어 있으며, 이를 유전자라고 한다.

오답 풀이
① 침팬지와 감자는 염색체 수는 같지만 서로 다른 종이므로 염색체의 구성, 모양 등이 달라 핵형이 서로 다르다. 같은 종, 같은 성별인 두 개체만이 핵형이 동일하다.
② 하나의 염색체에 들어 있는 DNA에는 여러 개의 유전자가 들어 있다.
③ 사람의 정자에는 22개의 상염색체와 1개의 성염색체가 존재한다.
⑤ 핵형 분석으로는 유전자의 종류를 알 수 없다.

**4** 감수 2분열은 감수 1분열이 끝나 염색체 수가 모세포의 절반인 딸세포 2개가 DNA 복제 없이 바로 체세포 분열과 같은 방식으로 분열한다. (가)는 후기, (나)는 중기, (다)는 전기, (라)는 말기로 핵분열 순서는 전기(다) → 중기(나) → 후기(가) → 말기(라)의 순으로 진행된다.

**5** ㄱ, ㄴ. 적록 색맹은 대립유전자가 X 염색체에 있는 반성 유전이며, 정상에 대해 열성으로 유전된다.

오답 풀이
ㄷ. 여자는 적록 색맹 대립유전자 X′을 2개 가져야만 적록 색맹이 나타나는 반면, 남자는 X′을 1개 가지면 적록 색맹이 나타난다. 따라서 적록 색맹이 나타나는 빈도는 여자보다 남자에서 더 높다.

**6** 유전병 (가)는 우열 관계가 분명한 2가지 대립유전자에 의해 결정되므로 단일 인자 유전이다. 또한, 정상인 부모에게서 부모와 다른 형질인 (가)가 나타난다는 것으로 (가)가 정상에 대해 열성이라는 것을 알 수 있다. 열성 형질 대립유전자가 X 염색체에 있을 경우에는 정상인 아버지로부터 열성 형질의 딸이 나올 수 없으므로 (가)의 대립유전자는 상염색체에 있다.
ㄱ. 형질이 1쌍의 대립유전자에 의해 결정되는 유전 현상을 단일 인자 유전이라고 한다.
ㄷ. 부모에게 없던 형질의 딸이 태어났으므로 부모의 유전자형은 모두 이형 접합성이다.

오답 풀이
ㄴ. 대립유전자가 X 염색체에 있을 경우 정상인 부모 사이에서 태어나는 딸은 모두 정상이다. 따라서 (가)의 대립유전자는 상염색체에 있다.

**7** 상동 염색체에 대립유전자의 종류가 A, B, D 3가지가 있으므로 ㉠은 대립유전자 A, B, D에 의해 결정되는 복대립

2학기 중간·기말

유전 형질이다. ㉡은 E와 e, F와 f라는 2쌍의 대립유전자에 의해 결정되므로 다인자 유전 형질이다.

**8** 1의 어머니가 O형이므로 1의 ABO식 혈액형 유전자형은 $I^Bi$이고, 2의 유전자형은 $ii$이다. 따라서 1과 2 사이에서 태어나는 자손의 유전자형 비는 $I^Bi \times ii \rightarrow I^Bi$, $I^Bi$, $ii$, $ii$에서 B형 : O형=1 : 1이므로 1과 2 사이에서 태어나는 아이가 B형일 확률은 $\frac{1}{2}$이다.

**9** 염색체 구성을 상염색체와 성염색체로 구분하여 나타내면 정상 세포는 44+XY, ㉠은 22+X, ㉡은 22+XY, ㉢은 22+XY이다.
ㄱ. (가)는 체세포이므로 핵상은 $2n$이고, ㉠은 $n$이므로 (가)와 ㉠의 핵상은 서로 다르다.
ㄷ. ㉢은 22+XY이므로 정상 난자 22+X와 수정하면 44+XXY인 클라인펠터 증후군의 염색체 구성이 나타난다.

오답 풀이
ㄴ. ㉡은 성염색체가 2개이므로 총 24개의 염색체가 들어 있다.

**10** ㉠은 감수 2분열에서 염색체 비분리가 일어났을 때 형성될 수 있는 정상 딸세포이고, ㉡은 감수 1분열에서 염색체 비분리가 일어났을 때 형성될 수 있는 성염색체가 XY인 세포이며, ㉢은 ㉡의 분열로 형성된 세포이다.

자료 분석 + 염색체 비분리

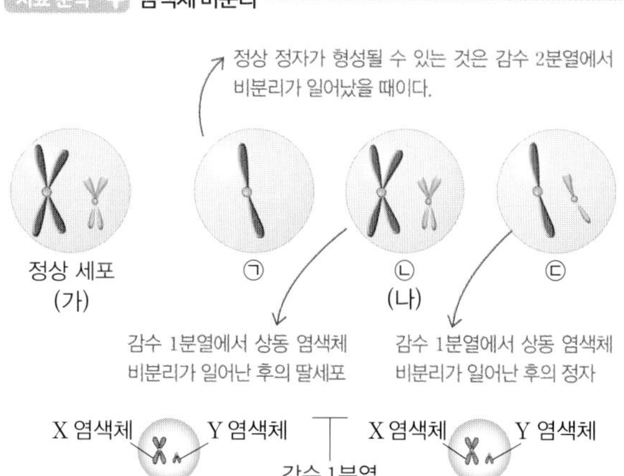


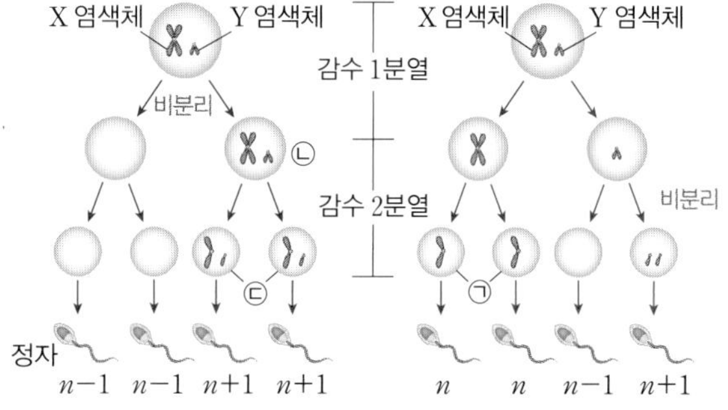


## 6일 누구나 100점 테스트 2회 48~49쪽

• 범위 | IV-[6] 사람의 유전병 ❷ ~ V. 생태계와 상호 작용

**1** ⑤ **2** ① **3** ㄴ, ㄷ **4** ㄴ **5** ⑤ **6** ⑤ **7** ㄱ, ㄷ
**8** ④ **9** ② **10** ⑤

**1** 고양이 울음 증후군은 염색체 구조 이상 중 상염색체인 5번 염색체의 결실로 발생하고, 낫 모양 적혈구 빈혈증은 유전자 이상으로 나타나는 유전병이다.

오답 풀이
⑤ 염색체 비분리 현상은 염색체 수 이상 유전병의 원인이다.

**2** (가)는 염색체 구조 이상, (나)와 (다)는 유전자 이상 돌연변이이며, 핵형 분석으로는 염색체 구조 이상을 확인할 수 있다.

**3** ㉠은 군집 내 서로 다른 개체군 간의 상호 작용을 의미한다.

오답 풀이
ㄱ. 텃세는 개체군 내 개체 간 상호 작용이다.

**4** 환경 저항이 없을 때 나타나는 J자형 생장 곡선이 이론적 생장 곡선이고, 환경 저항으로 인해 생장에 제한이 생겨 S자형으로 나타나는 것이 실제 생장 곡선이다.

오답 풀이
ㄱ. A는 이론적 생장 곡선이다.
ㄷ. A와 B의 차이에 해당하는 요인을 환경 저항이라고 한다.

**5** 순생산량에는 피식량, 낙엽량, 고사량, 생장량이 포함되며, 호흡량은 총생산량에서 순생산량을 제외한 값이다.

**6** A는 생산자, B는 1차 소비자, C는 2차 소비자이다.

선택지 바로 보기

① A는 1차 소비자이다.(×)
→ A는 생산자이다.

② B는 빛에너지를 화학 에너지로 전환한다.(×)
→ B는 1차 소비자이다. 생산자(A)가 광합성을 통해 빛에너지를 화학 에너지로 전환한다.

③ B의 에너지 효율은 C보다 크다.(×)
→ B의 에너지 효율은 10 %, C의 에너지 효율은 20 %이므로 B보다 C가 더 크다.

④ C는 초식 동물이다.(×)
→ C는 2차 소비자이므로 육식 동물이다.

⑤ 에너지양은 상위 영양 단계로 갈수록 감소한다. (○)
→ 유기물에 저장된 에너지는 먹이 사슬을 따라 이동하고, 각 영양 단계에서 호흡을 통해 생명 활동에 사용되거나 열에너지 형태로 방출되기 때문에 상위 영양 단계로 갈수록 에너지양은 감소한다.

**7** 질소 기체($N_2$)는 매우 안정하여 대부분 식물이 직접 이용할 수 없다. 그러나 질소 기체가 질소 고정에 의해 암모늄 이온($NH_4^+$)이나 질산 이온($NO_3^-$)으로 전환되면 생물이 흡수할 수 있다.

오답 풀이

ㄴ. 식물은 질소 고정과 질산화 작용으로 형성된 암모늄 이온($NH_4^+$)이나 질산 이온($NO_3^-$)을 뿌리를 통해 흡수하여 단백질이나 핵산 등의 질소 유기 화합물을 합성한다.

**8** 개체군은 한 종으로 구성된 생물 집단이므로 종 다양성을 살펴볼 수가 없다.

오답 풀이

• 학생 A: 하나의 개체군에서 분석할 수 있는 생물 다양성은 유전적 다양성이다.

**9** 1차 천이 중 건성 천이는 지의류－초원－관목림－양수림－혼합림－음수림의 순으로 진행되고, 산불 등이 일어난 후 2차 천이는 초원부터 시작한다.

**10** 서식지 단편화로 서식지 면적이 감소하고 로드킬이 발생하면서 야생 생물의 개체 수가 감소하여 멸종 위기에 처할 수 있다.

## 6일 서술형·사고력 테스트 50~51쪽

•범위 | IV. 유전 ~ V. 생태계와 상호 작용

**1** (1) 해설 참조 (2) 해설 참조 **2** (1) (나)－(다)－(가) (2) 해설 참조 **3** 해설 참조 **4** 해설 참조 **5** (1) A: 종간 경쟁, B: 상리 공생, C: 기생 (2) 이익 **6** 해설 참조 **7** 빛(빛의 세기) **8** (1) 해설 참조 (2) 해설 참조

**1** (1) 모범 답안 **A, 염색 분체는 DNA 복제로 형성된 것이므로 두 염색 분체의 유전자 구성은 같다.**

(2) 모범 답안 **㉡ B, ㉢ d, 한 쌍의 상동 염색체의 같은 자리에는 대립유전자가 마주보고 있다.**

유전자형은 대립유전자를 모두 나타내는 것이며, 대립유전자는 상동 염색체의 같은 자리에 있다. 1번 염색체 1쌍은 상동 염색체이므로 A와 a, B와 b, D와 d는 두 염색체의 같은 자리에 있다. 염색 분체에는 동일한 유전자가 들어 있으며, 두 염색 분체에 있는 대립유전자는 유전자형을 나타낼 때 하나로 표시한다.

| | 채점 기준 | 배점(%) |
|---|---|---|
| (1) | A를 쓰고, DNA 복제로 형성된 염색 분체라고 옳게 설명한 경우 | 100 |
| | A만 쓴 경우 | 40 |
| (2) | ㉡과 ㉢에 들어갈 대립유전자와 그 까닭을 상동 염색체와 대립유전자의 관계로 옳게 설명한 경우 | 100 |
| | ㉡과 ㉢에 들어갈 대립유전자만 옳게 쓴 경우 | 40 |

**2** (1) (가)는 분열기의 후기, (나)는 분열기의 전기, (다)는 분열기의 중기이며, (라)는 간기이다. 분열기는 전기 → 중기 → 후기 → 말기의 과정을 거친다.

(2) 모범 답안 **세포 분열이 일어나는 동안 유전 정보가 손상될 위험이 적다. 유전 물질이 정확하게 2개의 딸세포로 나뉘어 들어갈 수 있다.**

| 채점 기준 | 배점(%) |
|---|---|
| 장점을 2가지 모두 옳게 서술한 경우 | 100 |
| 장점을 1가지만 옳게 서술한 경우 | 50 |

**3** 모범 답안 **유전자형: 6가지, 표현형: 3가지, 유전자형은 AA, AB, BB, BC, CC, AC이고, 표현형은 AA와 AB, AC는 모두 A로, BB와 BC는 B로, CC는 C로 표현된다.**

유전자형은 대립유전자를 모두 나타내는 것이고, 표현형은 우열 관계를 고려하여 겉으로 드러나는 형질만 나타내는 것이다.

| 채점 기준 | 배점(%) |
|---|---|
| 유전자형과 표현형의 수와 그 까닭을 모두 옳게 서술한 경우 | 100 |
| 유전자형과 표현형의 수만 옳게 쓴 경우 | 40 |
| 유전자형과 표현형의 수 중 1가지만 옳게 쓴 경우 | 20 |

**4** 모범 답안 **B, A로부터 형성된 난자 중 적록 색맹 대립유전자가 있는 X 염색체가 있는 난자와, B로부터 형성된 정자 중 염색체 비분리로 인해 성염색체가 없는 정자의 수정으로 C가 태어났다.**

C가 가진 적록 색맹 대립유전자는 적록 색맹 보인자인 A로부터 받은 것이며, 정상 남자인 B는 C에게 X 염색체와 Y 염색체를 모두 물려주지 않은 것이다.

| 채점 기준 | 배점(%) |
|---|---|
| B를 쓰고, 염색체 비분리가 일어난 생식세포를 정확하게 판단하여 서술한 경우 | 100 |
| B만 쓴 경우 | 20 |

**5** 종간 경쟁은 두 종에게 모두 손해, 상리 공생은 두 종에게

2학기 중간·기말

모두 이익, 기생은 한 종은 이익을 얻고 다른 한 종은 손해를 입는 상호 작용이다.

**6** 모범 답안 **(가), (가)와 (나)에서 식물 종 수는 동일하지만 (가)의 식물 종 분포가 더 고르기 때문이다.**

종 다양성은 한 생태계에서 생물종의 다양함을 의미하며, 종 수와 분포 비율을 모두 고려한다. (가)와 (나)에 서식하는 식물 종 수는 모두 4종으로 동일하다. 그러나, (가) 지역은 비교적 종별 개체 수가 고른 반면, (나)에서는 종별 개체 수 차이가 크다. 따라서 (가)가 (나)보다 종 다양성이 높다.

| 채점 기준 | 배점(%) |
|---|---|
| (가)를 옳게 쓰고, 종 분포 비율을 바탕으로 그 까닭을 옳게 쓴 경우 | 100 |
| (가)만 옳게 쓴 경우 | 40 |

**7** 숲이 형성될수록 지표면에 도달하는 빛의 세기가 약해져 양수림에서 음수림으로 천이가 일어난다.

**8** (1) 모범 답안 **A는 3차 소비자, B는 생산자, C는 2차 소비자, D는 1차 소비자이다. 에너지양은 상위 영양 단계로 갈수록 감소하기 때문이다.**

에너지양은 상위 영양 단계로 갈수록 감소한다.

(2) 모범 답안 **15, 에너지 효율은 전 영양 단계의 에너지양에 대한 현 영양 단계의 에너지양을 %로 나타내는 것이므로, 2차 소비자인 C의 에너지 효율은 $\frac{30}{200} \times 100 = 15(\%)$이다.**

에너지 효율(%)은 $\frac{\text{현영양 단계의 에너지양}}{\text{전 영양 단계의 에너지양}} \times 100$으로 구한다.

| | 채점 기준 | 배점(%) |
|---|---|---|
| (1) | A~D의 영양 단계를 모두 옳게 쓰고, 에너지양을 바탕으로 그 까닭을 옳게 서술한 경우 | 100 |
| | A~D의 영양 단계만 옳게 쓴 경우 | 40 |
| (2) | 에너지 효율과 구하는 식을 모두 옳게 쓴 경우 | 100 |
| | 에너지 효율만 옳게 쓴 경우 | 40 |

## 6일 창의·융합·코딩 테스트 52~53쪽

• 범위 | Ⅳ. 유전 ~ Ⅴ. 생태계와 상호 작용

**1** ④ **2** ④ **3** A-(가), B-(다), C-(나) **4** ② **5** A: 상리 공생, B: 포식과 피식, C: 순위제, D: 텃세 **6** ②

**1** 크기와 모양이 같은 상동 염색체는 사람의 경우 22쌍의 상염색체와 1쌍의 성염색체가 있으므로 다른 한 쪽의 모양을 보고 같은 염색체를 찾아 짝을 지으면 된다. 남자에게만 있는 Y 염색체를 잃어버렸을 수도 있는데 이는 여자의 염색체 사진에는 없으므로 염색체 사진 2장을 모두 받아야 한다.

**2** ④ 헌팅턴 무도병은 생존에 치명적인 우성 유전병이지만, 성인이 된 이후에 발병하므로 자손에게 유전자를 남길 수 있다.

**3** 2가 염색체는 감수 1분열에서 형성되므로 A는 감수 1분열만의 특징인 (가)에 해당된다. 감수 2분열에서는 염색 분체가 분리되어 딸세포의 유전자 구성이 모세포와 같으므로 B는 (다)에 해당된다. 감수 1분열과 감수 2분열은 모두 상동 염색체 분리와 염색 분체 분리로 딸세포 1개당 DNA 상대량이 모세포의 절반이 되므로 C는 (나)에 해당된다.

**4** 오답 풀이

② 유전자형의 종류는 3(AA, Aa, aa)×3(BB, Bb, bb)×3(CC, Cc, cc) = 27가지이다.
피부색을 검게 만드는 대립유전자의 수는 0~6개까지 가능하므로 피부색 표현형의 종류는 총 7가지이다.

**5** 텃세, 포식과 피식, 상리 공생, 순위제 중 텃세와 순위제는 개체군 내 개체 간 상호 작용이고, 포식과 피식, 상리 공생은 군집 내 개체군 간 상호 작용이다. 상리 공생에서 두 개체군은 모두 이익을 얻고, 포식과 피식에서 포식자는 이익을, 피식자는 손해를 입는다. 순위제는 힘의 강약에 따른 서열이 존재하며, 텃세는 활동 범위를 정하여 세력권으로 다른 개체가 진입하는 것을 막는 것이다.

**6** 산호에 서식하는 딱총새우가 산호를 불가사리로부터 보호해 준다는 결론을 내리기 위해서는 딱총새우를 제거한 B에서가 딱총새우를 그대로 둔 A에서보다 산호가 불가사리에게 많이 잡아먹혀야 한다.

## 7일 학교시험 기본 테스트 1회 54~57쪽

• 범위 | Ⅳ. 유전 ~ Ⅴ. 생태계와 상호 작용

**1** B, C **2** ① **3** ② **4** ④ **5** ⑤ **6** ① **7** 1, 2, 3, 4 **8** ⑤ **9** A, C **10** ㉠ 반성유전, ㉡ 열성 **11** ③ **12** ②, ⑤ **13** ③ **14** ③ **15** (가) 상리 공생, (나) 경쟁, (다) 분서 **16** (나) → (가) → (마) → (다) → (바) → (라) **17** ④ **18** ㉠ 광합성, ㉡ 호흡 **19** ④ **20** 해설 참조

**1** 염색체를 구성하는 DNA와 단백질은 수많은 뉴클레오솜의 형태로 연결되어 있으며, 분열기에는 이것이 강하게 응축하여 염색체의 형태가 된다.

오답 풀이

A: 뉴클레오솜은 간기 중 염색체가 풀어져 있는 상태에서도 존재한다.

**2** ㄱ. 상동 염색체는 감수 1분열 전기에 접합하여 2가 염색체를 형성한 후, 후기에 분리되어 딸세포에 하나씩 들어간다.

오답 풀이

ㄴ, ㄷ. 모양과 크기가 같은 1쌍의 염색체를 상동 염색체라 하며, 대립유전자는 같을 수도 있고 다를 수도 있다.

**3** 간기는 $G_1$기, S기, $G_2$기로 구분되며, S기에 DNA가 복제된다.

선택지 바로 보기

① 전기, 중기, 후기, 말기로 구분된다. (×)
→ 전기, 중기, 후기, 말기로 구분되는 것은 분열기이고, 간기는 $G_1$기, S기, $G_2$기로 구분된다.
② DNA가 2배로 복제되는 시기가 있다. (○)
③ 염색체를 관찰하기에 가장 좋은 시기이다. (×)
→ 염색체를 관찰하기에 가장 좋은 시기는 중기이다.
④ 핵막이 사라지고 방추사가 염색체에 부착된다. (×)
→ 분열기의 전기에 핵막이 사라지고 방추사가 염색체에 부착되며, 분열기의 말기에 핵막이 생기고 방추사가 사라진다.
⑤ 핵분열이 먼저 일어나고 세포질 분열이 진행된다. (×)
→ 핵분열과 세포질 분열은 분열기에 진행된다.

**4** 세포 X는 상동 염색체가 접합한 2가 염색체가 적도면에 배열된 감수 1분열 중기의 세포이며, 핵상은 $2n$이다.

오답 풀이

ㄷ. 2가 염색체는 감수 1분열 전기에 형성되어 감수 1분열 중기에 적도면에 배열된다.

**5** ㄱ. (가)는 체세포 분열로, 분열 결과 유전 정보가 모세포와 동일한 딸세포가 형성된다. (나)와 같이 염색 분체의 분리로 형성된 딸세포의 유전자 구성도 모세포와 동일하다.
ㄷ. C와 D는 모두 상동 염색체가 쌍을 이루고 있지 않으므로 핵상은 $n$이다.

오답 풀이

ㄴ. (나)에서 C의 염색체 수가 2개이므로 C는 감수 1분열을 마친 딸세포이다. 따라서 (나)는 감수 2분열 과정이다.

**6** 단일 인자 유전은 형질이 1쌍의 대립유전자에 의해 결정되는 유전 현상이다.
ㄱ. ABO식 혈액형 유전은 복대립 유전이고, 복대립 유전은 단일 인자 유전에 해당한다.

오답 풀이

ㄴ. 표현형이 다양하여 연속적인 변이로 나타나는 것은 다인자 유전이다.
ㄷ. 단일 인자 유전에는 ABO식 혈액형과 같이 대립유전자의 종류가 3가지 이상인 경우도 있다.

**7** 대립유전자를 $I^A$, $I^B$, $i$라고 한다면 1의 유전자형은 $I^AI^B$, 2의 유전자형은 $I^Bi$, 3과 4의 유전자형은 $I^Ai$이므로 1~4는 모두 유전자형이 이형 접합성이다. O형의 유전자형은 $ii$이므로 5와 6의 유전자형은 동형 접합성이다.

자료 분석 + ABO식 혈액형 유전의 가계도 분석

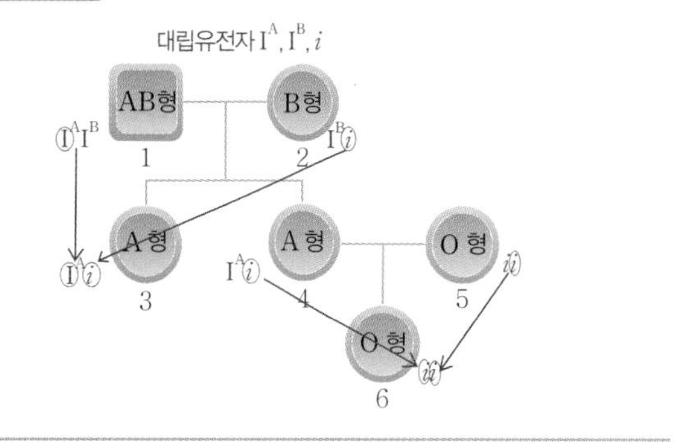


**8** 오답 풀이

ㄱ. 다인자 유전은 여러 쌍의 대립유전자가 형질에 관여하고 우열이 명확하지 않아 표현형이 다양하게 나타난다.

**9** 적록 색맹 대립유전자를 X′, 정상 대립유전자를 X라고 한다면 적록 색맹인 어머니의 유전자형은 X′X′, 정상인 아버지의 유전자형은 XY이므로 자녀의 유전자형은 XX′(보인자), X′Y(적록 색맹)이다. 따라서 여동생이라면 적록 색맹 보인자이고, 남동생이라면 모두 적록 색맹이다.

오답 풀이

B: 적록 색맹 유전자형이 부모와 같은 자녀가 나올 수 없다.

**10** 발현 빈도가 성에 따라 다르다는 의미에서 성염색체 유전을 반성유전이라고 한다.

**11** (가)는 다운 증후군, (나)는 터너 증후군, (다)는 클라인펠터 증후군으로 모두 염색체 비분리에 의해 나타나는 염색체 수 이상 유전병이다.

오답 풀이

ㄷ. (다)는 클라인펠터 증후군이다.

2학기 중간·기말

**12** 오답 풀이

② 적록 색맹은 X 염색체에 있는 시각 색소 유전자의 이상으로 나타나는 유전병이다.
⑤ 생식세포의 상염색체에 이상이 있을 경우 자손에게 유전될 수 있다.

**13** 생태계는 생물적 요인과 비생물적 요인이 서로 영향을 미치고 있는 상태이며, 생물적 요인에는 생산자, 소비자, 분해자가 있다. 생산자는 광합성과 같이 스스로 에너지원을 합성하는 독립 영양 생물이고, 소비자는 종속 영양 생물이며, 분해자는 세균, 버섯, 곰팡이와 같이 사체나 배설물을 분해하여 에너지를 얻는 생물 집단이다.

오답 풀이

ㄴ. 군집은 여러 개체군으로 구성된 생물 집단이다.

**14** 오답 풀이

ㄱ. A는 이론적 생장 곡선이고, B는 실제 생장 곡선이다.
ㄴ. 환경 저항은 개체 수가 증가할수록 커진다.

**15** (가) 흰동가리와 말미잘이 모두 이익을 얻으므로 상리 공생이다.
(나) 두 종의 짚신벌레가 경쟁하여 한 종만 살아남고 한 종은 사라졌으므로 종간 경쟁이다. 생태적 지위가 비슷한 두 종은 먹이나 서식지를 차지하기 위해 경쟁이 일어난다.
(다) 생태적 지위가 비슷한 피라미와 은어가 경쟁을 피하기 위해 생활공간을 달리하고 있으므로 분서에 해당한다.

**16** 1차 천이 중 건성 천이는 맨땅에 개척자인 지의류가 들어와 토양이 형성되면 점차 초원, 관목림 순으로 발달하고 이후 양수림, 혼합림, 음수림 순으로 천이가 일어난다.

**17** 총생산량은 생산자가 광합성을 통해 생산한 유기물의 총량이고, 순생산량은 식물체에 저장하는 유기물의 양이며, 생장량은 식물체에 남아 있는 유기물의 양이다.

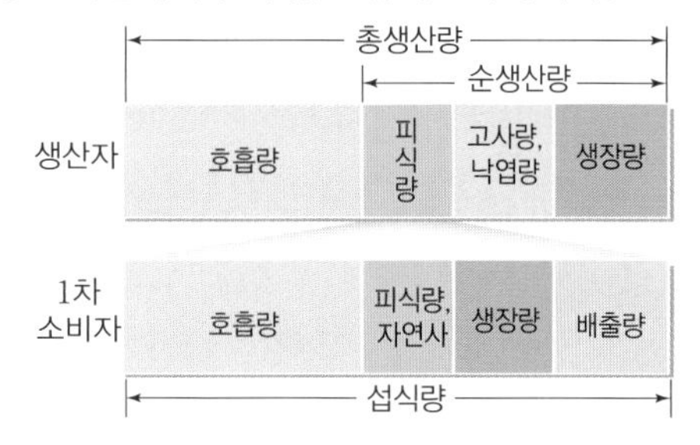


- 총생산량 = 호흡량 + 순생산량
- 순생산량 = 총생산량 − 호흡량
  = 피식량 + 고사량, 낙엽량 + 생장량
- 생장량 = 순생산량 − (고사량, 낙엽량 + 피식량)
- 1차 소비자의 섭식량 = 생산자의 피식량

선택지 바로 보기

① 순생산량은 호흡량과 총생산량을 합한 값이다. (×)
→ 순생산량은 총생산량에서 호흡량을 제외한 값이다.
② 1차 소비자의 섭식량은 생산자의 피식량보다 크다. (×)
→ 1차 소비자의 섭식량과 생산자의 피식량은 같다.
③ 생장량은 피식량과 고사량, 순생산량을 모두 합한 것이다. (×)
→ 생장량은 순생산량에서 피식량과 고사량, 낙엽량을 제외한 값이다.
④ 총생산량은 생산자가 일정 기간 동안 광합성으로 생산한 유기물의 총량이다. (○)
⑤ 순생산량은 생장량에서 피식량과 고사량, 낙엽량을 제외한 값이다. (×)
→ 순생산량은 생장량과 피식량, 고사량, 낙엽량을 모두 합한 값이다.

**18** 빛에너지를 화학 에너지로 전환하는 과정은 광합성이고, 저장된 화학 에너지를 생명 활동에 이용하는 과정은 호흡이다.

**19** ㉠은 질소 고정 세균에 의한 질소 고정, ㉡은 먹이 사슬에 의한 유기물의 이동, ㉢은 탈질산화 세균에 의한 탈질산화 작용이다.

자료 분석 + 탄소와 질소 순환

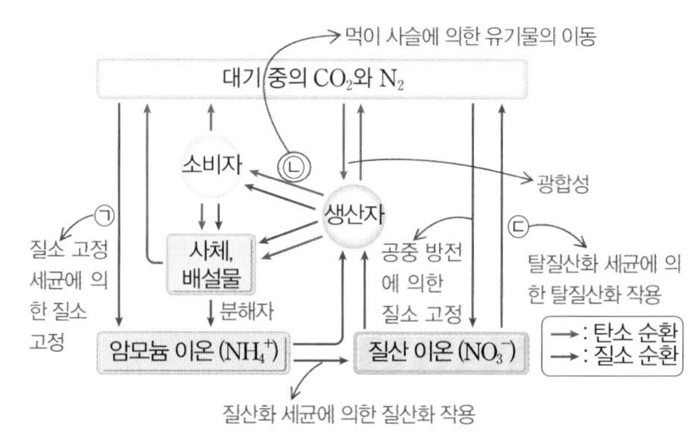


- 질소 고정(㉠): 대기 중의 질소는 질소 고정 세균(뿌리혹박테리아, 아조토박터)에 의해 암모늄 이온($NH_4^+$)으로 전환된다. 또는 번개와 같은 공중 방전에 의해 질산 이온($NO_3^-$)으로 전환된다.
- 질소 동화 작용 : 식물의 뿌리를 통해 흡수된 암모늄 이온($NH_4^+$), 질산 이온($NO_3^-$)은 질소 동화 작용에 의해 단백질, 핵산 등과 같은 질소 화합물을 합성하는 데 쓰인다. 식물이 합성한 질소 화합물은 먹이 사슬을 따라 소비자로 이동한다(㉡).
- 생물의 사체나 배설물에 포함된 질소 화합물은 분해자에 의해 암모늄 이온($NH_4^+$)으로 분해되어 토양으로 돌아가 식물에 흡수되거나 질산화 작용에 의해 질산 이온($NO_3^-$)으로 전환된다.
- 탈질산화 작용(㉢) : 토양 속 일부 질산 이온($NO_3^-$)은 탈질산화 세균에 의해 질소 기체($N_2$)가 되어 대기 중으로 돌아간다.

**20** 모범 답안 **(나), (가)와 (나)는 서식하는 종의 수는 같지만 각 종이 (가)보다 (나)에서 더 균등하게 분포하기 때문이다.**
종 다양성은 일정한 지역에 얼마나 많은 종이 균등하게 분포하여 살고 있는가를 나타낸 것으로, 종 수가 많을수록, 종이 고르게 분포할수록 높다.

## 7일 학교시험 기본 테스트 2회 58~61쪽

• 범위 | IV. 유전 ~ V. 생태계와 상호 작용

**1** ④ **2** A, B **3** ④ **4** ④ **5** (1) 염색체 수: 4, DNA 상대량: 4, (2) 염색체 수: 2, DNA 상대량: 2 **6** 해설 참조 **7** ③ **8** ④ **9** ④ **10** ㉠ 1, ㉡ 3 **11** ③ **12** ③ **13** ㉠ 비생물적 요인, ㉡ 생물적 요인, ㉢ 생물적 요인, ㉣ 비생물적 요인 **14** A, C **15** 서식지 단편화(서식지 분할) **16** ② **17** ③ **18** 호흡량: 2800, 순생산량: 2200 **19** ② **20** 주희, 준형

**1** 오답 풀이
④ 염색체에서 유전 정보는 DNA의 염기 서열에 저장되어 있다.

**2** 핵형이 정상인 남성은 체세포 1개당 총염색체는 46개이고, 상염색체는 22쌍, 44개이다. 또 어머니로부터 물려받은 X 염색체 1개와 아버지로부터 물려받은 Y 염색체 1개가 들어 있다.

**3** 2가 염색체 형성, 상동 염색체 분리, 유전자 구성이 서로 다른 딸세포 형성 등은 감수 1분열의 특징이고, 모세포와 딸세포의 핵상이 서로 같은 것은 체세포 분열의 특징이다.
④ 분열기 이전의 S기에서 DNA 복제가 일어난다.

오답 풀이
① 감수 1분열에서 2가 염색체가 형성되고, 체세포 분열에서는 형성되지 않는다.
② 감수 1분열 후기에는 상동 염색체가 분리되고, 체세포 분열 후기에는 염색 분체가 분리된다.
③ 감수 1분열에서는 모세포의 핵상이 $2n$, 딸세포의 핵상이 $n$으로 서로 다르고, 체세포 분열에서는 모세포와 딸세포의 핵상이 $2n$으로 같다.
⑤ 감수 1분열에서는 유전자 구성이 서로 다른 딸세포가 형성되고, 체세포 분열에서는 유전자 구성이 같은 딸세포가 형성된다.

**4** 구간 Ⅰ에 $G_1$기의 세포가 있고, 구간 Ⅱ에 $G_2$기와 분열기의 세포가 있다.

자료 분석 + 세포당 DNA양과 세포 수 그래프

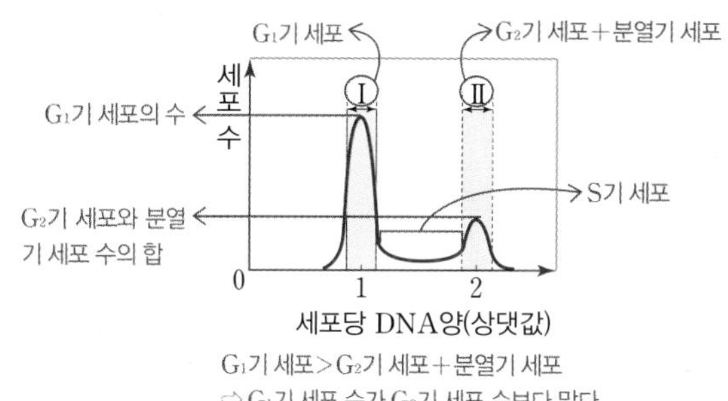


$G_1$기 세포 > $G_2$기 세포 + 분열기 세포
⇨ $G_1$기 세포 수가 $G_2$기 세포 수보다 많다.

**5** (가)는 감수 1분열 중기, (나)는 감수 2분열 중기의 세포이고, 표는 (가)의 염색체 수와 DNA양을 나타낸 것이다. 감수 1분열 중기 세포의 핵상은 $2n$이고 감수 2분열 중기 세포의 핵상은 $n$이다. 감수 2분열 중기 세포의 DNA 상대량은 감수 1분열 중기 세포의 절반이다.

**6** (1) 모범 답안 **반성유전이 아니다. 남녀 모두에게 유전병이 나타났으므로 Y 염색체 유전이 아니며, 정상 부모에게서 유전병 자손이 태어났으므로 유전병은 정상에 대해 열성인데, 정상 아버지로부터 유전병 딸인 영희가 태어났으므로 유전병 유전자는 상염색체에 있다.**
유전자가 X 염색체에 있는 열성 유전의 경우, 아버지가 정상이면 딸에게 형질이 나타날 수 없다.

| 채점 기준 | 배점(%) |
|---|---|
| 반성유전이 아니라는 사실을 쓰고, 가계도의 구성원의 형질을 분석하여 그 까닭을 옳게 서술한 경우 | 100 |
| 반성유전이 아니라는 사실은 썼으나, 그 까닭을 쓰지 못했거나 내용에 오류가 있는 경우 | 30 |

**7** 4명의 가족 혈액형이 모두 다르게 나타난다면 AB형과 O형의 부모에게서 A형과 B형 자손이 태어나거나, 유전자형이 이형 접합성인 A형과 B형 부모에게서 AB형과 O형의 자손이 태어나는 경우가 있는데, 부모 중 1의 유전자형이 동형 접합성이라고 하였으므로 1은 O형, 2는 AB형인 경우이다.
④ 대립유전자를 $I^A$, $I^B$, $i$라고 한다면 4의 유전자형은 $I^Ai$ 혹은 $I^Bi$이고 O형($ii$) 여자와 결혼하여 아이가 태어난다면 자손은 A형 혹은 B형($I^Ai$ 혹은 $I^Bi$) : O형($ii$)이 1 : 1로 나온다.
⑤ 1과 2의 유전자형이 각각 $ii$와 $I^AI^B$이므로 자손은 A형($I^Ai$) : B형($I^Bi$)이 1 : 1로 나오며, 남녀가 태어날 확률도 동일하므로 4의 동생이 A형인 남자일 확률은 $\frac{1}{2}\times\frac{1}{2}=\frac{1}{4}$이다.

2학기 중간·기말

오답 풀이

③ 1은 O형, 2는 AB형, 3과 4는 A형과 B형이고, 3과 4의 ABO식 혈액형 유전자형은 모두 이형 접합성이다.

**8** 오답 풀이

ㄴ. 적록 색맹인 어머니는 아들에게 적록 색맹 대립유전자가 있는 X 염색체만을 물려주며, 아들은 적록 색맹 대립유전자가 있는 X 염색체를 받으면 적록 색맹이 된다. 따라서 적록 색맹인 어머니와 정상인 아들의 관계는 나타날 수 없다.

**9** 표현형은 대문자 대립유전자 개수가 0, 1, 2, 3, 4, 5, 6인 경우로 7가지가 있다.

**10** 복대립 유전은 단일 인자 유전에 해당하므로 1쌍의 대립유전자에 의해 형질이 결정된다.

**11** ㄷ. 철수의 21번 염색체는 3개 중 2개의 유전적 구성이 어머니의 염색체와 일치한다고 하였으므로 21번 염색체 2개가 모두 난자에서 유래되었으며, 감수 2분열에서 염색 분체의 비분리가 일어난 것이다.

오답 풀이

ㄴ. 철수의 세포 1개당 상염색체 수는 45개이다.

**12** 근육 세포와 정자의 염색체에는 이상이 없고, 백혈구의 9번과 22번 염색체 사이에서 전좌가 일어났다.

오답 풀이

ㄴ. 체세포에 일어난 돌연변이는 유전되지 않는데 염색체 구조 이상이 체세포인 백혈구에 일어났고 생식세포인 정자에는 이상이 없으므로 유전병이 유전되지 않는다.

**13** 생태계 구성 요소들은 서로 영향을 주고 받는다. 기온과 토양은 비생물적 요인이고, 은행나무와 낙엽은 생물적 요인이다.

**14** 환경 저항으로 인해 효모 개체 수가 10시간 이후부터는 증가율이 둔화되었으며, 환경 저항은 개체 수가 커질수록 증가한다.

오답 풀이

• 학생 B: 개체 수가 초기에 급격히 증가하다가 나중에 일정해지므로 번식률은 일정 시간이 지나면서 감소함을 알 수 있다.

**15** 도로나 철도 등의 건설로 서식지가 나뉘는 서식지 단편화 현상은 생물 다양성 감소 원인 중 하나이다.

**16** 밀도는 서식 면적에 대한 개체 수의 비이다.

오답 풀이

ㄷ. 두 개체군의 개체 수가 같을 때 서식 면적이 넓은 쪽의 밀도가 더 낮다.

**17** 오답 풀이

ㄴ. 빛에너지를 유기물의 화학 에너지로 전환시키는 것은 생산자이다.

**18** 총생산량은 호흡량과 순생산량의 합이며, 순생산량은 고사량, 낙엽량과 생장량, 피식량의 합이다. 따라서 순생산량=고사량, 낙엽량(100)+생장량(1100)+피식량(1000)=2200이고, 호흡량=총생산량(5000)−순생산량(2200)=2800이다.

**19** 한 종은 이익, 한 종은 손해인 ㉠은 기생, 두 종이 모두 이익인 ㉡은 상리 공생, 두 종이 모두 손해인 ㉢은 종간 경쟁이다. 종간 경쟁은 생태적 지위가 유사한 두 종 사이에서 일어나는 상호 작용이다. 기생이 아니며 한 종(포식자)은 이익이고 한 종(피식자)은 손해인 ㉣은 포식과 피식이다.

선택지 바로 보기

① 눈신토끼와 스라소니의 관계는 ㉡에 해당한다. (×)
→ 눈신토끼와 스라소니의 관계는 포식과 피식이므로 ㉣에 해당하며, ㉡은 상리 공생이다.
② 생태적 지위가 일치하는 두 종을 함께 배양하면 ㉢이 일어난다. (○)
③ 벌이 꽃의 꿀을 얻고 꽃의 수분을 도와주는 것은 ㉣에 해당한다. (×)
→ 벌이 꽃의 꿀을 얻고 꽃은 벌로부터 수분에 도움을 받는 것은 두 종에게 모두 이익인 상리 공생이므로 ㉡에 해당한다.
④ 개체가 자신의 구역을 확보하고 다른 개체의 접근을 막는 것은 ㉢에 해당한다. (×)
→ 텃세는 개체군 내의 상호 작용이다.
⑤ 생태적 지위가 유사한 두 개체군이 서식지, 먹이, 활동 시기, 산란 시기 등을 달리하는 것은 ㉠에 해당한다. (×)
→ 분서는 ㉠~㉣ 모두에 해당되지 않는다.

**20** 오답 풀이

• 주영: 생물종의 다양한 정도와 각 종의 개체 수가 균등한 정도를 포함하는 것은 종 다양성이다.

# 중학에 나오는 과학 용어 풀이

## 01 염색체 | 물들 染, 빛 色, 몸 體

유전 정보를 담아 전달하는 것으로 유전 물질인 ❶ ______와 단백질로 구성되며, 세포가 ❷ ______할 때만 관찰된다.

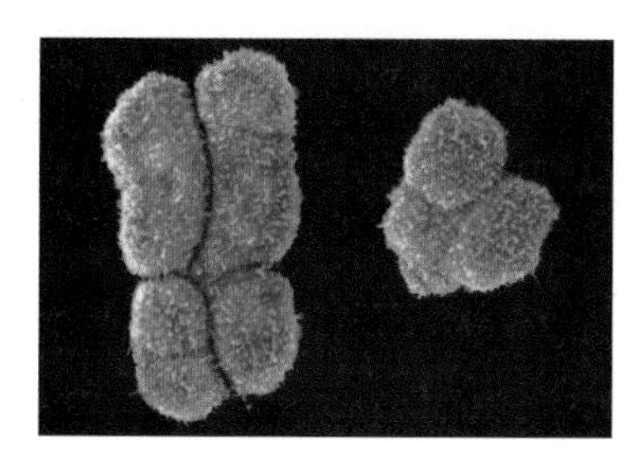

답 ❶ DNA ❷ 분열

예 1 염색체는 세포 안에 존재하며, 유전 물질인 DNA가 포함된 구조이다.

예 2 세포가 분열할 때 DNA를 효율적으로 두 딸세포로 나누어 이동시키기 위해 응축된다.

## 02 유전자 | 남길 遺, 전할 傳, 아들 子

개체의 유전 정보가 저장된 ______의 특정 부위

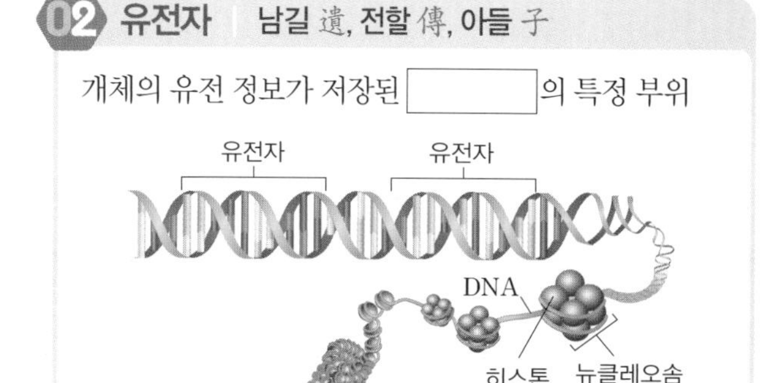


답 DNA

예 1 하나의 DNA(염색체)에는 많은 수의 유전자가 각각 정해진 부위에 존재한다.

예 2 사람은 46개의 염색체에 약 25000개의 유전자가 존재한다.

## 03 염색 분체 | 물들 染, 빛 色, 나눌 分, 몸 體

DNA가 ______되어 형성된 것으로 두 염색 분체를 구성하는 DNA의 유전 정보는 동일하다.

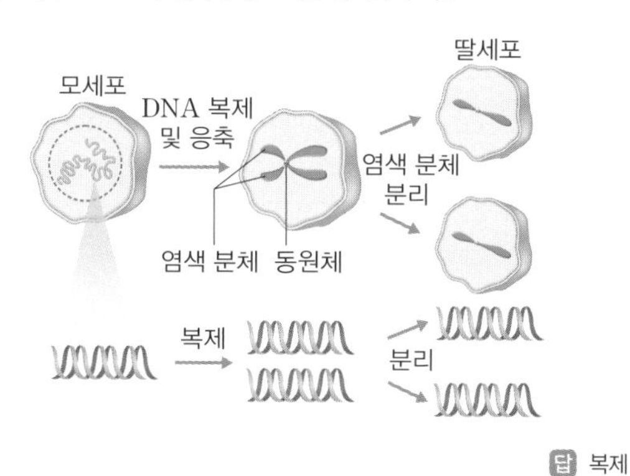


답 복제

예 1 유전 물질을 딸세포에 동일하게 분배하기 위해 세포 분열 전 간기에 DNA 복제가 일어난다.

예 2 복제로 생긴 두 가닥의 DNA가 각각 응축되어 염색 분체가 된다.

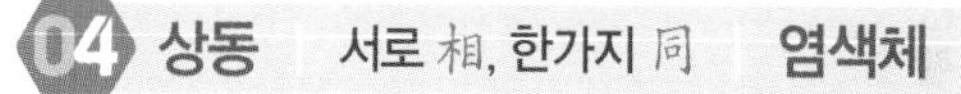

## 04 상동 | 서로 相, 한가지 同 | 염색체

사람의 ______에 들어 있는 모양과 크기가 같은 한 쌍의 염색체

상동 염색체

답 체세포

예 1 상동 염색체는 부모로부터 1개씩 물려받은 것으로, 상동 염색체의 같은 위치에는 같은 형질을 결정하는 대립유전자가 있다.

예 2 사람의 체세포에는 23쌍의 상동 염색체가 있다.

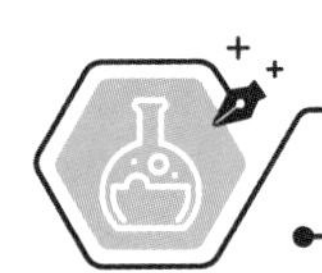

## 중학에 나오는 과학 용어 풀이

### 05 대립 | 대할 對, 설 立 | 유전자

상동 염색체의 같은 위치에 존재하며 한 가지 [　　　]의 결정에 관여하는 유전자

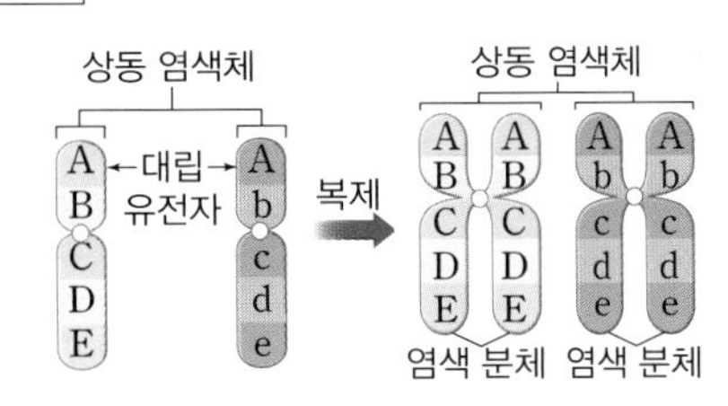


답 형질

예1 대립유전자의 예: 완두의 모양을 둥글게 하는 유전자 R와 주름지게 하는 유전자 r

예2 상동 염색체에 있는 대립유전자는 같을 수도 있고, 다를 수도 있다.

### 06 동원체 | 움직일 動, 근원 原, 몸 體

세포 분열 시 [　　　]가 붙는 부위로, 염색체에서 잘록하게 관찰된다.

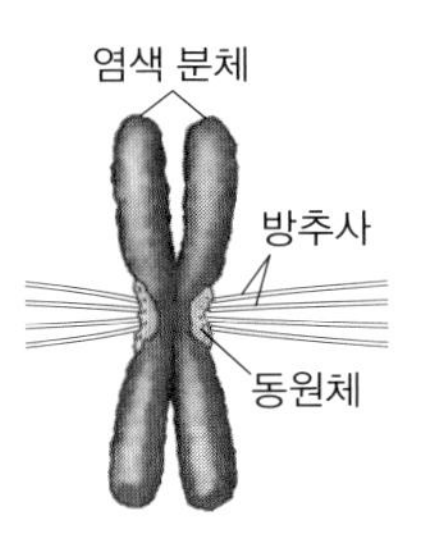


답 방추사

예1 세포 분열 시 방추사가 부착되어 염색 분체를 분리한다.

예2 2개의 염색 분체는 동원체 부분에서 서로 붙어 있으므로 잘록한 부분이 한 곳인 것처럼 나타난다.

### 07 체세포 분열

하나의 체세포가 둘로 나누어지는 과정으로, 생물의 [　　　]과 조직 재생 과정에서 일어난다.

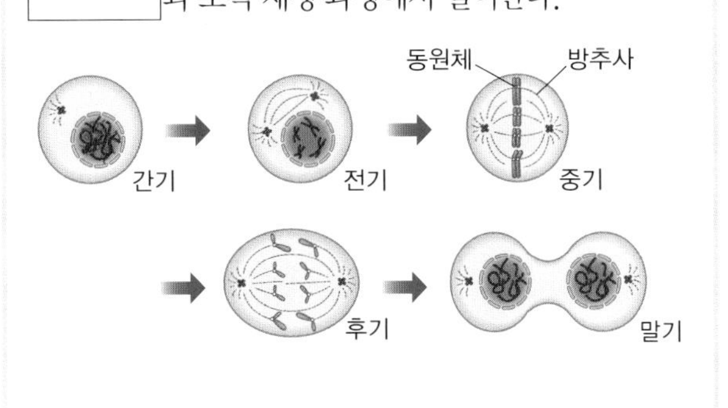


답 생장

예1 핵분열과 세포질 분열로 구분되며, 핵분열은 염색체의 모양과 행동에 따라 전기, 중기, 후기, 말기로 구분한다.

예2 체세포 분열 과정에서는 염색 분체가 분리되므로 체세포 분열 결과 형성된 두 딸세포는 대립유전자의 구성이 같다.

### 08 세포질 분열

세포질이 나누어지는 과정으로, 동물 세포와 식물 세포에서 [　　　] 방식으로 일어난다.

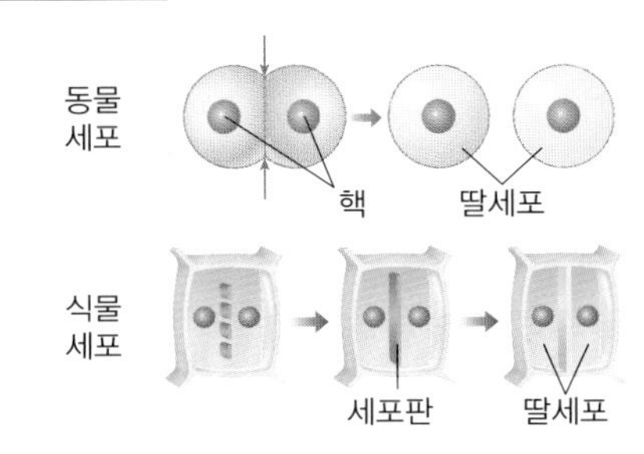


답 다른

예1 동물 세포에서는 세포질이 안쪽으로 함입되어 나누어진다.

예2 식물 세포에서는 세포의 중앙에 세포판이 형성되어 바깥쪽으로 성장하면서 세포질이 나누어진다.

## 09 생식세포 분열

유성 생식을 하는 생물이 생식 기관에서 ❶ [　　　] 를 형성할 때 일어나는 분열로, 연속 ❷ [　　　] 회의 핵분열과 세포질 분열이 일어난다.

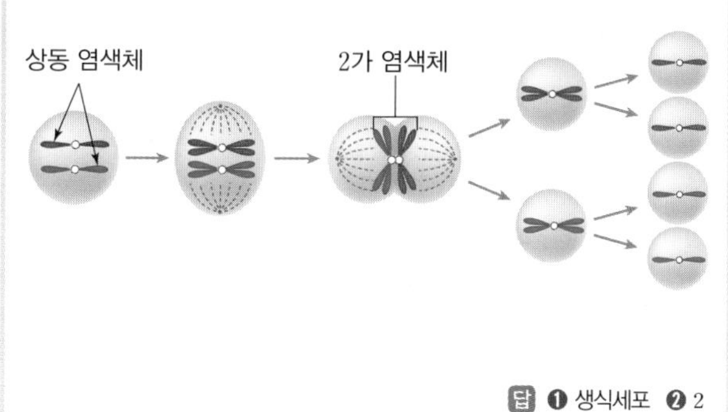


답 ❶ 생식세포 ❷ 2

예1 생식세포 분열은 딸세포의 염색체 수가 모세포의 반으로 줄어들어 감수 분열이라고도 한다.

예2 생식세포 분열에 의해 세대가 거듭되더라도 자손의 염색체 수가 일정하게 유지된다.

## 10 2가 염색체

감수 1분열 전기에 한 쌍의 ❶ [　　　] 가 접합한 것으로, 4개의 ❷ [　　　] 로 이루어져 있어 4분 염색체라고도 한다.

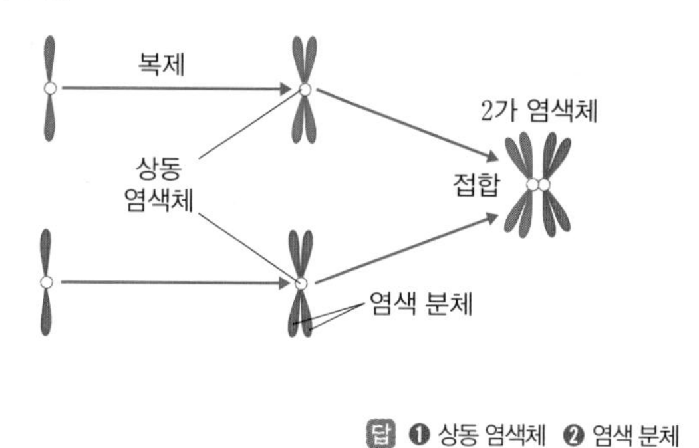


답 ❶ 상동 염색체 ❷ 염색 분체

예1 2가 염색체는 감수 1분열 전기에 형성되어 중기까지 관찰된다.

예2 남자의 경우 X 염색체와 Y 염색체도 결합해 2가 염색체를 형성한다.

## 11 형질, 대립 형질 | 대할 對, 설 立, 모양 形, 바탕 質

생물의 모양, 색깔, 크기, 성질 등 생물이 가지는 특성을 형질이라고 하고, 한 ❶ [　　　] 에 대해 서로 대립 관계에 있는 형질을 ❷ [　　　] 형질이라고 한다.

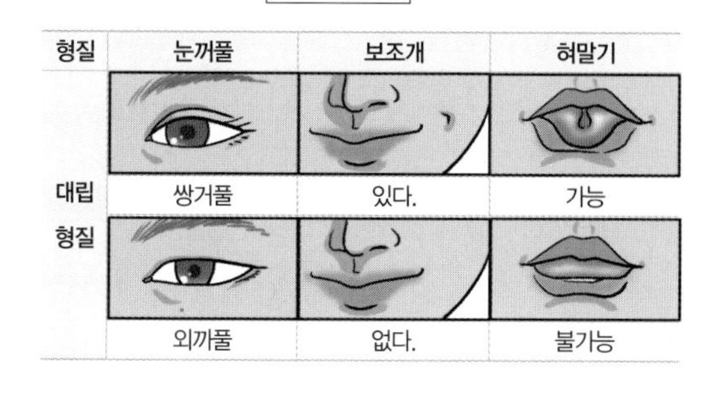


답 대립

예1 유전은 부모의 형질이 자손에게 전달되는 현상이다.

예2 ABO식 혈액형의 대립 형질은 A형, B형, AB형, O형의 4가지가 있다.

## 12 표현형, 유전자형

유전자 구성에 따라 겉으로 드러나는 ❶ [　　　] 을 표현형이라 하고, 표현형을 결정하는 ❷ [　　　] 구성을 기호로 표현한 것을 유전자형이라고 한다.

| 형질 | 눈꺼풀 | | 혀말기 | |
|---|---|---|---|---|
| 표현형 | 쌍꺼풀 | 외까풀 | 가능 | 불가능 |
| 유전자형 | AA, Aa | aa | DD, Dd | dd |

답 ❶ 형질 ❷ 유전자

예1 사람의 눈꺼풀 모양에는 쌍꺼풀과 외까풀이 있으며, 눈꺼풀 모양은 한 쌍의 대립유전자에 의해 결정된다. 쌍꺼풀 대립유전자를 A, 외까풀 대립유전자를 a라고 할 때, 표현형이 쌍꺼풀인 사람의 유전자형은 AA 혹은 Aa이다.

과학 용어

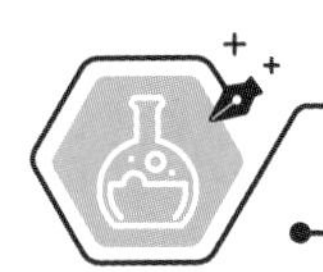

## 중학에 나오는 과학 용어 풀이

### 13 순종, 잡종

한 형질을 나타내는 대립유전자 구성이 AA, aa와 같이 같은 것을 ❶ ______(동형 접합성)이라 하고, 한 형질을 나타내는 대립유전자 구성이 Aa, Dd와 같이 다른 것을 ❷ ______(이형 접합성)이라 한다.

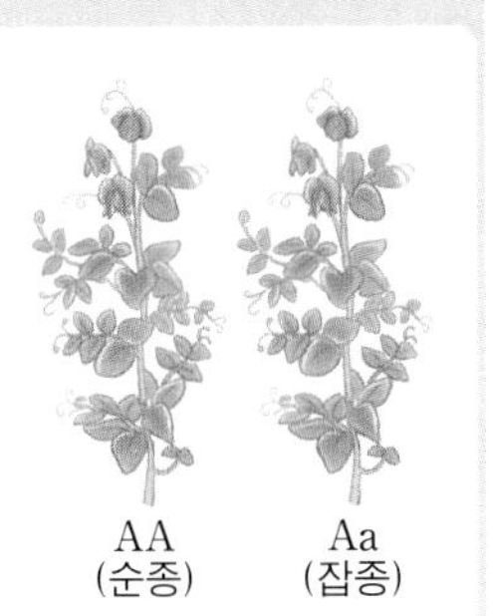


답 ❶ 순종 ❷ 잡종

예1 순종은 여러 세대를 자가 수분하여도 계속 같은 형질의 자손만 나오는 개체이다.

예2 잡종은 대립 형질이 다른 두 순종 개체를 타가 수분하여 얻은 자손이다.

### 14 우열의 원리 | 뛰어날 優, 못할 劣, 근원 原, 다스릴 理

대립 형질이 다른 ______의 개체끼리 교배하여 얻은 잡종 1대에서 열성 형질은 억제되고, 우성 형질만 표현되는 유전 원리

순종의 키 큰 완두 (AA) × 순종의 키 작은 완두 (aa) → 잡종의 키 큰 완두 (Aa)

답 순종

예1 순종의 키 큰 완두와 키 작은 완두를 교배하면 잡종 1대에서 키 큰 완두만 나온다.

예2 잡종 1대에 나타나는 형질을 우성, 나타나지 않는 형질을 열성이라고 한다.

### 15 우성, 열성

대립 형질 중 유전자형이 이형 접합성인 개체에서 표현형으로 나타나는 형질이 ❶ ______, 표현형으로 나타나지 않는 형질이 ❷ ______

P: 황색 완두 YY, 녹색 완두 yy
생식세포: Y, y
$F_1$: Yy 황색 완두

답 ❶ 우성 ❷ 열성

예1 순종의 황색 완두(YY)와 녹색(yy) 완두를 교배하면 잡종 1대에서 황색(Yy) 완두만 나온다. ➡ 황색 형질이 우성이고, 녹색 형질이 열성이다.

### 16 분리 법칙 나눌 分, 떠날 離, 법 法, 법칙 則

생식세포를 형성할 때 ______가 분리되어 각각 서로 다른 생식세포로 들어가는 유전 원리

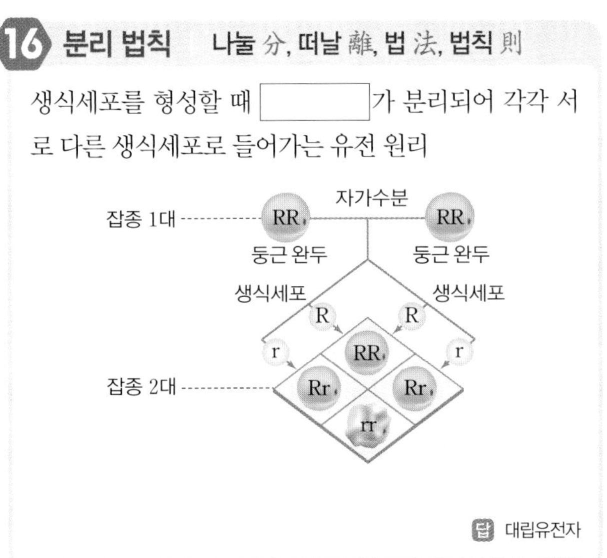


답 대립유전자

예1 쌍을 이루고 있던 대립유전자가 분리되어 각 생식세포로 들어간다.

예2 대립유전자 R와 r가 분리되어 서로 다른 생식세포로 들어간다. → 생식세포 R : r = 1 : 1

## 17 독립 법칙 | 홀로 獨, 설 立, 법 法, 법칙 則

두 쌍 이상의 대립 형질이 동시에 유전될 때 각각의 [　　　]이 서로 영향을 주지 않고 각각 분리 법칙에 따라 유전되는 원리

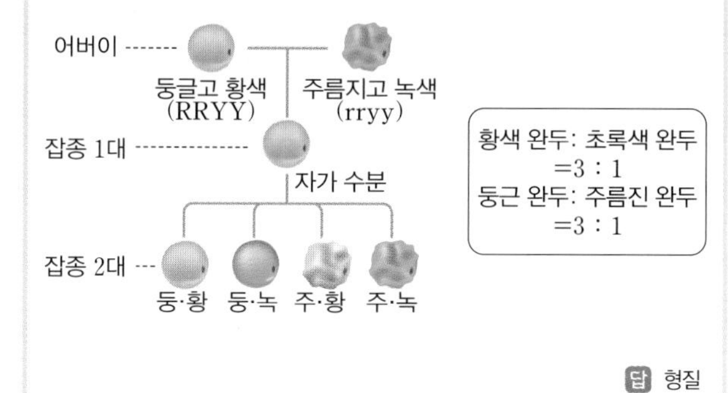


답 형질

예1 완두 씨의 모양과 색깔을 결정하는 대립유전자 쌍은 서로 영향을 미치지 않고 각각 분리되어 서로 다른 생식세포로 들어가기 때문에 독립적으로 유전된다.

## 18 가계도 분석

가계도를 분석하여 특정 형질을 가진 가계에서 형질이 어떻게 [　　　]되는지 알아보는 방법

• 가계도: 특정 형질을 여러 세대에 걸쳐 조사하여 도표로 나타낸 것

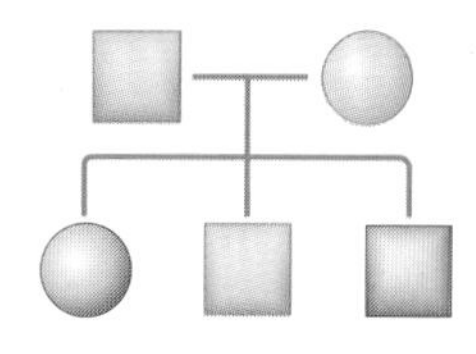


답 유전

예1 형질의 우열 관계와 가족 구성원의 유전자형, 태어날 자손의 형질을 예측할 수 있다.

예2 가계도에서 색깔이 다른 것은 서로 다른 대립 형질을 뜻한다. 분홍색이 미맹이면 연두색은 정상이다.

## 19 통계 조사

특정 형질의 유전에 대해 최대한 많은 사람을 조사하여 얻은 자료를 [　　　]으로 분석하는 방법

답 통계적

예1 통계 조사를 통해 형질이 유전되는 특징, 유전자의 분포 등을 밝힌다.

예2 통계는 어떤 현상을 종합적으로 한눈에 알아보기 쉽게 일정한 체계에 따라 숫자로 나타내는 것이다.

## 20 쌍둥이 연구

쌍둥이를 비교하여 유전과 [　　　]이 특정 형질에 미치는 영향을 조사하는 방법

답 환경

예1 1란성 쌍둥이는 유전자 구성이 같으므로 형질 차이는 환경의 영향이다.

예2 2란성 쌍둥이는 유전자 구성이 다르므로 형질 차이는 유전과 환경의 영향이다.

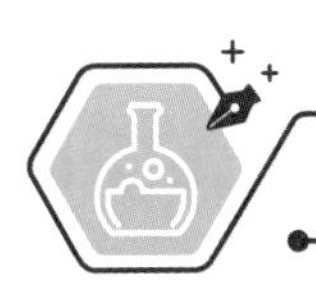

## 중학에 나오는 과학 용어 풀이

### 21 반성유전 짝 伴, 성품 性, 남길 遺, 전할 傳

유전자가 ❶ [ ]에 있어 유전 형질이 나타나는 빈도가 ❷ [ ]에 따라 차이가 나는 유전 현상

예 적록 색맹, 혈우병

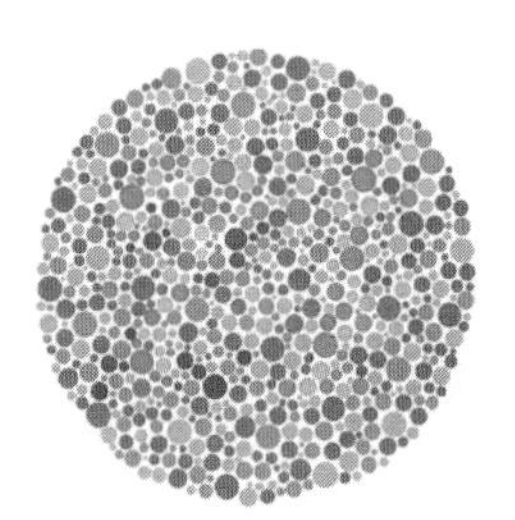

답 ❶ 성염색체 ❷ 남녀(성별)

예 1 색맹 유전자는 X 염색체에 있으며, 색맹 유전자(X′)는 정상 유전자(X)에 대해 열성이다.

예 2 남자(XY)는 적록 색맹 유전자가 1개만 있어도 색맹이 되므로 색맹은 여자보다 남자에게 더 많이 나타난다.

### 22 생물 다양성

어떤 지역에 살고 있는 생물의 다양한 정도로, 종 다양성뿐 아니라 유전적 다양성, [ ]을 포함한다.

답 생태계 다양성

예 1 일정한 지역에 여러 종의 생물이 고르게 분포할수록 생물 다양성이 높다.

예 2 산림, 습지, 바다 등 다양한 생태계가 유지되면 생물 다양성은 증가할 수 있다.

### 23 종 다양성

일정한 지역에 살고 있는 [ ]의 다양한 정도

답 생물종

예 1 생물종의 수가 많고, 여러 종의 생물이 고르게 분포할수록 종 다양성이 높다.

예 2 종 다양성이 높으면 먹이 사슬이 복잡해지므로, 생태계 평형이 잘 유지된다.

### 24 유전적 다양성

같은 종에 속하는 개체들의 [ ]가 다양한 정도

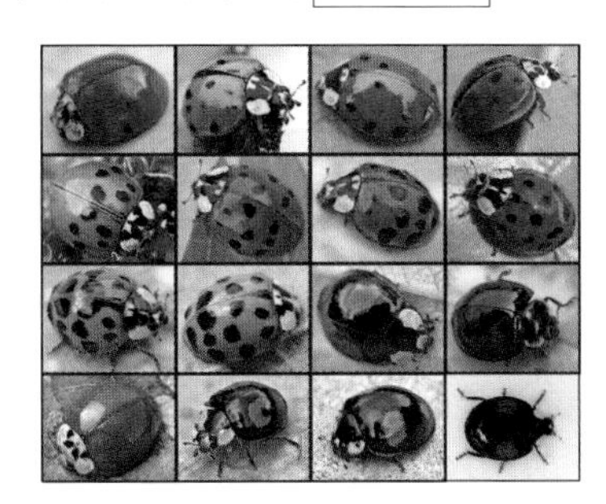

답 유전자

예 1 같은 무당벌레라도 색깔, 무늬 등이 다른 것은 개체마다 유전자가 다르기 때문이다.

예 2 유전적 다양성이 높을수록 급격한 환경 변화에도 살아남는 개체가 있어 멸종 위험성이 낮다.

## 25 변이 | 변할 變, 다를 異

같은 [　　　]의 생물 사이에서 나타나는 서로 다른 특성의 차이

답 종

예1 유전자의 차이에 의해 나타나는 변이는 유전적 다양성과 관련이 있다.

예2 생물의 변이와 환경에 적응하는 과정을 통해 생물 다양성이 높아진다.

## 26 생태계 다양성

생물의 서식지인 [　　　]의 다양한 정도

- 생태계: 어떤 지역에 사는 생물과 이를 둘러싼 환경 요인을 모두 포함한 것

산림

습지

답 생태계

예1 생태계의 종류에는 열대 우림, 초원, 갯벌, 습지, 사막, 호수, 강, 바다, 호수, 농경지 등이 있다.

예2 생태계마다 환경 요인이 달라 서식하는 생물종이 다르므로 생태계가 다양할수록 생물 다양성도 높다.

## 27 먹이 사슬

먹고 먹히는 관계를 [　　　] 모양으로 나타낸 것

- 먹이 그물: 먹이 사슬 여러 개가 서로 얽혀 그물처럼 복잡하게 나타난 것

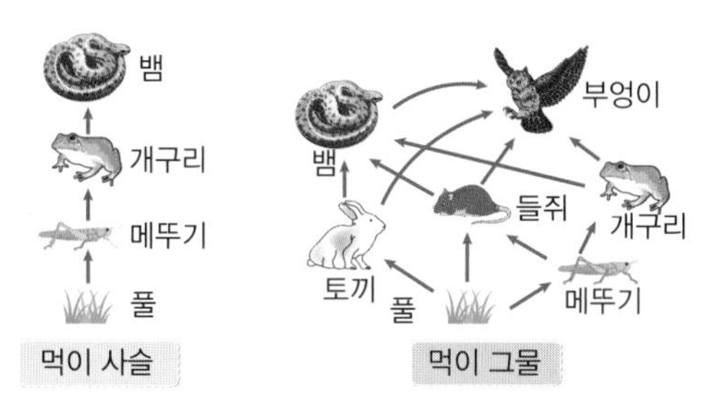


답 사슬

예1 생물 다양성이 높은 생태계는 먹이 그물이 복잡하게 형성되어 생태계가 안정적이다.

예2 먹이 사슬이 단순한 생태계에서는 어떤 생물종이 사라지면 그 포식자도 먹이가 없어 멸종될 가능성이 높다.

## 28 생물 자원

인간이 생활에 이용하는 자원 중 [　　　]에서 유래한 것

답 생물

예1 인간은 생물로부터 식량, 섬유, 목재, 의약품 원료 등을 얻는다.

예2 지구에 서식하는 생물은 모두 소중한 자원이며, 생물 다양성이 높을수록 생물 자원이 풍부해진다.

## 중학에 나오는 과학 용어 풀이

### 29 서식지 단편화 끊을 斷, 조각 片, 될 化

도로 건설, 택지 개발 등으로 서식지가 [　　　]로 나누어지는 것

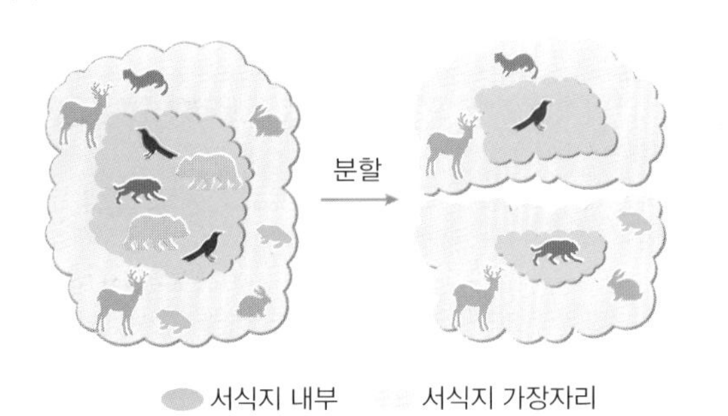


답 소규모

예1 서식지 면적이 줄고 생물종의 이동을 제한하여 고립시켜 개체군의 크기가 감소하고 멸종에 이를 수 있다.

예2 서식지가 단편화되면 가장자리 면적은 증가하고 야생 생물이 주로 서식하는 내부 면적은 크게 감소한다.

### 30 불법 포획 닐 不, 법 法, 잡을 捕, 얻을 獲

야생 동물이나 식물을 [　　　]으로 잡아들이거나 채집하는 것

답 불법

예1 야생 동물의 밀렵과 희귀식물의 채취 등 불법 포획과 남획으로 인해 일부 종은 멸종 위기에 처해 있다.

예2 불법 포획과 남획은 생태계의 먹이 사슬을 변화시켜 생물 다양성이 감소한다.

### 31 생태 통로

도로나 댐 등의 건설로 야생동물이 서식지를 잃는 것을 방지하기 위하여 야생동물이 지나는 [　　　]을 인공적으로 만든 것

답 길

예1 도로, 철도 등을 건설할 때 동물들이 이동할 수 있는 생태 통로를 만들어 서식지를 연결해 줌으로써 개체의 이동을 원활하게 하여 개체군이 넓은 지역에 분포할 수 있도록 한다.

### 32 외래종 바깥 外, 올 來, 씨 種

원래 살던 곳을 벗어나 새로운 지역으로 옮겨 서식하는 [　　　]

예 뉴트리아, 가시박, 큰입베스, 블루길, 돼지풀 등

뉴트리아

답 생물종

예1 외래종은 포식자(천적)나 질병이 없는 경우 대량 번식하여 고유종의 생존을 위협하여 생물 다양성을 감소시킨다.

예2 외래종은 기존 생태계에 미치는 영향을 철저히 검증한 후 도입해야 한다.

## 핵심정리 01 유전체, 염색체, DNA, 유전자

- **유전체:** 유전 정보가 저장되어 있는 DNA 전체
- **염색체:** DNA와 히스톤 단백질이 결합하여 형성된 ❶ [ ] 이 수백만 개 연결되어 응축된 형태
- **DNA:** 뉴클레오타이드가 결합하여 형성된 폴리뉴클레오타이드 두 가닥이 나선 모양으로 꼬인 ❷ [ ] 구조의 분자
- **유전자:** 유전 정보가 염기 서열의 형태로 저장되어 있는 DNA의 특정 부분

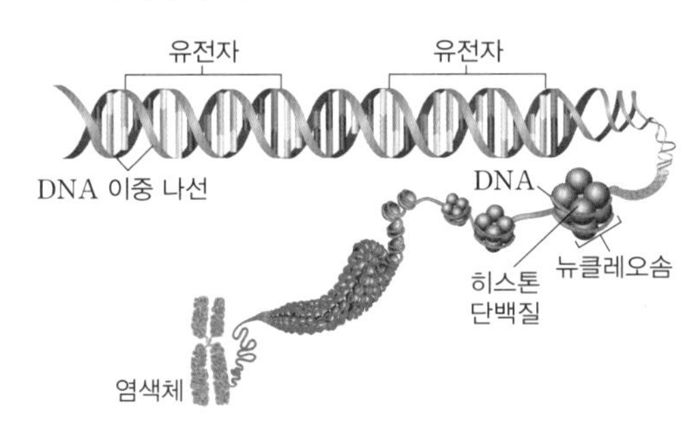


답 ❶ 뉴클레오솜 ❷ 이중 나선

## 핵심정리 02 사람의 염색체

- **염색 분체:** DNA가 ❶ [ ] 되어 형성된 것, 한 염색체를 구성하는 두 염색 분체의 유전자 구성은 동일하다.
- **상동 염색체:** 모양과 크기가 같은 1쌍의 염색체로, 부모에게서 하나씩 물려받은 것
- **대립유전자:** ❷ [ ] 의 같은 위치에 있는 한 가지 형질의 결정에 관여하는 유전자

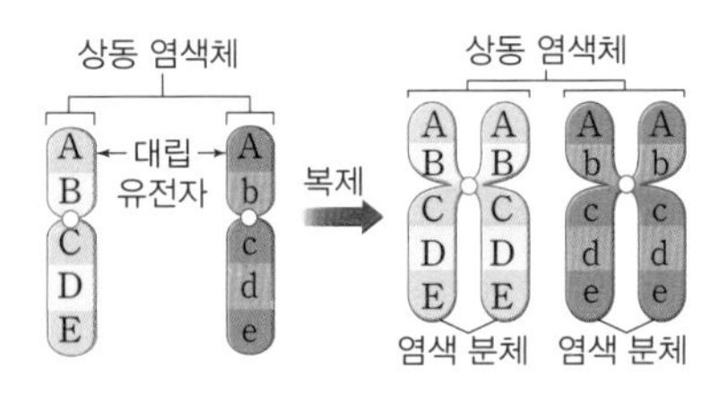


- **핵형:** 체세포에 들어 있는 염색체의 수, 모양, 크기와 같은 염색체의 외형적인 특성, 분열기 중기의 세포를 이용하여 핵형 분석을 한다.
- **핵상:** 상동 염색체가 쌍을 이룬 경우 $2n$, 상동 염색체 중 1개씩만 있는 경우 $n$으로 표시

답 ❶ 복제 ❷ 상동 염색체

## 핵심정리 03 세포 주기와 체세포 분열

### ○ 세포 주기

| | | |
|---|---|---|
| 간기 | $G_1$기 | 세포의 구성 물질 합성, 세포 소기관의 수 증가 |
| | S기 | ❶ [ ] (DNA양 2배로 증가) |
| | $G_2$기 | 방추사 구성 단백질 합성, 세포 분열 준비 |
| 분열기 (M기) | | 핵분열로 유전 물질이 나누어진 후 세포질 분열로 딸세포 형성 |

### ○ 체세포 분열

$2n \rightarrow 2n$, 후기에 ❷ [ ] 가 분리된다.

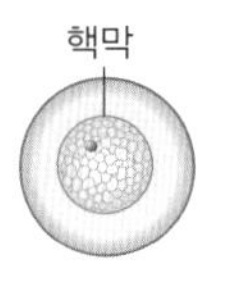

간기

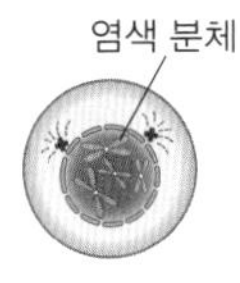

전기

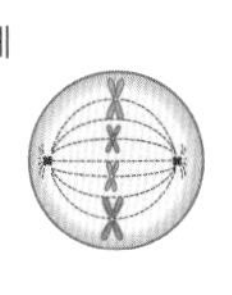
중기

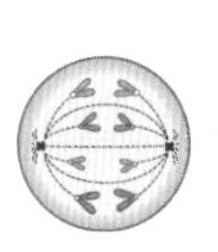
후기

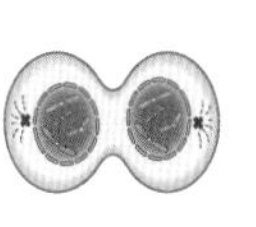
말기

답 ❶ DNA 복제 ❷ 염색 분체

## 핵심정리 04 감수 분열

- **감수 분열:** 2회 연속 분열로 염색체 수와 유전 물질의 양이 모세포의 절반인 딸세포 형성, 다양한 생식세포 형성으로 유전적 다양성이 나타난다.
- **감수 1분열 :** $2n \rightarrow n$, 전기에 ❶ [ ] 형성, 후기에 ❷ [ ] 분리
- **감수 2분열:** $n \rightarrow n$, 후기에 염색 분체 분리

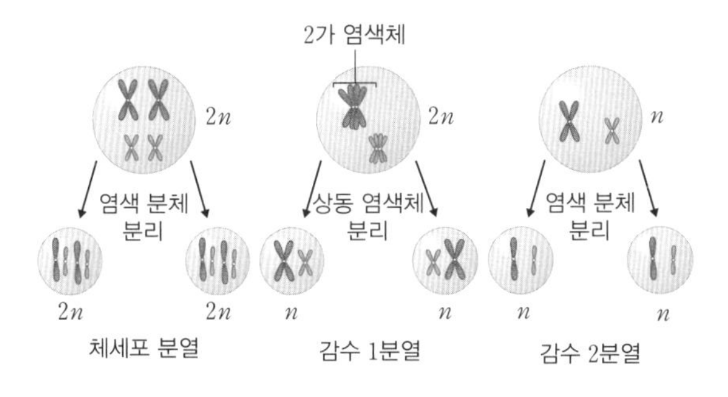


답 ❶ 2가 염색체 ❷ 상동 염색체

## 01 이것만은 꼭! 유전체, 염색체, DNA, 유전자

(예제) 그림은 염색체의 구조를 나타낸 것이다.

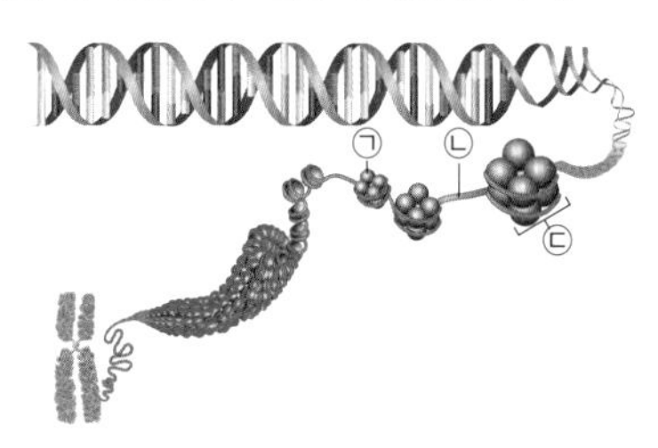


이에 대한 설명으로 옳은 것을 〈보기〉에서 모두 고르시오.

보기

✓ㄱ. ㉠은 히스톤 단백질이다.
✓ㄴ. ㉡에 유전 정보가 저장되어 있다.
ㄷ. ㉢은 간기에 사라진다.

★기억해요!

㉡은 [　　　]이고, ㉢은 [　　　]이다. 염색체는 DNA와 단백질로 구성되어 있고 분열기에 강하게 응축된다.

답 DNA, 뉴클레오솜

## 02 이것만은 꼭! 사람의 염색체

(예제) 그림은 어떤 사람의 핵형 분석 결과를 나타낸 것이다.

이에 대한 설명으로 옳지 않은 것은?

① ㉠과 ㉡은 상동 염색체이다.
② ㉠과 ㉡의 같은 위치에 대립유전자가 있다.
✓③ ㉠은 DNA가 복제되지 않은 세포에서 관찰된다.
④ 이 사람은 정상보다 상염색체가 1개 많다.
⑤ 핵형 분석은 분열기 중기의 세포를 이용한다.

★기억해요!

DNA 복제로 형성된 두 [　　　]의 유전자 구성은 동일하고, 대립유전자는 [　　　]의 같은 위치에 있다.

답 염색 분체, 상동 염색체

## 03 이것만은 꼭! 세포 주기와 체세포 분열

(예제) 그림은 어떤 세포의 세포 주기를 나타낸 것이다. ㉠과 ㉡은 각각 S기와 분열기 중 하나이다. 이에 대한 설명으로 옳지 않은 것은?

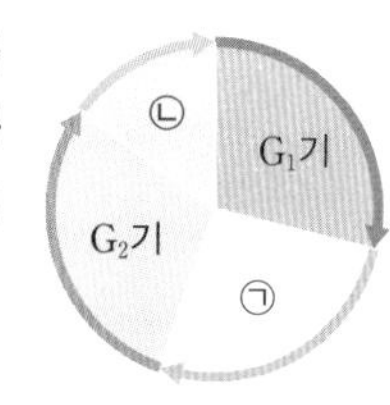


① ㉠은 S기이다.
② ㉠ 시기에 DNA가 복제된다.
③ ㉡ 시기에 핵막이 없어졌다가 다시 형성된다.
④ ㉡ 시기에 필요한 물질이 $G_2$기에서 합성된다.
✓⑤ 핵 1개당 DNA양은 $G_1$기의 세포가 $G_2$기 세포의 2배이다.

★기억해요!

세포 주기는 $G_1$기 → S기 → [　　　] → 분열기의 순으로 진행되며, [　　　]에 DNA가 복제된다.

답 $G_2$기, S기

## 04 이것만은 꼭! 감수 분열

(예제) 감수 1분열과 감수 2분열의 특징을 비교한 내용으로 옳지 않은 것은?

| | 특징 | 감수 1분열 | 감수 2분열 |
|---|---|---|---|
| ① | 분열 전 DNA 복제 | 있음 | 없음 |
| ✓② | 후기 | 염색 분체가 분리됨 | 상동 염색체가 분리됨 |
| ③ | 모세포와 딸세포의 핵상 | 다름 ($2n \rightarrow n$) | 같음 ($n \rightarrow n$) |
| ④ | 2가 염색체 | 형성됨 | 형성되지 않음 |
| ⑤ | 딸세포의 유전자 구성 | 다름 | 같음 |

★기억해요!

감수 1분열 전기에 상동 염색체 쌍이 접합하여 [　　　]가 형성되고, 후기에 분리된다. 감수 2분열 후기에는 [　　　]가 분리된다.

답 2가 염색체, 염색 분체

자르는 선

## 핵심 정리 05 단일 인자 유전

- **단일 인자 유전:** 1쌍의 대립유전자가 하나의 형질을 결정, 대립유전자 간 우열이 분명하고 표현형이 뚜렷하게 구분된다.
- **상염색체 유전 가계도 분석:** 부모와 다른 형질의 자손이 나오는 경우 ➡ 자손의 형질이 ❶ [　　] 이고, 부모의 유전자형은 둘 다 이형 접합성이다.

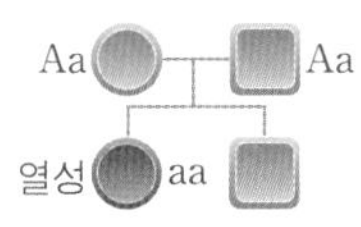


- **성염색체 유전:** 형질을 결정하는 유전자가 성염색체에 있어 발현 빈도가 성별에 따라 다르다. ➡ ❷ [　　] 이라고 한다.
- **적록 색맹:** 대립유전자가 X 염색체에 있고 정상에 대해 열성이며, 여자보다 남자에게 더 많이 나타난다. ➡ 어머니가 적록 색맹이면 아들은 항상 적록 색맹이고, 딸이 적록 색맹이면 아버지는 항상 적록 색맹이다.

답 ❶ 열성 ❷ 반성유전

## 핵심 정리 06 복대립 유전과 다인자 유전

### ○ 복대립 유전

- 단일 인자 유전이면서 형질을 결정하는 대립유전자의 종류가 ❶ [　　] 가지 이상이다. ➡ 대립유전자의 종류가 2가지인 경우에 비해 유전자형과 표현형이 다양하다.
- **ABO식 혈액형 유전:** 상염색체에 있는 3종류의 대립유전자에 의해 형질이 결정된다. ➡ 유전자형 6가지, 표현형 4가지(A형, B형, AB형, O형)

### ○ 다인자 유전

- 형질이 여러 쌍의 대립유전자에 의해 결정, 표현형이 다양하고, 환경의 영향을 많이 받는다. 표현형의 분포가 ❷ [　　] 형태를 나타내는 것이 많다.
- **사람의 피부색 유전 모델:** 3쌍의 대립유전자(A와 a, B와 b, C와 c)가 관여하는 다인자 유전이며, 검게 만드는 대립유전자의 개수 합으로 표현형이 결정된다. ➡ 유전자형 27가지(생식세포 유전자형은 8가지), 표현형 7가지

답 ❶ 3 ❷ 정상 분포 곡선

## 핵심 정리 07 염색체 수 이상

- **염색체 비분리 현상:** 생식세포 분열 시 염색체 비분리로 염색체 수가 정상보다 많거나 적은 생식세포 생성

| 감수 1분열에서 염색체 비분리 1회 일어난 경우 | 감수 2분열에서 염색체 비분리 1회 일어난 경우 |
|---|---|
| • ❶ [　　] 비분리<br>• 정상보다 1개 많거나 1개 적은 생식세포 생성 ➡ 모든 생식세포 이상 | • ❷ [　　] 비분리<br>• 정상, 정상보다 1개 많거나 1개 적은 생식세포 생성<br>➡ 정상 : 비정상＝1 : 1 |

- **염색체 수 이상에 의한 유전병:** 핵형 분석으로 확인 가능

| 다운 증후군 | 터너 증후군 | 클라인펠터 증후군 |
|---|---|---|
| 45＋XX(여자)<br>45＋XY(남자) | 44＋X(여자) | 44＋XXY(남자) |
| 21번 염색체 3개 | 성염색체가 X 염색체 1개 | 성염색체가 XXY로 3개 |

답 ❶ 상동 염색체 ❷ 염색 분체

## 핵심 정리 08 염색체 구조 이상과 유전자 이상

### ○ 염색체 구조 이상

- 세포 분열 과정에서 염색체 구조에 이상이 생겨 유전자에 변화가 생긴다. ❶ [　　] 으로 확인 가능

| 결실 | 중복 | 역위 | 전좌 |
|---|---|---|---|
| 염색체의 일부가 떨어져 없어짐 | 염색체의 일부분과 같은 부분이 삽입되어 반복됨 | 염색체의 일부가 떨어졌다가 거꾸로 붙음 | 한 염색체의 일부가 상동 염색체가 아닌 다른 염색체에 붙음 |

- **염색체 구조 이상에 의한 유전병:** 고양이 울음 증후군(결실), 만성 골수성 백혈병(전좌)

### ○ 유전자 이상

- 유전자를 구성하는 DNA ❷ [　　] 의 변화로 비정상 단백질 형성, 핵형 분석으로 확인 불가능
- **낫 모양 적혈구 빈혈증:** 헤모글로빈 유전자의 염기 서열 1개가 바뀌어 비정상 헤모글로빈이 만들어져 낫 모양 적혈구 형성 ➡ 산소 운반 능력 저하로 심한 빈혈 유발

답 ❶ 핵형 분석 ❷ 염기 서열

자르는 선

## 06 이것만은 꼭! 복대립 유전과 다인자 유전

예제 ABO식 혈액형 유전에 대한 설명으로 옳지 않은 것은?

① 대립유전자가 상염색체에 있다.
② 대립유전자의 종류가 3가지이다.
③ 한 쌍의 대립유전자에 의해 표현형이 결정된다.
✓④ 형질 발현에 여러 쌍의 대립유전자가 관여하는 다인자 유전이다.
⑤ AB형의 유전자형은 이형 접합성이고 O형의 유전자형은 동형 접합성이다.

★기억해요!

ABO식 혈액형 유전은 대립유전자의 종류가 3가지($I^A$, $I^B$, $i$)인 ______이며, 한 쌍의 대립유전자에 의해 형질이 결정되는 ______이다.

답 복대립 유전, 단일 인자 유전

## 05 이것만은 꼭! 단일 인자 유전

예제 그림은 철수네 가족과 영희네 가족의 적록 색맹 유전 가계도를 나타낸 것이다. 이에 대한 설명으로 옳은 것을 〈보기〉에서 모두 고르시오. (단, 돌연변이는 고려하지 않는다.)

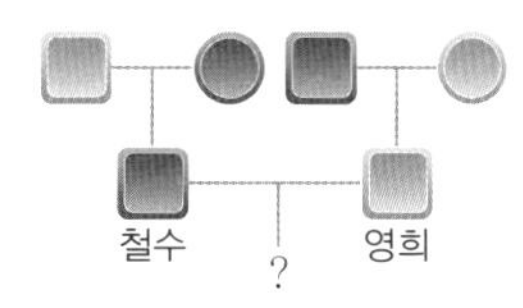


보기

✓ㄱ. 영희는 적록 색맹 보인자이다.
✓ㄴ. 철수는 적록 색맹 대립유전자를 어머니로부터 물려받았다.
ㄷ. 철수와 영희로부터 딸이 태어날 때 이 딸이 적록 색맹일 확률은 $\frac{1}{4}$이다.

★기억해요!

적록 색맹 대립유전자는 ______ 염색체에 있고 정상에 대해 ______이다.

답 X, 열성

## 08 이것만은 꼭! 염색체 구조 이상과 유전자 이상

예제 표는 유전병을 가진 사람 (가)와 (나)의 핵형 분석 결과를 나타낸 것이다. (가)와 (나)의 유전병은 각각 낫 모양 적혈구 빈혈증과 고양이 울음 증후군 중 하나이다. 이에 대한 설명으로 옳은 것을 〈보기〉에서 모두 고르시오

| | |
|---|---|
| (가) | 정상인과 핵형이 같다. |
| (나) | 정상인과 비교하여 5번 염색체의 크기가 작다. |

보기

✓ㄱ. (가)의 유전병은 낫 모양 적혈구 빈혈증이다.
✓ㄴ. (나)의 유전병은 염색체의 결실에 의해 일어났다.
ㄷ. (가)와 (나)의 유전병은 모두 염색체 구조 이상에 의해 발생한다.

★기억해요!

낫 모양 적혈구 빈혈증은 ______ 이상에 의한 유전병이고, 고양이 울음 증후군은 염색체 구조 이상 중 ______에 의한 유전병이다.

답 유전자, 결실

## 07 이것만은 꼭! 염색체 수 이상

예제 클라인펠터 증후군인 아이가 태어날 수 있는 정자와 난자의 조합으로 옳은 것을 〈보기〉에서 모두 고르시오. (단, 염색체 비분리는 성염색체에서만 1회 일어났다.)

보기

✓ㄱ. 감수 1분열에서 비분리된 난자+정상 정자
✓ㄴ. 감수 2분열에서 비분리된 난자+정상 정자
✓ㄷ. 감수 1분열에서 비분리된 정자+정상 난자
ㄹ. 감수 2분열에서 비분리된 정자+정상 난자

★기억해요!

클라인펠터 증후군은 성염색체가 ______인 남자이며, 감수 ______ 분열에서 성염색체가 비분리된 정자와 정상 난자의 수정으로는 나올 수 없다.

답 XXY, 2

자르는 선

## 핵심 정리 09 생물과 환경의 상호 관계

○ 생태계

생물적 요인(생물 군집)과 비생물적 요인(빛, 온도, 공기, 물 토양 등)으로 구성된다.

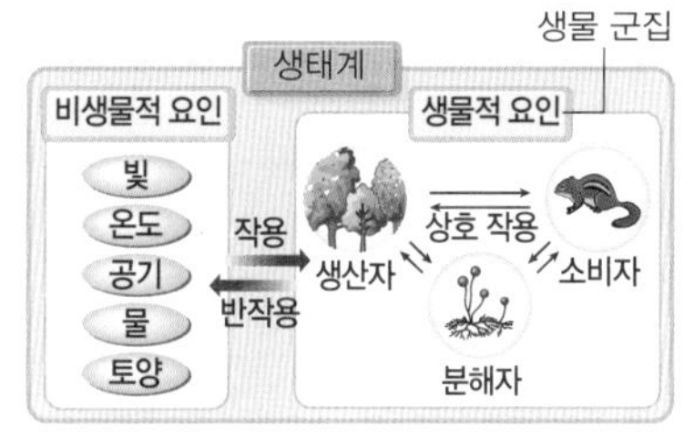


○ 생태계 구성 요소 사이의 관계

- **작용:** ❶ [　　　] 요인이 ❷ [　　　] 요인에 영향을 주는 것 ⓔ 빛의 세기에 따라 식물 잎의 두께가 다르다.
- **반작용:** 생물적 요인이 비생물적 요인에 영향을 주는 것 ⓔ 낙엽이 쌓이면 토양이 비옥해진다.
- **상호 작용:** 생물과 생물 사이에서 서로 영향을 주고받는 것 ⓔ 포식과 피식, 종간 경쟁, 텃세, 순위제, 리더제, 사회생활, 가족생활 등 개체군 내의 상호 작용과 개체군 사이의 상호 작용이 있다.

답 ❶ 비생물적 ❷ 생물적

## 핵심 정리 10 개체군의 밀도와 생장 곡선

○ 개체군의 밀도

- **개체군:** 한 종으로만 구성된 생물 집단
- **개체군의 밀도** = $\dfrac{\text{개체군을 구성하는 ❶ [　　　]}}{\text{개체군이 서식하는 공간의 면적}}$

○ 개체군의 생장 곡선

- **개체군의 생장 곡선:** 개체군의 개체 수 변화를 시간에 따라 그래프로 나타낸 것
- **이론적 생장 곡선(❷ [　　　] 자형)** : 환경 저항이 없는 이상적인 환경에서의 생장 곡선

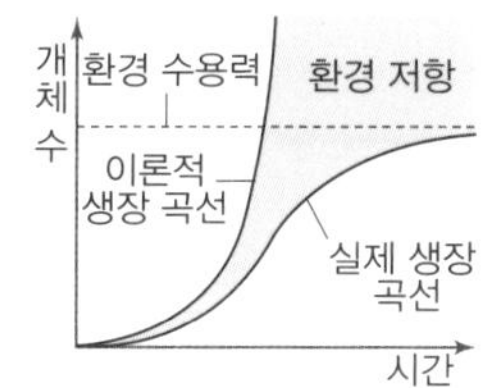


- **실제 생장 곡선(S자형):** 처음에는 급격히 증가하다가 개체 수가 증가할수록 환경 저항이 커져 증가율이 둔화된다.
- **환경 저항** : 개체군의 생장을 억제하는 요인 ⓔ 먹이 부족, 생활 공간 부족, 노폐물 증가, 천적과 질병 증가

답 ❶ 개체 수 ❷ J

## 핵심 정리 11 군집의 특성

○ 군집

- 일정한 지역에서 여러 개체군이 모인 집단을 군집이라 하고, 생산자, 소비자, 분해자로 구분되며, 여러 먹이 사슬이 복잡하게 얽혀 ❶ [　　　]이 형성된다.
- **생태적 지위:** 군집 내 개체군의 먹이와 공간 위치를 생태적 지위라고 한다.

○ 식물 군집의 조사

- **방형구법:** 조사할 곳에 방형구를 설치하고 방형구에 나타난 식물 종과 개체 수(밀도), 종이 출현한 방형구 수(빈도), 식물이 지표를 덮고 있는 정도(피도)를 조사하여 우점종을 알아낸다.
- **우점종:** 군집을 대표하는 종으로, 군집의 구조에 큰 영향을 미친다. ➡ ❷ [　　　](상대 밀도+상대 빈도+상대 피도)가 가장 높은 종

답 ❶ 먹이 그물 ❷ 중요치

## 핵심 정리 12 군집 내 개체군 간의 상호 작용

- **종간 경쟁:** 생태적 지위가 유사한 두 개체군이 자원을 두고 경쟁하는 경우 ➡ ❶ [　　　] 원리 적용(종간 경쟁에서 이긴 종은 살아남고, 진 종이 사라지는 것)
- **상리 공생** : 두 개체군이 모두 이익
- **편리 공생:** 한 개체군은 이익, 다른 개체군은 이익도 손해도 없다.
- **기생:** 기생하는 개체군은 이익, 숙주 개체군은 손해
- **포식과 피식:** 개체군 사이에서 먹고 먹히는 관계
- **분서:** 생태적 지위가 비슷한 개체군이 ❷ [　　　]나 먹이 등을 달리하여 경쟁을 피하는 현상

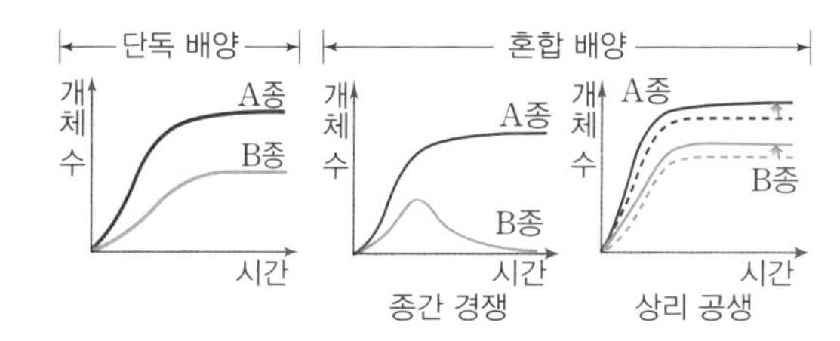


답 ❶ 경쟁·배타 ❷ 서식지

## 10 이것만은 꼭! 개체군의 밀도와 생장 곡선

(예제) 그림은 어떤 개체군의 생장 곡선을 나타낸 것이다. A와 B는 각각 이론적 생장 곡선과 실제 생장 곡선 중 하나이다. 이에 대한 설명으로 옳은 것을 〈보기〉에서 모두 고르시오.

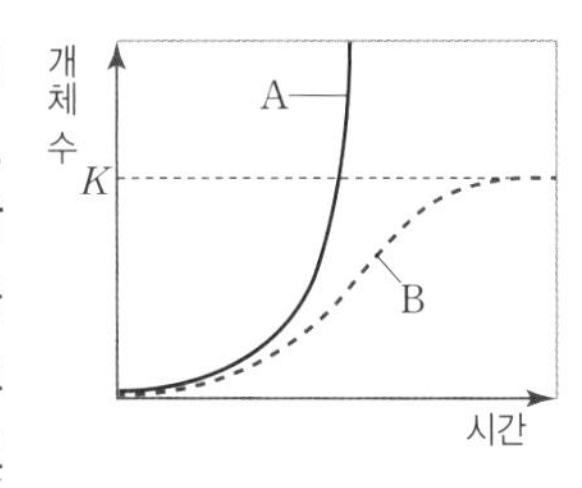


**보기**

✓ㄱ. $K$는 환경 수용력이다.
✓ㄴ. A는 이론적 생장 곡선이다.
ㄷ. B에서 환경 저항은 개체군의 크기가 증가할수록 작아진다.

★기억해요!

실제 생장 곡선은 [     ] 때문에 S자형으로 나타나며, 개체 수가 증가할수록 환경 저항은 [     ]다.

답 환경 저항, 커진

## 09 이것만은 꼭! 생물과 환경의 상호 작용

(예제) 그림은 생태계 구성 요소 사이의 관계를 나타낸 것이다. 이에 대한 설명으로 옳은 것을 〈보기〉에서 모두 고르시오.

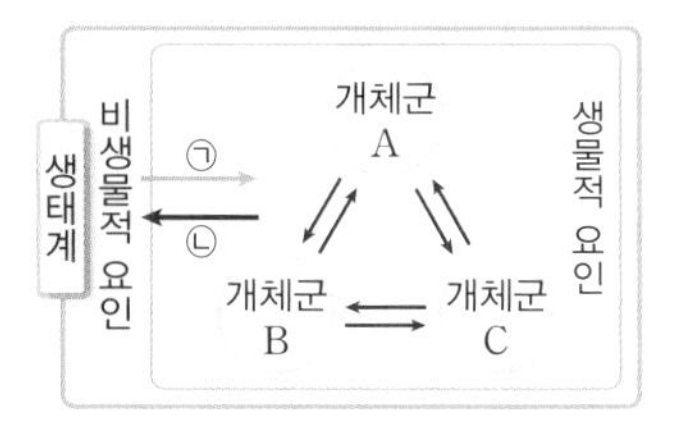


**보기**

✓ㄱ. ㉠은 작용이다.
✓ㄴ. 곰팡이는 분해자에 해당한다.
ㄷ. 양엽이 음엽에 비해 두꺼운 것은 ㉡에 해당한다.

★기억해요!

양엽이 음엽에 비해 두꺼운 것은 빛의 세기라는 [     ]적 요인이 식물이라는 [     ]적 요인에 영향을 미친 것이므로 작용에 해당한다.

답 비생물, 생물

## 12 이것만은 꼭! 군집 내 개체군 간의 상호 작용

(예제) 다음은 군집 내 개체군 사이의 상호 작용의 예이다.

(가) 스라소니는 눈신토끼를 잡아먹는다.
(나) 아우렐리아종과 카우다툼종을 함께 배양하면 아우렐리아종만 남는다.

이에 대한 설명으로 옳은 것을 〈보기〉에서 모두 고르시오.

**보기**

ㄱ. 아우렐리아종과 카우다툼종은 같은 종이다.
✓ㄴ. (가)에서 피식자는 포식자의 개체 수 변동에 영향을 미친다.
✓ㄷ. (나)에서 경쟁·배타 원리가 작용하였다.

★기억해요!

[     ]가 같은 두 개체군의 경쟁으로 한 종이 사라지는 것을 [     ] 원리라고 한다.

답 생태적 지위, 경쟁·배타

## 11 이것만은 꼭! 군집의 특성

(예제) 그림은 방형구를 이용하여 어떤 지역의 식물 분포를 조사한 것이다. 이에 대한 설명으로 옳은 것을 〈보기〉에서 모두 고르시오. (단, 제시된 종 이외의 다른 종은 고려하지 않으며, 방형구의 한 칸에 출현한 종은 그 칸의 면적을 모두 차지하는 것으로 한다.)

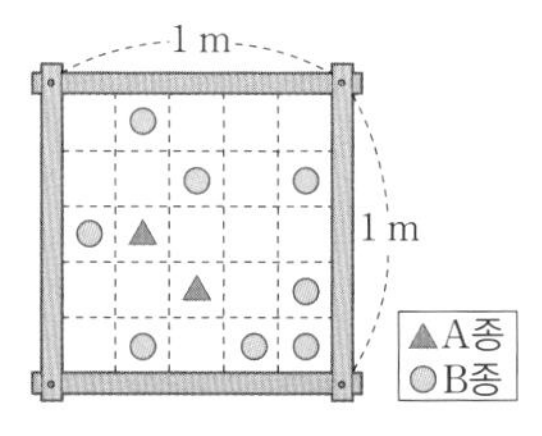


**보기**

✓ㄱ. 밀도는 A보다 B가 크다.
ㄴ. 빈도는 A보다 B가 작다.
✓ㄷ. B가 우점종이다.

★기억해요!

방형구법에서 밀도는 [     ]를 세어 구하고, 빈도는 개체가 출현한 [     ]의 수를 세어 구한다.

답 개체 수, 방형구

자르는 선

## 핵심정리 13 군집의 천이

• **천이:** 시간이 지남에 따라 군집의 종 구성과 특성이 서서히 달라지는 현상

• **1차 천이:** 용암 대지, 황무지 등 건조한 곳에서 시작되는 ❶ [    ] 천이와 연못이나 호수에서 시작하는 습성 천이가 있다.

• **건성 천이의 과정:** 지의류 → 초원 → 관목림 → 양수림 → 혼합림 → ❷ [    ](극상)

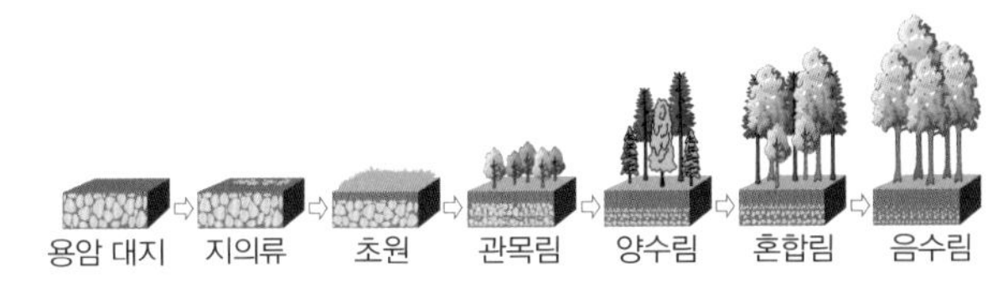


• **2차 천이:** 화재, 산사태 등으로 군집이 파괴된 후 남아 있던 토양에서 시작하는 천이 ➡ 초원에서 시작하며 1차 천이보다 빠르게 진행된다.

답 ❶ 건성 ❷ 음수림

## 핵심정리 14 생태계 에너지 흐름

• **에너지 흐름:** 생태계에서 에너지는 순환하지 않으며, 한쪽 방향으로 흐른다.

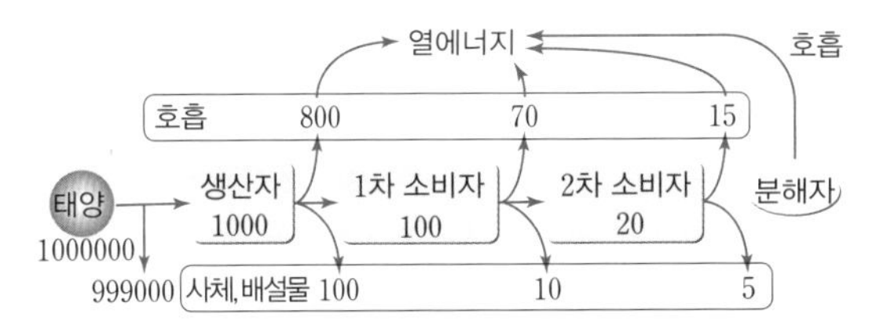


• **에너지 이동:** 생태계의 에너지 근원인 태양의 ❶ [    ]는 생산자의 광합성에 의해 ❷ [    ]로 전환되고, 먹이 사슬을 통해 상위 영양 단계로 이동한다. ➡ 상위 영양 단계로 갈수록 에너지양은 감소한다.

• **에너지 효율:** 한 영양 단계에서 다음 영양 단계로 이동하는 에너지의 비율 ➡ 상위 영양 단계로 갈수록 높다.

$$\text{에너지 효율}(\%)=\frac{\text{현 영양 단계의 에너지 총량}}{\text{전 영양 단계의 에너지 총량}}\times 100$$

답 ❶ 빛에너지 ❷ 화학 에너지

## 핵심정리 15 물질 생산과 소비, 물질 순환

### ○ 생태계에서 물질의 생산과 소비

• 총생산량＝호흡량＋❶ [    ]

• 순생산량＝피식량＋고사량 · 낙엽량＋생장량

• 생산자의 피식량＝1차 소비자의 섭식량

### ○ 물질 순환

• **탄소의 순환:** 대기 중 $CO_2$는 생산자의 광합성에 의해 유기물의 형태로 저장되고, 생물의 호흡과 화석 연료의 연소에 의해 $CO_2$ 형태로 대기로 되돌아간다.

• **질소의 순환:** ① 대기 중의 질소($N_2$)는 ❷ [    ]에 의해 암모늄 이온($NH_4^+$)으로 전환된 후 식물에 흡수되어 질소 동화 작용을 통해 단백질, 핵산 등을 합성하는 데 쓰인다. ② 식물이 합성한 질소 화합물은 먹이 사슬을 따라 이동하고, 분해자에 의해 암모늄 이온($NH_4^+$)으로 분해되어 식물로 흡수되거나 질산화 작용, 탈질산화 작용을 거쳐 질소 기체가 되어 대기 중으로 돌아간다.

답 ❶ 순생산량 ❷ 질소 고정 세균

## 핵심정리 16 생물 다양성

### ○ 생물 다양성

• **유전적 다양성:** 같은 종이라도 개체군 내의 개체들이 유전자의 ❶ [    ]로 인해 다양한 형질이 나타나는 것 ➡ 유전적 다양성이 높을수록 급격한 환경 변화에서 생존할 확률이 높다.

• **종 다양성:** 하나의 군집 또는 생태계에서 생물종의 다양한 정도 ➡ 종의 수가 많을수록, 종의 비율이 고를수록 높다. 종 다양성이 높을수록 생태계가 안정적으로 유지된다.

• **생태계 다양성 :** 일정한 지역에서 나타나는 ❷ [    ]의 다양함으로, 생물과 비생물의 관계에 대한 다양성을 포함한다.

### ○ 생물 다양성 감소 원인

서식지 파괴, 서식지 단편화, 불법 포획과 남획, 환경 오염과 기후 변화, 외래종의 도입 등

답 ❶ 변이 ❷ 생태계

자르는 선 ✂

## 14 이것만은 꼭! 생태계 에너지 흐름

예제 그림은 어떤 안정된 생태계의 에너지 피라미드를 나타낸 것이다. 이에 대한 설명으로 옳지 않은 것은?

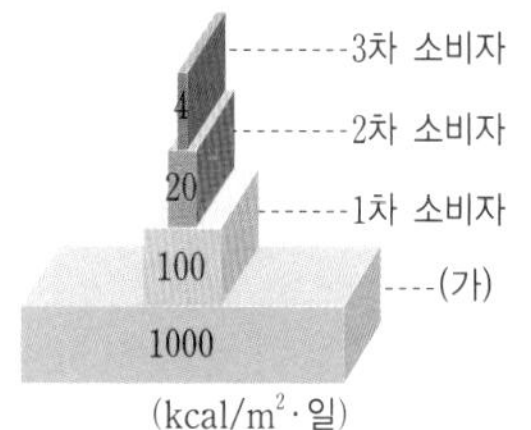


① (가)는 생산자이다.
② 에너지의 이동에 먹이 사슬이 관여한다.
③ 에너지양은 상위 영양 단계로 갈수록 감소한다.
④ 1차 소비자의 에너지 효율은 2차 소비자보다 높다.
⑤ 1차 소비자는 (가)로부터 화학 에너지를 전달받는다.

★기억해요!

에너지는 생산자에서 소비자로 [ ]을 따라 이동하고, 상위 영양 단계로 갈수록 에너지양이 [ ].

답 먹이 사슬, 감소한다

## 13 이것만은 꼭! 군집의 천이

예제 그림은 온대 지역에서 산불이 난 후 천이가 진행되는 과정을 나타낸 것이다.

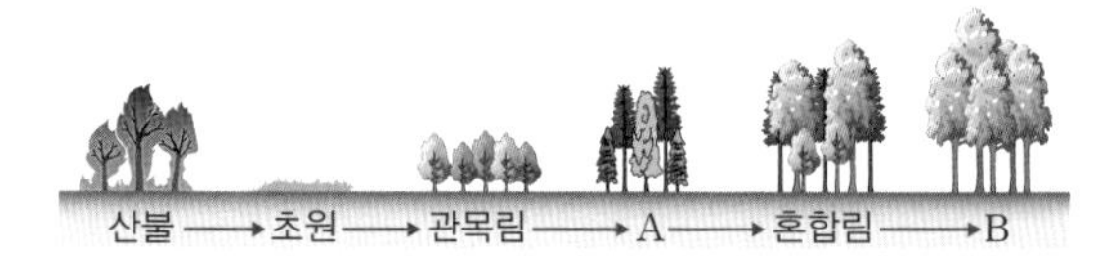


이에 대한 설명으로 옳은 것을 〈보기〉에서 모두 고르시오.

보기
ㄱ. 2차 천이에 해당한다.
ㄴ. A는 음수림이다.
ㄷ. B는 극상의 단계에 해당한다.

★기억해요!

2차 천이는 [ ]에서 시작하며, A는 양수림이고 B는 [ ]으로 극상의 단계이다.

답 초원, 음수림

## 16 이것만은 꼭! 생물 다양성

예제 생물 다양성을 보전하기 위한 방안으로 가장 타당하지 않은 것은?

① 종자 은행을 통해 다양한 자생종의 종자를 보관한다.
② 훼손의 위험이 있는 생태계를 보호 구역으로 지정한다.
③ 생태 통로를 설치하여 서식지 단편화에 의한 영향을 감소시킨다.
④ 멸종 위기종의 국제 교역에 대한 협약을 체결하여 국제 거래를 금지한다.
⑤ 인위적인 목적이 아니라면 생물종이 도입되는 것을 적극 장려하여 생물 다양성을 높인다.

★기억해요!

외래종은 새로운 환경에서 [ ]이 없는 경우 대량으로 번식하여 고유종의 서식지를 차지하고 먹이 사슬을 변화시켜 생물 다양성을 [ ]시키거나 생태계 평형을 파괴한다.

답 천적, 감소

## 15 이것만은 꼭! 물질 생산과 소비, 물질 순환

예제 그림은 일정 기간 동안 어떤 육상 생태계에서의 물질 생산과 소비를 나타낸 것이다. ㉠~㉢은 각각 호흡량, 총생산량, 피식량 중 하나이다.

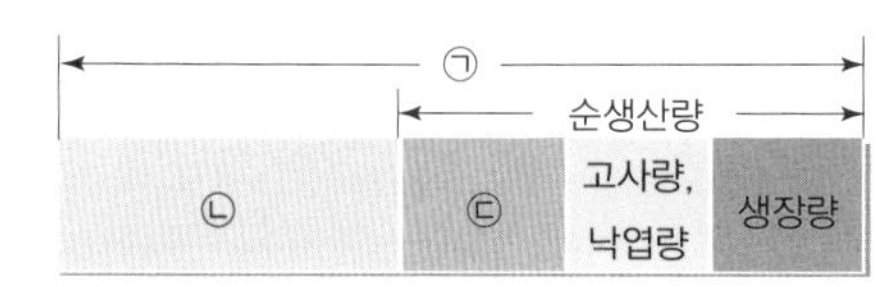


이에 대한 설명으로 옳지 않은 것은?

① ㉠은 총생산량이다.
② ㉠은 호흡량과 순생산량의 합과 같다.
③ ㉡은 피식량이다.
④ ㉡은 생산자의 생명 활동에 의해 발생한다.
⑤ ㉢은 1차 소비자의 섭식량과 같다.

★기억해요!

총생산량은 순생산량과 [ ]의 합과 같고, 순생산량 중 [ ]은 1차 소비자의 섭식량과 같다.

답 호흡량, 피식량

자르는 선

# book.chunjae.co.kr

교재 내용 문의 ............................ 교재 홈페이지 ▸ 고등 ▸ 교재상담
교재 내용 외 문의 ............................ 교재 홈페이지 ▸ 고객센터 ▸ 1:1문의
발간 후 발견되는 오류 ............................ 교재 홈페이지 ▸ 고등 ▸ 학습지원 ▸ 학습자료실